どうせ死ぬから言わせてもらおう

池田清彦

角川新書

目次

I　日本の幻想

II　おコトバですが

Ⅲ　コロナ狂騒曲

Ⅳ　思い込んだら百年目

V

閑居老人のよしなしごと

I　日本の幻想

生きた証

ヒトに生きる意味などはない

生きた証《あかし》を残したいと願う人がいる。別に文句があるわけではないが、これは人間だけが持つ特殊な願望だ。動物は腹いっぱい食いたいとか、気に入った異性と交尾したいとかの願望はあっても、生きた証を残したいと願うことは決してないだろう。ヒトは脳が大きくなって自我という厄介なものを抱えるようになった結果、自分の生に意味を求めたくなったのだ。生きた証を残したいなどという不思議な願望もここから生じてきたに違いない。

生物学的に言うとヒトに生きる意味などはない。ヒトは生まれて成長し、繁殖して子供を作り（作らない人もいるが）、やがて老いて死ぬだけだ。他の動物と同じようにここに特段の意味はない。意味を求めようとする心があるだけだ。個々人の心は皆それぞれ異なるので、求める意味も異なり、生きた証を残すことより、今が楽しければ、それが一番という人も多いに違いない。

ヒトは食欲、性欲、生存欲といった他の動物と共通の欲望のほか、有名になりたいとか、立身出世したいとか、お金持ちになりたいとかいった欲望を持つ。これらの欲望は、まとめて一言で言えば、承認欲求ということになる。有名になりたいというのは承認欲求の最たるもので、多くの人に知られているということは、必ずしもリスペクトされているとは限らないにしても、承認欲求は十分に満たされる。しかし、余りにも有名になりすぎると、どこにいても注目を浴びてプライバシーを守るのが大変になり、煩わしいと感じるようになるに違いない。承認欲求が満たされない人にとってはぜいたくな悩みと言えないこともないが。

立身出世したいというのも承認欲求の表れである。しかし、通常は組織の中で出世しても、組織内の人や身近な人はともかく、一般の人には身分が分からないので、リスペクトされることはない。初めて会う人と名刺交換するのは、自分のポジションを明らかにして、社会的な承認を得たいからであろう。名刺には多くの場合、肩書が書いてあるのはそのためである。

ものすごく有名な人で、名前と連絡先だけが印字された名刺を持っていたり、中には名刺を持っていない人もいたりするのは、肩書がなくともすでに十分に承認されているからである。代議士や知事といった政治家は、やたらと名前が大きく印字された名刺を持っている。選挙に勝つには何よりも名前を覚えてもらう必要があるからだろうけれど、いくら承認欲求が強くても普通の人はそこまでしない。

お金持ちになりたいという欲望は承認欲求と少し異なる、と感じる人がいるかもしれない。人知れず株式投資で大金を儲《もう》けて優雅な生活ができれば、他人に承認される必要なんてないと思う人もいるだろう。しかし、大金持ちで、狭苦しい下宿に住んで、最低限の食事をしている人はいない。優雅な生活とは、立派な邸宅や小ぎれいなマンションに住み、好きなものを食べ、高級車に乗り、自由に旅行に行けるということだろう。要するに、自由に使えるお金が沢山あるということだ。資本主義の社会では、お金を沢山使う人は社会的に承認されるので、お金があれば承認欲求は満たされる。

有名でなくとも、立派な肩書がなくとも、高級店で毎月高価なものを買っていれば、店の人は下にも置かないもてなしをしてくれるだろう。承認欲求はものすごく満たされるに違いない。それで、見栄《みえ》を張って、借金をしてまで高級品を買いまくる快感におぼれて、気が付けば借金で首が回らなくなって、自己破産に追い込まれる人もいる。承認欲求は恐ろしいのである。

有名になったり、立派な社会的地位に就いたり、大金持ちになるには、親の七光りの人は別にして、相応の努力がいるが、借金を重ねるのに努力はいらない。中には、肩書を詐称する人がいたり、久しぶりの同窓会に出て行って、年収が500万円しかないのに、2000万円などとウソをついたりする人もいる。後者はご愛敬《あいきょう》だけれども、前者は場合によっては犯罪になる。承認欲求は強いけれども、努力をしたくない人は、ややこしいことになりかねない。

墓よりも作品を

今ここに書いた承認欲求は、とりあえず、生きている時だけの話である。しかし、中には死んだ後も、自分の存在を承認され続けたい、との欲望を持つ人もいる。そこで、生きた証という話になる。しかし、歴史に名を留《とど》めるような人でなければ、世間一般に死後も承認され続けることはあり得ないので、せめて自分の身内や親しい人に自分のことを忘れないでほしい、と願うことは理解できる。そのための「よすが」として生きた証を残したい、ということなのだろう。

しかし、死後のことは知る術《すべ》がないから、自分の死後、自分のことを多少とも覚えていて、リスペクトしてくれる人がいるかどうかはわからない。生きた証として一番一般的で確かなのは墓であろう。日本ではお盆とお彼岸に墓参りをする風習があり、この日だけは自分のことを思い出してもらえるだろうと期待できる。しかしそれも、自分のことを直接見知っている子供や孫あたりまでで、それ以降の世代に承認されようと思っても無理なのは、お墓参りに行った人ならば、みんな知っているはずだ。何も知らない人のことを承認することは不可能だ。

女房の父母の墓がある、自宅近くの高乗寺《こうじょうじ》には、寺山修司《てらやましゅうじ》と忌野清志郎《いまわのきよしろう》の墓があり、墓参の人が時々訪れている。中には、両者のことを直接見知っているとは思われない若いグループもあり、これらの人は寺山修司の書き物を読んだり、忌野清志郎のロックを聴いたりして、ファンになった人たちだろう。だから、この両人にとっての生きた証は、生前に残した書物やコンサート（の録画）であろう。

ファンが墓参に来るのは、墓そのものに価値があるわけではなく、この両人をより身近に感じたいからであろう。何であれ、何らかの業績があり、死後もその業績をリスペクトしてくれる人がいる限り、これらの業績は立派な生きた証になる。どんな立派な墓を建てても曾孫《ひまご》の代には忘れられてしまうのなら、小説でも絵画でも工芸品でも、何でもいいから自分の作品を後世に残して、後世の人に承認してもらえれば、墓とは比べ物にならない生きた証になることは間違いない。実際、生きている時は無名に近かったが、死後、作品が褒めたたえられ、名声が上がった人もいる（まあ、ほとんどの人は生きている時も、死んだ後も、無名のままだけれどもね）。

例えば、ゴッホの絵は、今では数十億～数百億円の値が付くが、生前に売れたのは「赤い葡萄畑」一点のみで、価格は400フラン（現在の価値換算では、約10万～15万円程度か）であったという。今では知らない人はいないほど有名になった宮沢賢治もまた、生前はほぼ無名で、受け取った原稿料は、『愛国婦人』に投稿した童話『雪渡り』で得た5円だけであったと言われる。

自分の知的後継者はいるか

しかし、だからと言って、誰もがゴッホや宮沢賢治になれるものでもない。プロの画家や作家でない人は、沢山の絵を描き残しても、小説や詩、エッセイ、学術書などを自費出版しても、残念ながら、本人が亡くなれば、多くの場合、ゴミとして処分されると思って間違いない。子供が父親や母親の形見だと思って大事にしてくれるのは、余程、僥倖《ぎょうこう》に恵まれた方だろう。

学者の中には、定年退官といった節目の時に、弟子たちに業績リストを作ってもらえる人がいる。最終講義や定年退官記念パーティなどに出席して業績リストを貰《もら》ったことがある人もいると思う。業績リストは学者として生きた証なのだ。しかし、ノーベル賞の対象になった記念すべき論文や、パラダイムを転換させたような著作以外の業績は、10年も経てば、ほとんど忘れ去られて、後世の人の口の端に上ることはない。特に、実験系のサイエンスの分野では、10年以上前の論文が読まれることは滅多にない。

哲学や社会学といった文系の場合は、事情は多少違っていて、後世の研究者が、一般の人は滅多に読まない、かなり以前の著書や論文と格闘することがある。一世を風靡《ふうび》したミリオンセラーの書物も10年も経てば、誰も読まなくなることもあるし、数千部の出版部数しかなかった著作が、数十年経っても、後世の学者に影響を与え続けることもある。後者こそ、生きた証と呼ぶにふさわしい。学者が心血を注いで売れない本を執筆するのは、まだ見ぬ自分の知的後継者に向けて書いているのである。知的後継者が現れるとは限らないけれどね。

私は、カミキリムシの蒐集《しゅうしゅう》を趣味にしているが、カミキリムシに限らず、昆虫の蒐集をしている人はアマチュアでも、ときに新種（未記載種）を発見することがある。それで、新種の学名に自分の名前を付けてもらえることがある。命名は記載者の権利なので、新種を発見しても発見者の名前が付くとは限らないけれども、まあ、記載者と仲が良ければ、名前を付けてもらえることが多い。

私も自分が発見したカミキリムシや、ゴミムシ、コガネムシに自分の名前を付けてもらったことがあるし、新種の記載者として発見者の名前を付けたこともある。学名は不滅なので、昆虫分類学がこの世から無くならない限り、自分の名前が残ることになる。極めてマイナーな世界の話だけれども、これも昆虫愛好者にとっては生きた証であろう。しかし、本人にとっては生きた証でも、学名もすべての名前と同じように結局は記号に過ぎないわけで、そのうち人名が付いた学名を見ても本人を思い浮かべる人はいなくなる。

生きた証は、本人を知っている人や、私淑している人や、ファンにとっては意味があっても、これらの人がいなくなれば、空虚なモニュメントになってしまう。そして、遠い将来（近い将来かも知れないけれど）、人類が絶滅してしまえば、すべての生きた証は無に帰してしまう。そう考えれば、生きた証なんて、あってもなくても選ぶところはない。悠久の時間の流れからすれば、生きた証は言うに及ばず、個々人の生も、国家の歴史も、人類の歴史も、泡沫の点に過ぎない。だから、どうでもいいと言っているわけではありませんけれどね。

組織に忠誠を誓うのはなぜか

将来の不安を封印

ここのところの日本を見ていると、どう考えても大多数の国民の得にならない政策を進めた安倍政権を支持した自民党と公明党が、なぜ選挙で大敗しないのか不思議な気がする。一つには、一部のメディアを除いて大多数の大手のメディアが政権の走狗《そうく》となって、政権を支持しないと日本は潰《つぶ》れるといった妄想を垂れ流すからだ。大手メディアを牛耳るエスタブリッシュメントたちも、このままでは日本の凋落《ちょうらく》は不可避なことはわかっているに違いないが、現在のシステムに依拠している自分たちの短期的な利益のためには、日本の近未来の崩壊のことは考えないようにしているのだろう。日本が崩壊する頃には自分たちは墓の下だからどうでもいい、と思っているのかもしれない。

一方、生活がやっとこさっとこの多くの下級国民は、今の生活が維持できなければ大変だという不安に駆られて、とりあえず、マスコミを信じて、政権を支持しておけば、しばらくは食いつなげるだろうといったくらいの安易な気持ちでいるのだろう。徐々にドツボに嵌《はま》っていく日本の政治経済を身近で体験すれば、このままでは将来の生活は今よりも悪くなることはあっても良くなることはないというくらいは、どんな馬鹿な国民でも何となくわかるだろうが、恐ろしくて未来のことは考えたくないので、政権とマスコミが吹聴《ふいちょう》する「日本すごい」の合唱を信じて、将来の不安を封印しているに違いない。

韓国は消滅すると言って嫌韓を煽《あお》っている人々は、アメリカの完全植民地になって、独立国としての日本は消滅する、という現実は考えたくないので、消滅するのは韓国だと思いたいのだろう。為政者も大多数の国民も、考えられ得る最悪の事態は考えたくないのでスルーして、考えられ得る最良の事態を夢見るようになると、政治的経済的な崩壊は避けられなくなってしまう。

こういった精神状態は、地政学的な条件は違えども、太平洋戦争中の帝国陸海軍やその宣伝を信じた大多数の日本国民のそれと軌を一にする。例えば、神風特攻隊の戦闘機がすべて敵の戦艦の中枢部に突入するといった奇跡が起きれば、すべての敵の戦艦は撃沈もしくは大破して、戦争は大日本帝国の勝利に帰する、というのは、前提さえ正しければあり得る話である。実際、初期の特攻隊はかなりの数の敵の戦艦を撃沈させたり、大破させたりした。しかし、桶狭間《おけはざま》の戦いではあるまいし、国力を挙げての総力戦である太平洋戦争で、いくら奇跡が重なっても、エネルギーも資源もはるかに劣る国が戦争に勝つなどというのは、愚かな夢想であるくらいのことは、まともな思考の持ち主ならば分からないはずはない。

現在の日本を見ても、人的資源しかない小国の政権が、自国民の教育に力を入れず、国民を政権の奴隷にすることしか考えず、隣国の悪口を言い募り、隣国の凋落を願っているだけで、自国民の生活を楽にする具体的な方途を全く考えられずにいる状況を鑑《かんが》みれば、この国の未来は没落しかないのは自明だが、多くの人はなぜこういった破滅的な状況に身を委《ゆだ》ねてしまうのだろう、というのが今回のエッセイのメインテーマである。

人間の脳が作り出す幻想

当たり前のことだが、国家も貨幣も人間が生きていくための装置（道具）である。法律も様々な社会システムも会社もその他の組織も、人が生きるための道具であることに変わりはない。国家も貨幣も実在物ではなく、我々の頭の中の概念（幻想）にすぎない。ある程度以上の脳容量がなければ、言語を操ることも概念を捏造《ねつぞう》することもできないので、ヒト以外の生物は国家や貨幣の何たるかは知らない。そのことはこれらの概念が人間の脳が作り出した幻想である何よりの証拠である。

しかし、幻想の中で長い間暮らしていると、多くの人はこれらの概念を実体だと錯覚するらしい。この錯覚が嵩《こう》じると人生を上手に生きるための装置である国家や貨幣を至高のものとみなし、自分の人生を国家や貨幣のために捧《ささ》げてしまう人が現れる。先に挙げた、神風特攻隊はその典型であろう。養老孟司《ようろうたけし》の『唯脳論』（ちくま学芸文庫）ではないが、ヒトにとってのリアリティは、何よりも脳の中で生じている現象であるので、まあそういう人が現れるのは理解できる。

しかし、生物としての人間の最も根源的な欲求は自己保存欲（生き延びたい、死にたくない）と生殖欲であるので、国家（それ以外の大小様々な組織）や貨幣を実体だと信じさせるためには様々な仕掛けが必要だ。ヒトの脳を操作して組織に忠誠を誓わせるための装置で最も一般的なのは式と歌である。ほとんどの組織は国歌や校歌や社歌を持っていて、事あるたびに様々な厳かな式典を行い、そのたびに組織の歌を歌うのは周知のことであろう。

恐らく、日本で一番過激なリバタリアンである私は、自分の属する組織に忠誠を誓ったことは一度もなかったので、団結を鼓舞するいかなる装置（式典や国歌や校歌）をも糞《くそ》くらえと思っていた。自分が入学した大学の入学式にも出なかったし（卒業式はそもそもなかった）、子供の学校の入学式にも卒業式にも行ったことはない。国家であれ会社であれ、組織のために命を懸ける人の頭の中はどうなっているのだろう。脳内麻薬がいっぱい出て、幸福感に包まれている場合もあるのかもしれないが、多くの場合は、そうせざるを得ない状況に追い込まれているのだろう。気の毒なことだ。

不思議な民主主義国家・日本

生物としての人類はホモ・サピエンスとして誕生して以来、バンドと呼ばれる小集団で生活していたと考えられ、このような状況では集団から追われることは生存可能性を著しく下げることに繋《つな》がるので、集団の仲間と協力することには適応的な意味があったと考えられる。他の霊長類でも、集団で生活するチンパンジーやニホンザルでは、群れを離れて一頭で暮らすのはリスクの多い選択なので、独り猿は何とか群れに復帰する努力をするようである。同じ霊長類でも、単独生活者のオランウータンは、一頭で生活するのにストレスはないようである。

人類が農耕を始めてしばらくすると、収穫物を貯蔵できるようになり、集団の規模は大きくなり、部族間の戦争が始まるようになる。たまたま運悪く凶作が続き、このままでは飢えて死ぬかもしれないとなった部族は、一か八か他の部族を襲って、貯蔵してある穀物を奪って生き延びようとする。狩猟採集生活をしていた時は、ほとんどのバンドはその日暮らしで、貯蔵してある食糧など持っていないので、命を懸けて戦ってもいいことはないので、縄張り争いといった小競り合いはあっても、戦争はなかったろう。

他部族の軍隊に集落が襲われて、防戦むなしく敗れれば、その後の運命は悲惨で、成人の男は殺され、女子供は奴隷にされるといったことが当然起こるだろう。自分の集落が襲われた時は、素早く逃げるか命を懸けて戦うかの二者選択しかない。運良く逃げおおせても、その後生き延びるのは容易ではないので、多くの人は部族を守るために戦う選択をするだろう。その結果自分が死んでも、部族が勝利を収めれば、場合によっては女房子供も生き延びて、自分の遺伝子も次世代に伝わる。この場合は、部族に忠誠を誓って戦うことには適応的な意味がある。

このような状況がしばらく続けば、戦いに勝つためには、強い軍隊を持つ部族が圧倒的に有利になる。指揮官や指導者が現れ、軍隊は組織化されていったであろう。他部族からの侵略に備えるために、集落は要塞化《ようさい》され、餓えてなくとも、勝てるとあれば、他部族を侵略する部族も現れたであろう。指導者はやがて独裁者になり、周辺の弱小部族は統合されて、極端な階級社会である独裁的な帝国が出現した。帝国が大きくなれば、命令を伝えるために文字言語が必要になり、国家に忠誠を誓わないものを処刑して、恐怖政治を敷くと同時に、国家に忠誠を誓うものには死後の安寧を保証する装置として宗教が発明された。

民主主義という制度が発明されるまで、世界は独裁的な帝国により牛耳られていたのは歴史が教える通りである。独裁的な帝国の下では、国家に忠誠を誓わないと、殺される恐れがあるので、忠誠を誓うのは適応的な意味があるが、農耕が始まったばかりの頃の人々と違って、この感情は心の底からの忠誠心ではないのはもちろんである。恐らく、今の北朝鮮の人々の大半はこういった感覚の中で生きているに違いない。金正恩《キムジョンウン》が政権を追われることが分かった時点で、この政権に忠誠を誓う人はほとんどあるいは全くいなくなるであろう。このことは、同じような独裁政権であったルーマニアのチャウシェスクの最期を考えれば自明である。

民主主義下の国家では、政権に忠誠を誓わなくとも、少なくとも処刑されることはないので、日本のように自分たちの不利になる政策を矢継ぎ早に実行する政権が、崩壊しないのは、いくらマスコミが政権に肩入れしていると言っても、真《まこと》に不思議である。日本人のメンタリティは世界水準から見て特殊なのか、それとも何か深い訳があるのか、謎である。これについては稿を改めて論じることにしよう。

日本の下級国民の多くはなぜここまで従順なのか

日本の総合力は世界30位

前に日本の下級国民は自分たちがどんどん貧乏になる政策を推し進める政権を、なぜ選挙で追放しないか不思議だという話をしたが、今回はその理由を考えてみたい。

かつて、経済大国の名をほしいままにした日本の国力は、近年、年ごとに衰えており、スイスのビジネススクールＩＭＤが２０１９年５月28日に発表した「世界競争力ランキング」では、日本の総合力は世界30位と前年の25位から五つ下がった。他のアジア諸国を見てみると、シンガポールが１位、香港２位、中国14位、台湾16位、マレーシア22位、タイ25位、韓国28位である。日本はアジアの中の８位で、ネトウヨが「もうすぐ潰れる」と言って喜びはしゃいでいる韓国よりもランクが低い。

ＩＭＤがランキングを公表し始めたのは１９８９年で、１９９２年までの４年間、日本は1位であった。１９９6年まではまだ4位以内に留まっていたが、ここから急落して、以後15位以上になったことはない。21世紀に入ってからはほとんど20位台で低迷しており、ついに30位にまで落ちた。このランキングは経済規模の大きさや国際的に活躍している企業の数ではなく、企業が競争力を発揮できる土壌をもとに競争力を評価しており、経済状況、政府効率性、ビジネス効率性、インフラの四つの大項目の下に、いくつかの小項目が並び、それぞれのスコアを計算して、総合的な順位を決めている。

このランキングは現在の経済状況というよりも、むしろ近未来の経済状況がどうなるかの予測であり、ランクが低ければ未来の経済状況は明るくないということだ。このまま低いランクが続けば、そのうち、台湾、マレーシア、タイ、韓国といった、アジアの国々にリアルな経済でも太刀打ちできなくなるであろう。ネトウヨの妄想とはうらはらに、韓国より日本の方が相対的に貧乏になりそうである。

また、イギリスのエコノミスト誌傘下のエコノミスト・インテリジェンス・ユニットが発表している、世界１６7か国を対象とした各国の政治の民主主義のレベルを示す民主主義指数（0～10）のランキング（２０１8年）では、日本は7・９９の22位で21位の韓国の一つ下で、55か国ある「欠陥のある民主主義」（6・０1～8）の国に、韓国、アメリカ、フランス、台湾、マレーシア、フィリピン、インドネシア、シンガポール、香港などと一緒に分類されている。ちなみに「完全な民主主義」（8・01〜10）は20か国で、フランス、イタリア、ポルトガルを除く主要なEU加盟国はこのカテゴリーに入っている。アジアでこのカテゴリーの国は一つもない（しばらく前は韓国と日本はこのカテゴリーに入っていた）。三つ目の「混合政治体制」（4・01〜6）の国は39か国あり、アジアでは、ネパール、タイなどが入っている。一番下の「独裁政治体制」（0〜4）の国は53か国あり、中国、ロシア、といった名だたる独裁政治大国のほか、アジアではミャンマー、ベトナム、ラオス、カンボジアといった国が名を連ね、北朝鮮が最下位で、下から二番目がシリアだ。

民主主義指数の計算は「選挙過程と多元性」「政府機能」「政治参加」「政治文化」「人権擁護」の五つの項目から計算した値で、日本は同じくらいのランクの国に比べて政治参加（6・67、韓国は7・22）と「選挙過程と多元性」（8・75、韓国は9・17）が低い。投票率が低く、与党が絶対多数を占めて、女性の議員も少ないということだ。これは、マスコミが与党の広告塔になっており、政権批判をほとんどしないということから帰結する。形式的には民主主義の国家だが、実質的には民主主義国から落ちこぼれているということだな。

国境なき記者団が年一回発表している「世界報道自由度ランキング」では日本の2019年度のランクは67位で、韓国の41位、台湾の42位に比べてずっと低い。ちなみに民主党が政権を取った2009年は17位、2010年は11位であった（2002年から2008年は26位~51位の間を上下した）。これは、大新聞や大手のテレビ局は、民主党には自由に悪口を言いまくったが、それ以前の自民党政権の批判は余りせず、安倍政権の批判はほとんど全くしないことの反映である。

グローバル・キャピタリズムの甘い蜜

安倍政権の政策は、富めるものは益々《ますます》富み、貧乏人は益々貧乏になる政治システムの擁護で、グローバル・キャピタリズムの繁栄のために、下級国民はどんどん貧乏になってもかまわないというものだった。その事実を貧乏人から隠蔽《いんぺい》するために、大手のメディアを使って、スポーツや芸能といった政治とは無関係なニュースを大々的に流して国民の目をそらし、安倍政権に不利なニュースは極力流さなかったのである。大手のメディアはなぜ政権の不正を暴くことに躊躇《ちゅうちょ》するのか。大手メディアを牛耳っているエスタブリッシュメントたちもまた、グローバル・キャピタリズムの甘い蜜《みつ》に群がる、売国奴だからである。

働き盛りの若者の数は減り続け、年金暮らしの年寄りの数がどんどん増える日本では、政治経済のシステムを根本的に変えない限りは、経済は煮詰まってくるのは誰が考えても自明である。徐々に減るパイをどう分配するのかという課題に対し、この国のエスタブリッシュメントたちは、自分たちの取り分は増やすことはあれ、絶対に減らさないと決めたのである。それが小泉、竹中から始まるグローバル・キャピタリズム礼賛の政治だったわけだ。

グローバル・キャピタリズムの儲けのために、日本を売り飛ばし始めたわけだが、そのためのキャッチコピーは全く正反対の、「美しい日本を守る」「日本の伝統を守る」「日本を世界に冠たる国にする」「日本を守り抜く」といったウソ話であった。最近も近所の自民党のポスターには「日本の明日を切り拓《ひら》く。」といった白々しいスローガンが書いてあるが、「日本の明日を切り裂いて、ズタズタにする」という意味なら、よく分かるけど、どういうつもりで書いているのだろうね。

お人好《ひとよ》しの（お馬鹿という意味だけど）下級国民は、まさか政権や大手メディアが正反対のウソをつくとは思っていないのだろうが、きれいごとを言っている政権とその取り巻き連中は誰一人として、日本の伝統を守ろうなどと心から思っているはずはない。何しろ、御大の安倍や麻生《あそう》からして、日本語を正しく使うことができないのだから。日本の経済や国民の生活がドツボに嵌ってても、自分たちが儲かればいいと思っているに違いない。

日本と日本の伝統を守るために、日本国に命を捧げるのが正義である、という幼稚なヒロイズムを煽って下級国民を洗脳したいだけだ。国家はもちろん幻想だから、実在しているわけではない。実在しているのはそこに住む人々だけだ。権力者が国家のためと言い出したら、彼（彼女）の頭の中の国家とは、自分のことだと思った方がいい。オレのために死ね。ルイ14世ではないが、「朕は国家なり」というわけである。

ああそれなのに、多くの下級国民はなぜ選挙で鉄槌《てっつい》を下さないのか。大手メディアの宣伝に騙《だま》されている、考える能力がないほど馬鹿である、といったことがまず挙げられるだろうが、徐々に住み辛《づら》くなっている生活実態は肌で感じられるだろうから、何とかしてくれる政治家が現れれば応援したいと思っている人もいるだろう。山本太郎の人気はその表れである。しかし、大多数の下級国民はやはり無関心を装っているみたいだ。

自分たちの与り知らない自然現象

そこで更なる理由を考えてみよう。徐々に生活が苦しくなっていくのはわかっているが、とりあえずすぐに食えなくなるわけではないので、みんなで一緒に貧しくなるのは我慢できる。政治システムがドラスチックに変われば、自分の周りの人の中には、そのシステムの恩恵を被っていい思いをする人が現れるかもしれない。自分だけ取り残されるのは嫌だ、という嫉妬《しっと》心に支配されたネガティブな考えの人が、新しいシステムを提唱するかもしれない政権交代を望まないということはあり得る。小さい時から、「みんな仲良く平等に」というアホな教育を受けてきたので、酷《ひど》いシステムを変えることに情熱を傾けるより、酷いシステムでもみんなで一緒に耐えた方が精神的に楽であるといった心情の人が多いのかもしれない。

しかし、恐らく最大の理由は、消費税の増税も原発の再稼働も、その他もろもろの売国政策（ここでいう国とは権力者のことではなく、一般国民のことだ）も、自分たちの与《あずか》り知らない自然現象だと思っている下級国民が多いからではないだろうか。台風や地震をコントロールできないように自然現象じゃしょうがない、と諦《あきら》めているとしか思えない。政権をひっくり返せば、消費税の増税も原発の再稼働も止まるのに、なぜ反対する野党に投票しないのだろうか。日本は少なくとも形式上は民主主義の国だから、革命など起こさなくとも選挙でひっくり返せるのに、まことに不思議である。

亡くなった加藤典洋《かとうのりひろ》は『もうすぐやってくる尊王攘夷思想のために』(幻戯書房)の中で、日本国民が体制に対して従順なのは、体制を人民の手で倒した歴史がないからだと、正鵠《せいこく》を射た意見を述べている。戦後の日本の政策決定はすべて他律的いわば他人任せで、国民の総意に基づいて行った政策は一つもなく、これが政治的無関心の元凶だというわけだ。あらゆる政策は天から降ってきた自然現象で、今更どうにもならないという諦めが下級国民の大多数にゆきわたっている。安倍政権は、アメリカの完全属国政策を推し進めたが、多くの下級国民はこれもまた自然現象として諦めて、深く考えることを放棄しているようだ。

香港や韓国では大勢の人々が、政府の政策に反対するにせよ、賛成するにせよ、身を挺《てい》して政治を変えようとしている中で、一人日本の下級国民だけが政治的無関心を決め込んで、急激に進んでゆく政治的退廃と経済的衰退を座視している。下級国民がここまで魂を抜かれて無気力になってしまうと、国民の政治的関心がけた違いに高い香港や韓国や台湾に、国力も追い抜かれるのは時間の問題であることは間違いない。

このまま滑り落ちていって、経済が臨界点を超えて下級国民の多くが明日の食事にも困るようになったら、やっと国民は重い腰を上げて、反米独立運動が起きて、米国の傀儡《かいらい》政権を倒すのだろうか。それとも、自ら進んで奴隷の道を選ぶのだろうか。私はそれまで生きていないけれどね。

囲碁、将棋、スポーツ、オリンピック

囲碁、将棋とスポーツの違い

世界最強の囲碁棋士の一人韓国のイ・セドルが、「努力してもAIには勝てない」という理由で引退したという話を聞いて、ちょっとびっくりした。チェス、将棋、囲碁といったゲームは今やAIの方が断然強く、プロの棋士もほぼ勝てなくなってきている。囲碁は盤面が広く複雑で、AIがトッププロに勝つのは容易でないと言われていたが、「ディープラーニング（ヒトの脳の神経回路をまねた多層のニューラルネットワークによる深層学習）」を組み込んだアルゴリズムにより、あっという間に人間の技量をはるかに超えてしまった。

ルールが厳密に決まっていて、有限回のやり取りで勝負が決するゲームでは、計算速度が速いAIに勝てなくなるのは当たり前で、AIに勝てないからやめるというのは、不思議な感性だと思うしかない。陸上競技のトップアスリートは「どんなに努力しても、自動車より速く走れないので陸上競技はやめる」とは決して言わないだろうと思う。技量を競うという点では同じゲームなのに、囲碁、将棋とスポーツでは何が違うのだろう。

一番の違いは、スポーツはゲームの途中でも、現在どちらがリードしているか素人にもはっきり分かるが、囲碁や将棋は勝負の途中を見ただけでは、素人はもちろんのこと、プロでもどちらが勝っているかさっぱり分からない局面があることだ。自動車と人間が競走をすれば、だれが見たって自動車の方が速いのは一目瞭然《いちもくりょうぜん》なので、自動車と速さを競おうなどと考える人はいない。

しかし、プロの囲碁棋士とAIが勝負をしている途中を見ても、どちらがリードしているか容易には分からない。囲碁や将棋ではAIのすごさは目に見えないので、超一流の棋士の中にも、AIがなぜ強いのか腑《ふ》に落ちない人がいるのかもしれない。それで、イ・セドルのようにAIも含めて世界一になる望みがなくなったので、続ける気が失《う》せるという人が現れるのだろうが、凡人には理解できない感性である。

囲碁や将棋に限らず、ある人の潜在思考力がどのくらいかは、一目瞭然というわけにはいかない。だから、自分の子供の学業成績が今は悪くても、一所懸命努力をすれば、東大くらいは受かるだろうと思う親がいても不思議はない。しかし、運動会の徒競走でいつもビリの子供がいたとして、一所懸命練習すれば、国体選手くらいにはなれるだろうと思う親はいない。

競技を見た途端に選手の技量が分かるというのがスポーツの特徴で、これがスポーツの人気を支えている。翻って、囲碁、将棋を見るに、結果を見れば、だれが強いかは分かるが、朝の10時から始まって、夜中に終わる将棋の勝負をリアルタイムで見ている人は、プロ棋士を別にすれば、将棋の強豪でかつ暇人以外にはいないだろう。

年俸の違いは彼我の市場規模の違いに比例

消費資本主義の現代では、何であれ、人気があるというのは金もうけに直結するので、人気のあるスポーツをめぐっては、巨額の金が動くが、囲碁、将棋で動く金は、比較にならないほど少ない。将棋のトッププロでも年収は1億円に届くかどうかである。並のプロ棋士の年収はせいぜい700〜800万円程度だと言われている。

それに対して、プロの野球選手やサッカー選手やゴルフ選手の年収は桁違《けたちが》いである。日本のプロ野球選手の2019年度の年俸ランキングをみると、1位の菅野《すがの》智之《ともゆき》の年俸6億5000万円から始まって、1億円以上の選手が95人もいる。メジャーとなるとさらに桁が一つ増えて、1位のマックス・シャーザーの2019年度の年俸は3740万ドル（約40億円）である。

囲碁や将棋のトッププロになるための才能と努力は、スポーツのトッププロのそれに勝るとも劣らないと思うけれども、年俸の違いは彼我の市場規模の違いに比例しているわけだ。プロの野球やサッカーの試合を、テレビで放映すれば視聴率を稼げるし、それに随伴して、多くの人が儲けることができる。翻って、将棋の試合を生中継しても、見る人はごく僅《わず》かであろう。ということは、囲碁や将棋はあまり儲かる商売には結びつかないということだ。

それはプロだけでなくアマチュアにも言えることで、アマスポーツであっても、人気のあるスポーツはそれに伴って巨大な金が動く。その最たるものはオリンピックであろう。近代オリンピックが始まったのは1896年。古代オリンピックを模して、古代オリンピックが行われていたギリシャのアテネで開催された（実際には古代オリンピックが行われていたのはアテネではなくペロポネソス半島西部のオリンピアである）。

この大会の参加者は241人、参加国は14か国だった。オリンピックの開催責任は開催都市にあって、開催国にはないことから、当初は、複数の国の選手が混合チームを作ったこともあり、個人の力を競う大会であった。しかし、参加国、参加人数が増加するにつれ、次第に、国家間のメダル獲得競争という趣が強くなった。

為政者はオリンピックを国威発揚の舞台と捉《とら》えるようになり、愛国心を鼓舞して、国民の団結を促し、政権への求心力を高めることを目的にするようになった。この傾向は独裁的な国では特に強く、冷戦時代の共産国では国が金を出してメダルが獲《と》れる選手（ステートアマチュア）を養成することが普通だった。オリンピックを国威発揚の場とした最も典型的な大会は1936年、ヒットラー治下のドイツで行われたベルリンオリンピックで、ヒットラーはオリンピック開催が、政治的なプロパガンダに大きな効果を発揮することを世界に知らしめたのである。

1940年のオリンピック開催が決まっていた日本の権力者とそのフォロワーたちは、ベルリンオリンピックの政治的な成功を目の当たりにして、スポーツを国威発揚の装置と捉えるとともに、国民の愛国心と健康を増進させ、国に忠誠を誓う兵士や労働者を養成すべく、様々な運動を行うことになる。オリンピックは日中戦争の激化により中止になったが、日本におけるスポーツ・健康ファシズムともいうべき、官民挙げての愚行はここに始まることになる。それは今も義務教育の体育の授業や運動会として引き継がれているが、それについては稿を改めて論じたい。

「平和の祭典」という美名

さて、プロスポーツとアマスポーツの最大の違いは、後者には多額の税金がつぎ込まれることだ。プロのスポーツの興行が失敗して赤字を抱えても、それは私企業の問題で、国や地方自治体は責任を取らなくてもいいが、建前上アマチュアの大会であるオリンピックで、支出が予算を大幅に超過すれば、赤字は増税で補塡《ほてん》しなければならなくなる。

１９７６年のモントリオール大会は、巨大な赤字を出し、税金で賄う事態になったが、その後しばらく、オリンピックの開催を希望する都市が減ったのは、住民の間に反対する人が増えたからである。それを反転させたのが、商業主義に舵《かじ》を切った１９８４年のロサンゼルス大会で、ここを境に、オリンピックはアマチュアリズムとは無縁のグローバル・キャピタリズムの草刈り場となっていったのである。実際、２００８年の北京大会、２０１２年のロンドン大会は黒字になった。

しかし、開催費用はどんどん高額になり、オリンピックは開催都市にとって大きな負担になりつつあり、再び立候補する都市が減ってきている。東京大会の次の２０２４年大会に立候補した都市はパリとロサンゼルスの2都市に止《とど》まり、IOCは苦肉の策として、2024年はパリ、2028年はロサンゼルスに割り振る決定をした。

それでもなお、権力者とそれに繋がる資本家たちがオリンピックを開催したいのはなぜか。国威発揚のプロパガンダに使いたい権力者はもちろんのこと、巨額の放映料が入るIOC、オリンピックを自社の宣伝に使いたい協賛企業、広告代理店、施設整備という名目で公共事業を行う土建業、といった一部の人たちには多大なメリットがあるからだ。もちろんその原資はほぼ税金である。東京大会は当初、7300億円で出来ると喧伝《けんでん》されていたが、あれよあれよという間に予算は膨れあがり、会計検査院の試算では3兆円と見積もられている。

税金は無限にはないから、オリンピック予算にこれだけの金が使われると、教育や福祉関連予算や、東日本大震災の復興予算などが削られることになる。ここまでくると、オリンピックは「平和の祭典」といった美名のもとに、国民から集めた税金を、利権を握る人々や団体に横流しし、さらには、ボランティアというこれまた美名のもとに集めた善意の人々を、無償でこき使って巨大な儲けを独占する装置と言う他はない。いま流行《はや》りのブラック企業のさらに上をいく悪徳ぶりである。オリンピックが終わった後に残るのは、教育・福祉関連予算や復興予算の更なる削減と増税になるに違いない。

前回開催されたリオデジャネイロをはじめ、最近のオリンピックでは、大会開催後に開催国の景気が後退しているのは、むべなるかなと言うべきであろう。ここまで儲かるのであれば、オリンピックは全てプロ化して、税金を一切使わないようにした方がいい。そのうち、どこの都市も立候補しなくなったら、結局そうせざるを得なくなるかもしれないね。オリンピックが金まみれなのは一向にかまわないが、税金を横流ししたり、ボランティアという名の奴隷をこき使ったりするのは犯罪だと思う。尤《もっと》も、私みたいな人ばかりだったら、オリンピックはすでにこの世から消えているわな。

スポーツは危険・取扱注意ということについて

過度な運動は健康を損なう

子供のころからチームプレイが必要なスポーツは苦手だった。野球やサッカーやバスケットボールやバレーボールは苦手というより嫌いだった。友達とこういったスポーツに興じた経験はほとんどない。体育の授業で無理やりさせられることはあったけれど、やる気がないこと甚だしく、当然のことながら、体育の教師からは睨《にら》まれてばかりいた。

しかし、どんなスポーツでも嫌いというわけではなく、徒競走や、相撲や柔道といった格闘技は、結構楽しかった覚えがある。小学校の時は学年で二番目に足が速く、6年生の時は、学校対抗リレーの選手で、秋の運動会シーズンになると、近隣の小学校に走りに行き、優勝カップをいくつももらってきた。現在の私よりも3倍くらい速かったのではないかしら。

授業時間外で、友達と一番よく遊んだスポーツは相撲である。相撲は相当強かったと思う。左差しで右からの上手投げが得意だった。徒競走も相撲もチームプレイではないところが私の性に合ったのだろう。長じてはスキーに凝ったのも、同じ理由からであると思う。

それではなぜ、チームプレイが嫌いだったのか。チームの中に断トツに下手くそなやつがいると、他のチームメイトがそこそこ上手でも、勝てないことが多く、一人の失敗の責任を全員で負わざるを得ないというあり方が、どうにも嫌だったのである。「連帯責任」「みんなで頑張る」「失敗した仲間を庇《かば》う」といったチームプレイにつきものの心性がいたたまれなかったのだ。バレーボールなどで、誰かが失敗して周りの仲間が発する「ドンマイ」という言葉を聞くと、虫唾《むしず》が走ったのである（今でもそう）。それに対して、個人競技は勝っても負けても自分だけの責任であり、他人の失敗を忖度《そんたく》する必要もない。

スポーツや運動は、個人の楽しみのためにするという側面はもちろん今でもあるのだが、近代国家成立以降、前に記したオリンピック競技にみられるような国威発揚をはじめとして、身心を鍛える、自分の属する集団に忠誠を誓う、といった時の政治権力に都合がいい目的の手段とみなされて、国家主義や全体主義と強い親和性を持つようになった。

過度な運動は健康を損なうことの方が多く、特に、無酸素運動は活性酸素を増やし、寿命を縮めることが分かっている。ミトコンドリアでATPを作る際に不可避的に発生する活性酸素により、細胞内のDNAが傷ついて、がんをはじめとする病気になり易いのだ。大相撲の横綱や短距離走のトップアスリートの平均寿命が短いのは、息を止めて激しい運動をするせいである。スポーツをしたからと言って、健康になるわけでも、寿命が延びるわけでもない。

時の権力の目的のためのスポーツ

それにもかかわらず、運動やスポーツがとても良いことのように喧伝されているのは、これらを通して国民の体や精神をコントロールしたい、との権力の欲望のせいである。第二次世界大戦前の日本、ドイツ、イタリアなどでは、国民の生活や労働に対する不満を、国威発揚によって解消させ、国家への帰属意識を高める政策の一環として、体育やスポーツが奨励された。ドイツではこの運動はKdF（クラフト・ドルヒ・フロイデ）、イタリアではOND（オペラ・ナチオナレ・ドーポラヴォーロ）と呼ばれたが、いずれの運動でも、国民をファシズム体制下で、管理する一環として、体育・スポーツがとりわけ重要視されたのである。

日本では1938年に厚生省が誕生したが、その主要な目的は、国民体力の国家管理であり、厚生省の中では体力局が最も重要な部局であった。ここら辺りの事情は、藤野豊《ふじのゆたか》『強制された健康―日本ファシズム下の生命と身体』(吉川弘文館)に詳しい。藤野によれば、1938年発行の厚生省編『厚生行政要覧』には、「『国民体力の向上』は国防上・産業上・経済上・文化上の「緊急の問題」であるから、厚生省のすべての機能が体力向上のために動員されるという認識が示されている」(前掲書23頁)という。

国家に忠誠を誓う優秀な兵隊を育てたいという、時の権力の目的のためのスポーツというわけである。それが故に、体を鍛える以上に精神を鍛えることが、スポーツの目的として重要視されたのである。「精神を鍛える」ということは「時の権力の言いなりになる」ということと同義である。それに多少は関連して、スポーツは健全娯楽とみなされて、国民が余暇を不健全な娯楽に費やすのを防ぐのに役立てようという意図も大いにあった。

厚生省が発足した1938年に、日本厚生協会が結成され、それまでリクリエーションと呼んでいたものを「厚生運動」と呼び変えた。この運動の目的は人的資源としての国民の体力・精神力を強化させることであった。この頃「厚生運動」により、国民を国家有意な人材に教育しようと意図した組織は二つあり、一つは「日本厚生協会」もう一つは「日本体育保健協会」である。

日本厚生協会は、体育を通しての心身の鍛錬を第一の目標に掲げてはいたが、それ以外にも音楽会や演芸会の開催といった健全娯楽の奨励、職場や住環境の改善整備といった目標も掲げ、国民の厚生一般に資するための組織であった。この組織は戦後「日本レクリエーション協会」と改められ、現在に至っている。主要な目的はリクリエーション活動の推進であり、傘下には日本ウオーキング協会、日本ゲートボール連合、日本ビリヤード協会、日本フォークダンス連盟、日本釣振興会といった、健全娯楽としてのリクリエーションの団体が連なっており、身心の鍛錬ということを離れて、楽しむための余暇活動という側面が強くなっており、前身である日本厚生協会の理念からはずいぶん離れた組織になっている。

一方、日本体育保健協会は、静岡県、鹿児島県、福岡県の知事（この頃の知事は官選であった）を歴任した後、警保局長として、共産党の弾圧に辣腕《らつわん》を振るった松本学《まつもとがく》が創った組織である。建国体操なるものを考案して、体操という形式を通して、八紘一宇《はっこういちう》の大理想を具現発揚せんとする一大国民運動を起こそうとの松本の思想は、体操やスポーツがいかに容易《たやす》く全体主義に結びつくかを如実に示している。

建国体操は、ただ体操のみを行うものではなく、建国神話に因《ちな》んだ旗を持っての行進、建国体操前奏歌、建国体操讃歌《さんか》の合唱を含み、いわば、八紘一宇の精神をたたき込む洗脳運動だったのである。一糸乱れぬ行進や体操や、声をそろえての合唱は、脳内麻薬を分泌させ、参加者は精神が高揚して、病みつきになるのである。独裁者がマスゲームや合唱を好むのは故ないことではないのだ。

国は滅んでも国民は滅びない

太平洋戦争が始まると、政府は「健民運動実施要綱」なるものを作って「健民運動の趣旨は、大東亜共栄圏を確立するという聖戦目的完遂の一助として、人口の増殖とその資質の向上を図ること」といった文言を配布する。この中でも「体力の錬成」が重要な項目として取り上げられているが、健康な国民の人口を増やすといった、積極的優生政策の一環として、身心の鍛錬が考えられていたことが分かる。

初代厚生大臣の木戸幸一《きどこういち》は1938年5月17日、日比谷公会堂で開かれた国民精神総動員体力向上大講演会で「国民各自が自己の身体は自分だけのものではなく国家のものである。各人の体力増進は単に一身の幸福であるのみならず、一家の繁栄、一国の隆昌を招来する所以《ゆえん》であると云《い》ふことに深く思を潜めて、国家の為《ため》に之《これ》を鍛錬し、之を強化し、以《もっ》て健康報国の信念を保持することが肝要であります」(前掲書25〜26頁) と述べた。

国民は働きアリとなって、国家のために命を捨てろ、その時のために体を鍛えておけという、支配者層の思想が端的に述べられている。現代の日本でも、元防衛大臣の稲田《いなだ》朋美《ともみ》が「国民の生活が大事などという政治は間違っている。自分の国を守るために血を流せ」と発言しているように、国家主義的な考えを持つ政治家は後を絶たないが、こういう人に限って、国のために死ぬことは滅多にない。

松本学は戦後も長らく生き延びて、87歳まで生きたし、木戸幸一もA級戦犯として終身刑を言い渡されたが、のちに仮釈放され、87歳の天寿を全うしている。稲田朋美も国のために死ぬことはないだろうね。きっと自分は国民だとは思っていないのだろう。もしかしたら、自分こそ国なので、国民は自分のために死ねと思っているのかもしれない。

はっきり言って、国民より国が大事だという思想は完璧《かんぺき》に間違っている。それは、国民を細胞、国家を個体に擬する倒錯的な考えに基づいている。細胞は個体の存続のために生きており、個体が死ねば細胞も死ぬというのはほぼ正しいが、国家が潰れても国民は死ないのだよ。大日本帝国は海の藻屑《もくず》と消えてなくなってしまったが、そこで生きていた人やその子孫は、今でもちゃんと生活している。国は滅んでも国民は滅びないのだよ。

話が、あらぬ方向に行ってしまったが、スポーツや運動は無条件に称揚すべきものではなく、危険・取扱注意というレッテルを張っておかないと、とんでもないことになりかねないということは覚えておいて損はない。現在の私は、スポーツはもちろん、運動もほとんどしないし、見ることも滅多にない。寒風の中を歩くより、暖かい部屋で、熱燗《あつかん》を飲んでいたほうが、長生きできると思う。

II

おコトバですが

感情に訴える言葉に共感しない能力を磨く

パトリオティズムとナショナリズム

以前、次のように書いたことがある。「共感と排除が表裏一体の感情であるなら、他人に共感しない能力を磨くことこそが、未来の人類を救う教育になるのかもしれない。これは人間の本来の性質に逆行するので、暫《しばら》くは難しいだろうけれどね」（『異質な他者を認めよう』『真面目に生きると損をする』１８１頁、角川新書）。

最近、佐藤優《さとうまさる》が同じようなことを書いているのを見つけ、ちょっとびっくりした。「結局は、私たち一人ひとりが権力者から発せられる感情に訴える言葉の危うさを見極め、その訴えに共感しない心をもつ覚悟が必要です」（「混沌とした時代のはじまり　37　感情に訴える政治の根幹に何があるのか」『一冊の本』２０２０年2月号52頁、朝日新聞出版）。

書かれている文脈が微妙に異なるため、一律には論じられないが、他人を動かすには、理性に働きかけるより、感情に訴える方がはるかに効果的だという点では、選ぶところがない。民主主義がポピュリズムに席巻《せっけん》されて以来、政治家は、理路整然と政策を説くより、いかに有権者の感情に訴えて選挙に勝つかに腐心するようになった。政権を掌握したい野党が、感情に訴えて票を取りたいのは昔からの常套《じょうとう》手段であるが、政権与党までも、同じようなことをやりだすと、国は傾く。国の政策の成否を決めるのは一時の感情ではなく、理性的な判断だからだ。

ところで、感情に訴えて、世論を味方につけるには、時のマジョリティの好悪（いわゆる時代の風）をつかむ必要がある。もちろん、時代時代の政治情勢や社会情勢によってマジョリティの好悪は変遷するが、いつの時代でも通用する一般的なパターンはある。その第一はナショナリズムに訴えるものである。ホモ・サピエンスは、誕生以来農耕文明を始める前まで、100人程度の小集団で生活しており、その後も集団生活を手放さなかったので、自分の属する集団に対する帰属意識は強い。これはパトリオティズム（愛郷心）と言われ、多くの人が持っている感情である。

大相撲で、郷土出身の力士を応援するとか、高校野球で自分の出身県の高校を応援するとか、箱根駅伝で自分の母校を応援するとか、オリンピックで自分の国の選手を応援するとかは皆パトリオティズムのなせる業である。私は例外的にパトリオティズムの感情が薄いらしく、応援するスポーツ選手や力士や将棋指しの出自を気にしたことはない。

素朴なパトリオティズムは、自分の属する集団を愛するけれども、自分たちの文化や価値観を他者（や他の集団）に押し付けることはしない。それに対し、ナショナリズムはパトリオティズムを母体にしているとはいえ、自己の属する集団の優位性をことさら強調する。歴史を鑑《かんが》みるに、戦争中や国が落ち目の時は、パトリオティズムはナショナリズムに転化しやすい。従って、戦争を始めようとする時や、国の基礎体力が弱まった時は、政権への求心力を高めるための常套手段として、時の権力者やそのフォロワーたちはナショナリズムに訴えることが多くなる。仮想敵国を作って対立を煽《あお》ったり、自国の文化や伝統が他国よりはるかに優れているといったプロパガンダを行ったり、これに反対する自国民をバッシングしたりして権力を維持しようとする。

ナショナリズムの核にあるのはパトリオティズムと共に劣等感なので、強国であるうちはあまり前面には出てこない。日本が経済大国であった時には、わざわざ「日本すごい」などと言う必要はなかった。権力者やそのフォロワーたちが「日本すごい」と言いはじめたということは、もはや日本がすごくない何よりの証拠なのだ。中韓何するものぞ、という偏狭なナショナリズムに共感しない能力が日本人のマジョリティに備わっていればいいのだけれど、難しいかもしれないね。

前述の佐藤優はイギリスのEU離脱に関し、次のように述べている。「イギリスのEU離脱（ブレグジット）に反対する人たちは、ブレグジットがイギリス経済や外交にどれだけのマイナスをもたらすのか、理性に訴えました。一方で、ジョンソン首相をはじめ、ブレグジット推進派は、俺たちは偉大なイングランド人だ、ヨーロッパ大陸に頼らなくともやっていける。いつまでもドイツの軍門に降《くだ》っているわけにはいかない、気合があれば大丈夫だ、と。何があっても不屈の精神を持ち続ける典型的イギリス人気質に火を付けたというわけです」（前掲書48頁）。

ブレグジットが本当にマイナスに作用するかどうかは微妙だと私は思うが、ナショナリズムに訴えた政権の世論操作が功を奏したことは確かであろう。どこの国も、グローバル・キャピタリズムに席巻されて貧富の格差が拡大すると、経済的な弱者の怨嗟《えんさ》はますます大きくなってくるに違いない。弱体化した国家では、ナショナリズムを煽る排外主義的な政権が誕生する可能性が高まるだろう。

人為的温暖化説のウソ

国民のマジョリティの感情をつかむ第二の方法は、環境、健康、安全に資すると一般に広く信じられていることに反対する人をバッシングすることだ。これで最も成功したのは、人為的地球温暖化説であろう。人為的地球温暖化説を支持するエビデンスは乏しく、気候変動は自然現象であることを示唆するエビデンスは沢山あるのだけれども、一度、人為的温暖化を真理だと信じてしまった人たちの頭の中をひっくり返すのは至難の業である。

温暖化を止めなければ、ホッキョクグマが絶滅してしまうとか、私たちの子孫もまた灼《しゃく》熱《ねっ》地獄に苛《さいな》まれるとかいった話は人々の恐怖を煽る。恐怖を煽られた人々は、メリット・デメリットを検討することなく、温暖化を遅らせるために二酸化炭素の排出を制限すべきという政策に、いとも簡単に賛成してしまう。これに反対する人は、地球の環境も子孫の幸福も考えない身勝手な人々だというプロパガンダは、善良な人々の心を捉《とら》える。ほとんどの人はそこで思考をストップしてしまい、自分は正義に加担しているとの感情に支配されてしまう。

実際には、こういった人もその多くは、冬は暖房でぬくぬくし、夏はクーラーをかけて涼んで、自動車に乗るのも躊躇《ちゅうちょ》せず、二酸化炭素の削減に貢献することは、全くしないのだけれどもね。

エビデンスをちゃんと調べて、理性的に考えれば、日本だけで年に3兆円もの金を、二酸化炭素削減政策に注ぎ込んでも、（たとえ人為的温暖化説が正しいとしても）焼け石に水であり、この金はエコ産業を潤すだけであり、別のもっと有意義なことに使った方が、国民は幸せになれるのだけれども、理性を放棄し、感情だけで物事を判断している人に、この話は届かない。結局、人為的温暖化は恐ろしい、という人々の感情に訴えて勝利したのは、電気自動車、メガソーラー、風力発電、炭素税といった、エコ利権に群がった役人と企業だけだったという落ちになる。

それにしても、若い女性（グレタ・トゥンベリさん）を籠絡《ろうらく》して、エビデンス抜きで人為的地球温暖化を煽っている利権集団のやり方は、理性より感情に訴える政治の典型で、人類はいつまでたっても進歩しないね。

子宮頸《しきゅうけい》がんの予防のために開発されたＨＰＶ（ヒトパピローマウイルス）ワクチンの投与問題も似たような話である。性的接触を行う年齢になる前に、このワクチンを投与すれば、女性の子宮頸がんの罹患《りかん》率を大幅に下げられることははっきりしているのだが、このワクチンを投与されると、慢性の痛みや運動機能の低下が起こるという話が人口に膾炙《かいしゃ》して（実際には、投与されても、されなくても、そのような症状を訴える思春期の女性は存在し、投与群と非投与群に有意な差はない）、日本では長い間、実質的にワクチンの投与は進まなかった。この事例では、儲かった企業は別にないが、将来の子宮頸がんのリスクを抱えて損した女性は沢山いたわけだ。これも、ワクチンは危ないという健康に関する恐怖の感情が、理性を抑えて跋扈《ばっこ》した例である。

好悪に訴える感情的言説

国民のマジョリティの感情をつかむ第三の方法は、マジョリティと同じくらいの生活水準（と思われる）人が、理不尽な人為的原因で不幸になった時に、その原因を作った人をバッシングすることである。例えば、交通事故を起こし、ありふれた生活をしていた市民を殺した加害者は、時に、悪魔のごとくバッシングされることもあるが、強盗殺人と同列に論じるのは気の毒であろう。

これとは反対に、マジョリティが自分たちは決してそうはならない（と思っている）マイノリティに対しては、彼らの不幸を作ったのがたとえ人為的なものであっても、あまり感情が動かないのだ。例えば、ホームレスが殺されても、マスコミがそれほど執拗《しつよう》に報道しないのは、マジョリティはホームレスの不幸に心を寄せることがほとんどないので、大々的に取り上げても売り上げに繋《つな》がらないからである。同じことは外国人労働者に対しても当てはまる。排外主義的なナショナリズムの感情が加わると、外国人労働者を奴隷のようにこき使ったブラック企業を責めないで、マイノリティである外国人労働者をバッシングするといった倒錯的なことが起こる。日本のマジョリティは決して外国人労働者にならないからである。

タバコがバッシングされたのは、喫煙者がマイノリティに転落したからである。反対に飲酒がバッシングされないのは、酒飲みはマジョリティだからである。酒飲みがマイノリティになった途端に、世論は酒飲みに厳しくなるだろうね。私はそれまで生きていないかもしれないけれどね。

いずれにしても、どこの国の権力者も鵜《う》の目鷹《たか》の目で、如何《いか》にしたらマジョリティの感情をつかめるかを考えているといってよい。日本でも、ネトウヨたちは、新型コロナウイルスの恐怖を煽って、緊急事態条項を憲法に盛り込まなければ、危険な感染症を制御できないとか、「同性婚を望む人に対して、「結婚は両性の合意に基づく」との憲法の条文を変える必要があるとか、感情に訴えて、何が何でも憲法を改悪したいみたいだ。こういったペテンに対抗するためにも、好悪に訴える感情的言説に共感しない能力こそが、ポピュリズムに支配された政治を立て直す力になるに違いない。それより前に人類が絶滅してしまう確率の方が高そうだけれどもね。

敬称の文脈依存性について

「敬語マナーポリス」がはびこる

都知事選に立候補していた山本太郎を応援すべく、ツイッター（Twitter）に檄文《げきぶん》を投稿したら、「太郎、太郎、と呼び捨てにしてお前はどんだけ偉いんだ。わきまえろ。太郎さんだろ。どんな教育をされてきたんだよ」というリプライが来て、笑ってしまった。「歴史に残る人は呼び捨てでいいんだよ。夏目漱石さんとか森鴎外さんとか言わねえだろ」と返したらそれ以上何も言ってこなかった。「歴史に名を残そうが残すまいが、誰に対しても呼び捨てだろうが、敬称を付けようが、好きにしていいんだよ」とさらに返そうと思ったけれど、そう書くと絡んでくる奴がいっぱいいそうで、面倒くさかったので、思いとどまった。

コメントの中で一番秀逸だったのは「最近は敬語マナーポリスもはびこっていて嫌です

ね」というものだった。世の中にはよく分かっている人もいる。少し前までのマスコミは犯罪の容疑者の名前は呼び捨てだった。批判が多かったせいか今は○○容疑者と呼ぶようになった。有罪と決まったわけではないのに、なぜ○○さんじゃいけないんだろうね。

「敬語マナーポリス」はこの件についてなにも言わないのかしら。

昔どこかに書いたことがあるが、25年以上前、シドニーのオーストラリア博物館で客員研究員をしていた頃、僕より10歳近く若い、Shane・McEveryというショウジョウバエの研究者が、自分よりずっと先輩の、双翅目《そうし》分類の世界的権威であるDavid・McAlpineを「David! David!」と大声で呼び捨てにして探していたのを見たことがある。オーストラリアでは私的に使用する敬称という習慣がないので、上司でも部下でも同僚でもすべて呼び捨てである。ちなみに私は「キーヨ」と呼ばれていて、昆虫セクションで働いている人は大先生のMcAlpineからアルバイトのお姉さんまで、皆、私のことを「キーヨ」と呼んでいた。日本語で車の鍵《かぎ》を指して「これは車のキーよ」というときの発音と同じであった。

私的な敬称がない代わりに、オーストラリア社会は公的な肩書にはひどくこだわっていた。借りていたフラット（アパートをオーストラリアではflatと呼ぶ）に届く電気料金の請求書の宛先は Dr.K.Ikeda であった。あるいは、オーストラリア博物館の研究者には、ニュー・サウス・ウェールズ州の国立公園で、自分の研究対象の分類群を自由に採集できるライセンスが発行されるのだが、十数人の昆虫セクションの研究者のトップに Prof. K.Ikeda と載っていた。オーストラリア（イギリスやドイツでも同じ）では Prof. は Dr. より格上の称号のようで、昆虫セクションの研究者の大半は Doctor で Professor は私しかいなかったので、公文書にはそう載っていたのであろう。

「さん」か「君」か

日本はオーストラリアと対照的に、自分の家の表札に Dr.○○などと掲げている人は皆無である反面、私的な会話では敬称を付けるか付けないか、付けるとしたら、さん、君、のどちらにするか、はたまた、先生、社長、教授にしようか結構迷うことも多い。そこで、文脈を無視してすべて敬称を付けるべきとの考えが正しいと思うと、先に記した「敬語マナーポリス」みたいな人が現れることになる。

どの敬称を選ぶか考えるのが面倒なので、あるいはすべての個人は平等なので、すべて「さん」で呼ぶという人もいて、それはそれで合理的で文句を言う筋合いはないのだけれど、例えば、私が学生や元学生や親しい友人たちを、「さん」付けするか「君」付けするか、呼び捨てにするかは、私と相手との親密度や信頼度によって変わってくるわけで、うまく使い分けることによって、コミュニケーションがスムーズに進むこともあるし、私は貴方《あなた》が思っているほど、貴方のことを考えているわけではありませんよ、ということをインプリシットに表現することもできるので、私的にはこちらの方が素敵だと思う。

早稲田大学に勤めていた時、ゼミに入ってきた学生諸君を私はすべて「君」付けで呼んでいた。大学に入学したての女子学生の中には「君」でなくて「さん」ですと不可解な顔をする子もいたけれど、このゼミは男女平等なので、すべて「君」と呼びます、と説明するとびっくりしながらも大方は納得してくれたみたいである。高校までは女子は「さん」と呼ばれるのが当たり前になっていたので、びっくりするのは無理もないけれどね。

そう書くと、「それは貴方（私）が権力者だからイヤイヤ納得するふりをしたんだよ」と知ったようなことを言う人がいるのは承知しているが、対面で話していれば、相手が納得したか不服に思っているかは大体分かる。ヒトは表情筋が発達しているので、納得していない場合は「分かりました」と口では言っても、顔には「ザケンじゃねえよ」と書いてあるからである。それはともかく、女子学生でも「君」付けで呼ばれることに馴《な》れてしまえば、違和感はなくなってくるのが普通だろう。

　ゼミを始めて暫く経ってくると、何となく相性が合う学生と、親密度の距離がなかなか縮まらない学生が出てくる。前者の学生たちの中で特に信頼する学生は、授業以外の時は呼び捨てにすることが多くなり、後者の学生たちはいつでも「君」付けで呼ぶことになる。私との信頼度という基準に照らせば、池田ゼミ内でのヒエラルキーが上位の学生は、私に呼び捨てで呼ばれる学生であり、私に「君」付けで呼ばれる学生はヒエラルキー下位の学生ということになる。こう書くと、私がえこ贔屓《ひいき》をしているのじゃないかと思われる人がいると思うが、ゼミの中で最も優秀で評点が高い学生は、大方「君」付けで呼ばれる学生なのだ。

　なぜ、こんな話をしたかというと、コトバの意味やインプリケーションは文脈と状況依存的で、敬語を使わなかったからと言って、相手を軽視しているとは限らないと言いたかったからだ。最近の私の学生諸君は、私のことを先生と呼ぶことが多いけれど、時々、「池田さん」と呼ぶ学生がいて、懐かしい気がする。こういう学生は外国の高校を卒業した子に多いが、それはともかくとして、私の大学時代には少なくとも私の属していた理学部では師を先生と呼ぶ習慣はなかった。

「バッカだねえ」の真意

私の大学時代の恩師は三島次郎先生で、大学院の恩師は北沢右三先生だが、学生の時は「先生」と呼ぶことはコンパ代金の無心の時くらいで、普段は「さん」付けで呼んでいた。だからと言ってもちろん尊敬していないわけではなかった。北沢先生はすでにお亡くなりになって、稀《まれ》に墓参りに行くくらいだが、三島先生は90歳を過ぎてまだ矍鑠《かくしゃく》とされていて、時々お会いする時は「三島先生」と呼びかけることが普通になった。

構造主義生物学の師匠の柴谷篤弘《しばたにあつひろ》先生は、お会いして暫くの間、「先生」と呼びかけると「私は貴方の先生ではありません」とおっしゃっていたが、そのうち「先生」と呼びかけても咎《とが》められなくなった。私はちょっと嬉《うれ》しかったが、ほとんどは「柴谷さん」と呼んでいた。

柴谷先生は最後まで、私に面と向かっては「池田さん」と呼びかけてくださったが、柴谷先生と親しい編集者が「この間柴谷先生にお会いしたら、ちょっと前に池田君と飯食いながら議論をして楽しかった、とおっしゃってました」と話したので、柴谷先生が私のことを池田君と呼んでくれたのだと分かって、私は相当嬉しかった。まあ、普通の人は何でそんなことが嬉しいのか分かんねえだろうけどね。

解剖学者の養老孟司《ようろうたけし》とは35年以上の長い付き合いだが、私の師匠ではないので呼びかけるときはいつも「養老さん」で、文章にフルネームで記す時は、養老孟司と呼び捨てである。間違いなく歴史に名を留《とど》める人なので、私の感覚では呼び捨てにするのが礼儀なのである。有名な人だというだけで、文中で「養老孟司先生」などと記すのは、嫌味である。外国に留学して著名な学者の講義を受けただけで、「クーン先生」とか「チョムスキー先生」とか書いたり喋《しゃべ》ったりする人がいるが、一寸《ちょっと》鼻白むよね。自慢したい気持ちは分かるけどね。ちなみに養老さんは私のことを「池田君」と呼ぶ。

養老さんは気に入った友達に声をかけて、年に一回自腹を切って、会食を開いてくれる。内田樹《うちだたつる》に「野蛮人の会」と名付けられたこの会のメンバーは、私と内田樹のほか、茂木健《もぎけん》一郎《いちろう》、久石譲《ひさいしじょう》、植島啓司《うえしまけいじ》、甲野善紀《こうのよしのり》、名越康文《なこしやすふみ》、南伸坊《みなみしんぼう》、島田雅彦《しまだまさひこ》、松浦寿輝《まつうらひさき》、伊藤弥寿《いとうやす》彦《ひこ》、加藤典洋《かとうのりひろ》（故人）などで、不思議な構成なのだが、ある時、酔っ払って、隣に座っていた内田樹に「養老さんは俺のことは池田君と呼ぶんだよ。内田さんのことは内田さんと呼ぶだろう」と言ったら、内田樹が悔しそうな顔をしたので、可笑《おか》しかった。内田樹はそのことをよく覚えていて、後日、「私は養老先生に内田君と呼ばれるためにはどんな努力をすればいいんだろうか、と考え込んでしまった」とブログだかツイッターだかに綴《つづ》ってていた。養老さんに「さん」付けで呼ばれるより、「君」付けで呼ばれた方が嬉しいという感覚は、養老さんと付き合ってみれば分かる。これなどは、完全に文脈・状況依存的だ。

ＳＮＳで言葉だけのやり取りをしていると、文脈依存性が消えてしまうので、「さん」を付けなければ失礼だという、短絡的な話になってしまう。敬称を付けても文脈によっては徹底的に馬鹿にすることもできるし、「バッカだねえ」と言っても、侮辱しているとは限らない。私が育った東京の下町では、しょうもない話をして、敬愛する先輩から「バッカだねえ」と言われたら、「お前、面白《おもし》れえから、仲間に入れてやってもいいよ」という意味なのである。これを文化というのだ。日本はもはや文化国家ではないので、何を言っても詮無《せんな》いか。

自然言語は定義できない（概念は実在しない）

イヌはなぜ全てイヌなのか

前に敬称は文脈依存的だという話をしたが、「コトバ」というのはそもそも曖昧《あいまい》で、多かれ少なかれ、その意味は文脈依存的なのだ。本当は賢くないのに賢いふりをしたがる人は、よく、「コトバ」の定義をしてから議論をしようと言うけれども、自然言語は定義できないということが分かっていない。「自然言語の定義は定義できないことだ」などと発言すると、「定義するやつもバカ、定義できないやつもバカ」といったキッチュな発言をする人がいるが、こういう人はまず、間違いなくおバカである。「バカというやつが一番バカ」と言って得意満面な人も、例外なくおバカである。

まあ、そういう話はどうでもいいのだけれど、「コトバ」はいずれにせよ、連続的な事象を切り取って何らかの同一性で括《くく》るのだから、切断線は多少とも恣意《しい》的にならざるを得ず、厳密な定義は不可能になる。例えば、イヌを例にとって考えてみよう。チワワからセントバーナードまで、大きさも姿かたちも違う動物を、我々はなぜイヌと呼ぶのだろう。プラトン的に言えば、イヌという生物（もっと一般的に言えば、イヌと呼ばれるもの）は「イヌ」という同一性を孕《はら》むゆえにイヌと呼ばれるのだということになる。プラトンはこの同一性をイデアと呼んだが、それでは、イヌのイデアを取り出して見せてくれと言われれば、プラトンでなくともお手上げになる。

プラトンは仕方なく、イデアは大きさを持たず、ただ同一性を持つだけだと述べたが、そのような存在は現代物理学が解明した素粒子だけで、イヌをイヌたらしめている素粒子などはもちろんない。尤《もっと》も、超弦理論では素粒子も有限の大きさを持つひもの振動状態だとされているので、点（大きさを待たないで位置だけを持つ）だけの存在はこの世にはないのかもしれない。

多少生物学をかじった人ならイヌのゲノム（ＤＮＡの総体）を有するものがイヌだと言うかもしれない。これはなかなか微妙である。生物は進化するので、ゲノムの組成は時間とともに変わっていく。イヌは昔はイヌでなかったろうから、イヌでないものが徐々に進化してイヌになったのだとしたら、どこからイヌになったのだろう。進化という観点から見ると「イヌ」と「イヌでないもの」の間に、明確な切断線を引くのは不可能である。現在生きて動いているイヌに関しても、クローンでない限りすべてのイヌのDNA組成は異なる。その中からイヌをイヌたらしめているDNA断片を探し出し、これを有するのが「イヌ」だと特定するのも不可能だと思う。そもそもイヌをイヌたらしめているDNA断片などは恐らくない。最近の定説ではオオカミとイヌは同種とされているが、かつては別種とされていた。同種か別種かを決める超越論的な根拠はない。広く受け入れられている種概念によれば、AとBが交配可能で生まれた子に生殖能力があれば、AとBは同種ということになるが、イヌはオオカミばかりでなく、リカオン、ジャッカル、コヨーテなどとも交配可能で雑種は生殖能力を持つので、これらは皆同種ということになる。しかし、オオカミはともかく、リカオンやジャッカルをイヌだと思う人はいない。

「平和」という概念は人々の脳の中にしかない

イヌをイヌと呼ぶのは、我々の脳の中にイヌのイメージがあって、それに合致したものをイヌと呼んでいるに過ぎないのである。普通の人にとって、オオカミのイメージとイヌのイメージは違うので、オオカミはオオカミ、イヌはイヌなのである。もし社会全体がオオオカミとイヌを区別していなければ、この社会で育った人はどちらも同じ名で呼ぶであろう。「イヌ」と「オオカミ」の間に切断線を引くかどうかは恣意的に決まるのである。しかし一度決まった切断線は人々のイメージを固定して、「イヌ」と「オオカミ」という異なる二つの概念があたかも実在するかのように錯覚させるのである。

イヌのように外部世界に指示対象を持つ言葉は、厳密な定義はできなくとも、話している人同士で、コトバの意味に齟齬《そご》が生じることはない。ソシュール的に言えば、「イヌ」「dog」「犬」という表記やこれを喋った時の音声は「シニフィアン」と呼ばれ、これが指し示す現象は「シニフィエ」と呼ばれるが、端的に言えば意味とは「シニフィエ」のことだ。「イヌ」とか「ネコ」とかいったコトバの意味が齟齬をきたさないのは、シニフィエを直示することができ、お互いに目で見て確かめることができるからだ。みんなが「イヌ」と呼んでいる動物を「ネコ」と呼ぶ人は、あっちの世界に送られてしまう。

それに対して、脳の中の想念が指示対象であるコトバの場合、コトバの意味は人によって微妙に異なるので、話がかみ合わないことが多々起こり、コトバの同一性は恣意的にしか決まらないことを理解していない人は、「定義してからコトバを使え」と怒り出すことになる。「平和は何より大切だ」という人と「平和より大切なものがある」という二人が論争しても、この二人が使う「平和」は異なる意味を持っているので、そのことが分からない限り、埒《らち》が明かないのだ。

ところで、「平和」という概念は人々の脳の中にしかない想念で、実在するものではないということを理解している人でも、自然現象に付けられた名称は実在すると思っている人は多い。しかし、先に述べたように「イヌ」や「ネコ」といった自然種名でも、同一性の定まった不変のものではなく、実在しない概念なのである。実在するのは個物としての、その時々の個々のイヌだけである。これは現象であり、現象はいつでも実在するのだ。但し、個物に名前を付けると、この名で呼ばれるものが実在するかどうかというややこしい問題が発生する。結論を言えば、〝実在しない〟。

固有名を付けた途端に、固有名で指示されるものは不変でも普遍でもなくなるからである。唯一、実在するかのように見えるのは、物質名である。例えば、H_2Oは不変で普遍の同一性を孕み、すべての個物のH_2Oは、とりあえず同一とみなして差し支《つか》えないと考えられる（厳密に言えば、多少問題があるのだけれど、ここではこれ以上議論しない。興味がある人は『生物にとって時間とは何か』〈角川ソフィア文庫〉を読んでください）。

患者の個別性を無視する「病名」

新型コロナウイルスが猛威を振るっているが、このウイルスの感染によって引き起こされるCOVID-19という感染症は果たして実在するのだろうか。岩田健太郎は『感染症は実在しない』（北大路書房）と題する本を書いたが、もちろん個々の患者や症状は実在するけれども、COVID-19という名で指示される病気は実在しないのである。新型コロナウイルスに感染しても全く症状が出ず（不顕性で）、健康な人もいる。そうかと言えば、重症化してサイトカインストームを起こし死亡する人もいる。果たしてこの二つは同一のカテゴリーで括れるのだろうか。

後述するチフスのメアリーはチフス菌の保菌者であったが、全くの健康体であった。チフスのメアリーはチフスなのか、そうでないのか。細菌やウイルスに感染しても不顕性の人と、軽症の人と、重症化する人は何が違うのだろうか。単にウイルスに感染したからといって、同一の病名で括るのは、乱暴ではないのか。ウイルス感染に対する反応パターンが、個々人によって異なる原因が分かれば、一つの病名で括られていたものをいくつかの病名に分けることができるかもしれない。現在の感染症学は病原体（細菌やウイルス）の感染という事実だけを過度に重視して、そこで切断線を引いて病名を付けているが、この切断線が恣意的でないという保証はない。その他の因子を過小評価している可能性もあり、別のメルクマールで切断線を引いた方が合理的かもしれない。

西洋医学は、病名を付けた途端に、個々の患者の個別性を無視する傾向が強く、同じ標準療法で治療しようとするが、無症状から重症まで症状が多岐にわたる場合は、別の同一性を探して、病名そのものを見直す必要があるだろう。例えば、前立腺《ぜんりつせん》がんの多くは転移していないもので、治療の必要はないが、がんが見つかると、たいていは何らかの治療に誘導されることが多い。最近は無治療で様子をみましょうという場合も増えてきたが、転移しないがんと転移するがんの違いを判定する画期的なメルクマールが発見されたら、転移しない方はがんという病名で呼ばない方がいいと思う。

人は様々な病気になる。医学は千差万別の症状を何らかの同一性で括って病名を付けてきた。同一の病名を付けられた患者は多くは同じような治療をされ、治療を施された人は快癒して、治療を受けなかった人は重症化するということであれば、この病名を付けるに至った同一性の切断線は真《まこと》に見事であったということができる。しかし、同じ病名で同じような治療をしても、治る人もいれば、治らない人もいる場合は、もしかしたら、同一性の切り取り方が、病気を治すという目的にとっては適切でなかったのかもしれない。単純に言えば、異なる病気として扱った方がいいのかもしれない。

自然種名であれ病名であれ、一度名付けると、多くの人はこれらの概念が実在すると錯覚する。これはコトバを操る人類の宿命なのかもしれないが、たまには自明と思っている概念も実は実在しないことに思いを馳《は》せてみたら、人生の幅が多少は拡がるに違いない。

首尾一貫性という呪縛

初志貫徹は美徳か

日本では古来、首尾一貫性があること、意見がぶれないこと、一つのことをやり遂げること、途中で心変わりしないこと、などを美徳として褒めたたえる文化があるが、コロナ禍で明らかになったことは、首尾一貫性は、危機に対しては無力であったことだ。

首尾一貫性を評価する恐らく一番大きな理由は、貴族、武士から庶民まで、大多数の人は長いものに巻かれたり、勝ち馬に乗ったりするのが当たり前だったので、稀に志を変えずに、頑張って、職や場合によっては命を賭《と》する人は、自分にはとても真似ができない尊敬すべき人だという風潮に逆らえなかったからだ。反対に勝ち馬に乗った奴は卑怯《ひきょう》だという言説が広く流布することになる。勝ち馬に乗って上手《うま》くやりたいのに、様々なしがらみや名誉心や自尊心が邪魔して、上手く世を渡れなかった自身を顧みての、嫉妬《しっと》と羨望《せんぼう》の念の裏返しなのだろう。

関ヶ原《せきがはら》の戦いで、西軍から東軍に寝返った小早川秀秋《こばやかわひであき》は、裏切り者として非難されることは多いが、機を見るに敏な智将だと褒める人は少ない。小早川秀秋は関ヶ原の戦いの論功行賞で岡山55万石に加増・移封されたが、戦いのわずか2年後に20歳の若さで急逝している。子供の頃から酒浸りで、12歳にして既にアル中だったということなので、肝臓が余程いかれていたのであろう。裏切り者はいい死に方はしない、ざまあみろ、と快哉《かいさい》を叫んだ人も多かったに違いない。

西郷隆盛《さいごうたかもり》は意地を通して西南戦争に敗れ自刃したが、今に至るまで庶民にとっての人気は高い。実際は西郷には自殺願望があり、自らの死に場所を探していたというのが真相なのかもしれないが、少なくとも勝ち馬に乗るという卑怯なことはしなかったのが、人気の原因であろう。

少し前までは、一浪・二浪どころか何浪もして30歳過ぎて東大に受かった人や、50歳近くで司法試験に合格した人を、初志貫徹した人として褒めたたえるような文化があったけれど、貴重な人生の大半を受験勉強などに費やさないで、もっと有意義なことに使えばよかったのに、と私ならば思う。

中学生でプロ棋士になった藤井二冠が大変な話題になっているが、プロ棋士の養成機関である奨励会は並の棋力では入会できないエリート集団で、ここで戦って勝ち抜いたものだけがプロ棋士（4段）になれる。しかし、まことに厳しい退会規定があり、満21歳の誕生日までに初段に、満26歳の誕生日を含むリーグ終了までに4段に昇段できなかったものは退会である。プロ棋士になるのは諦《あきら》めて別の道に進めということだ。

退会規定がなければ、石にすがりついてもプロになりたいという人が30歳過ぎまで奨励会に在籍して、中年になっても収入が得られない事態になることもあり得る。退会規定はそういう悲惨な人を生み出したくないという、将棋連盟の配慮でもある。別のことを始めれば、思わぬ才能が発揮できるかもしれないのに、余りにも頑固に初志にこだわるのは考えものである。才能がない分野で頑張ったり、負け戦を最後まで戦ったりするのは愚かであろう。

マスクのエチケット

首尾一貫性は悪しき精神主義に結びつきやすく、一度決めたことをなかなか撤回せず、うまくいかない原因を根性がないからだということにして、ドツボに嵌《はま》っていきやすい。

戦国時代には「腹が減っては戦はできぬ」というのは当たり前で、戦うためには食料の調達をまず考えなければならない。ところが、太平の世になって「武士は食わねど高楊枝《たかようじ》」といった諺《ことわざ》が貴ばれるようになった。この精神で戦争をやったのが太平洋戦争の日本で、補給方法を考えずに根性だけで戦った最悪の例はインパール作戦である。負けるべくして負ける戦いだったのだ。死んだ兵士の大半は餓死だった。

太平洋戦争の日本の指導層には、状況を判断して、臨機応変に立ち回るという考えが皆無だったのだろう。戦況は刻々変わるし、このまま続ければ敗戦は必至ということも分かっていただろうに、首尾一貫性に固執したために最初の判断を変えられなかったのだ。個人の場合はその個人だけの問題であるが、国の場合は国民の命がかかっているので、臨機応変な判断ができない指導者は国を潰《つぶ》す。

今回のコロナ禍でも、政府には、恐らくオリンピックを開催したいがために、正確な感染者数を知られたくないという判断があり、それに長い間固執したために対策が遅れたという面は否めない。PCR検査をなるべくさせないように制限していたが、感染者が増加して、世論に押されて政府もようやく重い腰を上げ始めたようだ。一方で、流行初期の段階で、COVID-19を慌てて指定感染症（現在は「新型インフルエンザ等感染症」）にしたせいで、感染者をすべて病院に収容しなければという建前になり、重症者のベッドが足りなくなる恐れが出てきたのである。すみやかに指定感染症から解除すれば、何の問題もなかったと思うのだが、政府は最初の決定にこだわって重い腰を上げなかった。これも首尾一貫教のなせる政策であると思う。

最初、専門家はマスクの効果を過小評価していたが、人ごみでマスクをしないのは感染リスクを高めることがほぼ明らかになって、今では病院やスーパーに入店する際にはマスクをしていないと咎められるようになった。私はここの所、歯の治療で何日か歯医者に通ったが、患者はマスクをしていると治療が不可能なので、待合室でもマスクをしていなくてもOKだった。もちろん、歯医者さんはずっとマスクをしていた。同じころ眼医者にも行ったが、眼医者ではマスクをしていないと中にも入れてもらえず、待合室にいると看護師さんがやってきて、おでこにかざす体温計で検温された。熱があったら追い返すのだろうか。そこまではわからなかった。

しかし、ひとたび、マスクをすることがエチケットのようになると、いつでもマスクをしなければならないという首尾一貫教の人が現れる。私の家の周りは道行く人もまばらで、マスクをしなくても感染したりさせたりする確率は極めて少ないのだけれども、道行く人を観察していると、マスクをしている人の方が多い。暑い中、マスクをすれば熱中症のリスクは高まると思うけれども、不思議な行動である。一番不思議なのは一人で自動車を運転している人がマスクをしていることだ。周りには誰もいないのだから、感染確率はゼロなのに窮屈なマスクをしている理由が分からない。状況に応じて、自分の判断でマスクを外してもいいと思うんだけどね。

可哀そうなのは登下校の小中学生である。学校で指導されているのか、重そうなランドセルを背負って一人で歩いている小学生がマスクをしていると気の毒になる。学校は臨機応変ということは教えないのだろうね。三密でもマスクをして喋らなければ、感染確率はあまり高くない。パチンコ店でクラスターが発生しないのは、お客さんは他の人と喋らないで、一心不乱にパチンコ台だけを見つめているからである。電車でも喋る人がいなければ感染リスクはそれほど高くないと思う。可笑しかったのはイギリスのテレンス・ヒギンズ財団が、正しいセックスのやり方として、お互いにマスクをして後背位で犬のようにすることを勧めていたことだ。そこまでしてセックスをすることもないだろうに、と老人の私は思うけどね。マスク原理教の人はイギリスにもいるんだね。

ダマシダマシ、適当にやる

何のためにやるのかということを常に意識していれば、決まりだからとか、前例がないからとかいった首尾一貫教に騙《だま》されることは少なくなるだろう。日本では学校の教育が一番だめで、勉強ができる子も普通の子もできない子も、同じ授業を受けさせられているので、できる子にとっては時間の無駄で、できない子はついていけない。飛び級を許すなり、学級編成を能力別にするなりした方が効率的だと思うけれど、前例主義に凝り固まった文科省に何を言っても無駄なのかしらね。現場に裁量権をもう少し与えれば、多少はましになると思うけれど、権力を手放したくない文科省の官僚の抵抗が強いんでしょうね。

主体を取り巻く状況は時々刻々と変わるのだから、個人も会社も国も、状況に応じてやり方を変える必要があるのだ。コロナ禍で分かったことは、新しい状況に直面した時、国は首尾一貫性の呪縛に縛られて動けず、多くの個人も状況に応じて、行動パターンを変えることができないということだ。インバウンド頼みの経済はコロナ禍のようなことがあると、クラッシュを起こす。外国人観光客に頼っていた大阪市の税収は激減しているのに、維新は大阪市解体というかつての夢を実現すべく、税金を使って住民投票をやって、再び否決された。同じ税金をつぎ込むのならもっと他にやることがあるでしょうに。首尾一貫教の信者がここにもいる。

個人の人生設計だって最初に立てた計画通りにいくことはまずない。あまりにも理想を追い求めて一つことに執着すると、失敗することの方が多い気がする。順風満帆の人生が、ある日突然不治の病に侵されていることが判明して、余命1年と宣告されることもある。人間の体は自然物だから、あらかじめコントロールすることはできない。不治の病になったら、状況に応じて最善と思われる方策を探るしかない。実は不治の病にならなくとも人生はいつでもそうなのだ。首尾一貫性を重視する思想はコントロールが可能な世界の中でしか通用しない。

人生も世界も究極的にはコントロール不可能なのだから、ダマシダマシ、適当にやるしかない。アメリカの哲学者ラルフ・W・エマソンは「愚かな首尾一貫性は小人の心に棲むお化けで、ちっぽけな政治家や哲学者や神学者の崇拝するところだ。偉大な魂は首尾一貫性とかかわるところはない」と述べている。至言であると思う。

Ⅲ　コロナ狂騒曲

一所懸命は危険だ

「科学より政治」の悪例

一所懸命は文字通り一つ所に命を懸けるということであるが、ここから派生した（もともとは誤用である）一生懸命という言葉もある。ダマシダマシ、いい加減を旨とする私としては、どちらも勘弁してもらいたいと思うが、日本人の多くは、一所懸命がダメだというと、感情的に反発するようだ。前に書いたように、感情に支配された判断は、破滅への道なのだけれど、馬の耳に念仏なのでしょうね。

一所懸命というのは一つことしか考えられなくなって、それだけに全力を傾けることだが、命を懸けたところがピント外れだと修正が効かなくなって、事態は益々《ますます》悪化することが多い。安倍首相（当時）は新型コロナウイルスの拡がりを受けて、２０２０年2月27日の夕方、いかなる根拠も示さず、3月2日から全国の小学校、中学校、高校に、春休みまで臨時休校にするよう要請を出したが、それぞれの地域の個別事情も考えずに、みんな一斉に休校措置で走り出しても、メリットよりデメリットの方が大きかったと思う。
　クルーズ船の内部を見て、危険区域と、安全区域のゾーニングが全くできていないといった余りにもひどい惨状に絶句して、動画を配信した岩田健太郎神戸大学教授が、毎日新聞の取材に対して、次のように答えていた。
「小児の発症、重症化が少ない中で、学校だけ休むのは合理的ではありません。小児患者が発生している北海道は理解できなくもありませんが。休校を正当化するならば、その方策がもたらすゴールをはっきりさせる必要があります。休校で感染をゼロにするとか、1日何人まで減らすとか。そういう目標設定がちゃんとあり、その背後に根拠があれば、事後的に政策の成否が分かります。それなしに、ただ「やる」と言われても、その成否は事後的に判然としません。クルーズ船のときと同じ、「みんながんばったね」が残るだけです。ゴールが見えず、ただ場当たり的に政治的判断がなされており、「科学よりも政治」という、またしても悪い前例となってしまいました。」（毎日新聞、２０２０年2月29日）
　２０２０年3月10日の23時の情報として、都道府県別の国内感染者の数は、北海道の１１１人を筆頭に、愛知県99人、大阪府73人、東京都67人、神奈川県43人と続き、２桁《けた》以上の都道府県が12、後の35県は1桁で、そのうち32県は3人以下、ゼロの県も13県ある。国内感染者の数は合計567人（内死者は12人）、クルーズ船の乗員乗客が696人（内死者7人）、チャーター機その他14人、合計1277人ということだ。感染者数に対する死者数の割合は約1・5パーセントである。

臨時休校にするように要請が出た時点で、感染者数がゼロや数名の県の小中高が、全校休校になった時に感染者数をどのくらい抑制できるのか、逆に経済的デメリットはどのくらいあるのか、等の予測を立てないでやっても、岩田教授の言うように「みんながんばったね」という慰労のコトバが残るだけで、休校の適否は判断のしようがない。

つまらない美談

果たして休校という政策は効果があったのか、それとも逆効果だったのかを判断するには、同じくらい感染者数が少ない（あるいは感染率が少ない）自治体で、休校にした場合としなかった場合を事後的に比較して、検証するのが科学的態度であり、次のエマージングウイルスが侵入した際の、政策決定のデータとしても使える。

実際に、休校措置を取らなかった自治体も少ないながらあったようで、島根県では市町村によって休校にするところと、しないところが混在して足並みがそろわなかったようだ。栃木県茂木《もてぎ》町ではいったん決めた休校を取りやめた。京都新聞などの2020年3月4日の報道によると、栃木、群馬、埼玉、京都、兵庫、岡山、島根、沖縄の8府県の439校が休校見送りの方針という。休校見送りの学校がもう少し増えると、休校の適否の判断が統計的にできそうだが、休校措置は無意味だった、あるいは有害だった、という検証結果が出てくると困る人は、全校休校を徹底してもらいたいと思っているのでしょうね。そうすれば、休校措置の適否が分からなくなるからね。

ツイッターで、上記のような発言をしたら、「学校で感染が拡大した時」「感染した子供が家庭内にウイルスを持ち込んだ時」これらのリスクについてはどうお考えでしょうか？　その際の責任はとれるのでしょうか？　といった感情的なリプが来たけれど、まず、何で私が責任をとらなくてはいけないのか、そもそもそれが分からない。全校休校で失敗した責任を安倍首相がとるという話なら分かるけど。そういえば以前にも、人為的温暖化で台風が来て死んだ人がいるのだから、人為的温暖化論に反対していた池田は責任をとれ、と言ってきた人がいたが、責任の意味が分かっていない点では安倍首相と選ぶところがない。エビデンスを調べずに、一つことだけを信じている人は、何か悪いウイルスに頭が侵されているのでしょうね。前提が間違っているのに、一所懸命やるのは滅びへの近道なのだ。「学校で感染が拡大するリスク」も「学校で感染した子供が家庭内にウイルスを持ち込むリスク」ももちろんゼロではないけれど、だからと言って休校にする方がいいとは言えないのだ。学校さぼって盛り場に行って感染するリスクもあるし、父母が過労で病気になるリスクもあるし、こういったリスクについてはどうお考えですか？　その際の責任はとれるのでしょうか？　と聞いたら、なんて答えるつもりだろう。感染リスクを最小にするには、交通機関を全部ストップして、みんな自宅に籠《こも》っていればいいわけだけれども、2週間もそんなことをしたら、いくつかの会社が潰《つぶ》れ、餓死する人が出るでしょう。COVID-19の死者は増えませんでしたが、他の病気や栄養失調、自殺者の数はうなぎのぼりに増えました、というのでは話にならない。そうかと言って、経済を回すためにGoToキャンペーンをリスクを考えないで始めるのも無謀の誹《そし》りを免れないだろう。

すべての政策にはメリットとデメリットがあって、まず政策の成否を様々な角度から検討し、事後的な検証が可能な形で始めなければ、エイヤッと始めて、みんなで心を合わせて頑張っています、というつまらない美談になるだけだ。その結果失敗すれば、命を落とした人はコロナ神社に英霊として祀《まつ》られています、といったどこかで見た光景になりかねない。

一度決めた以上、わき目も振らずに頑張ることを善とする感性が、破滅への道だということは、太平洋戦争の敗北を見れば、分かりそうなものだけれども、歴史に学ばない人たちは、同じ過ちを繰り返す。１９４２年6月のミッドウェー海戦で、日本海軍が大敗北を喫した後、日本が勝つ道はもはや残っていなかったのにもかかわらず、日本は戦争をやめる道を選ばず、やみくもに戦争を継続して、犠牲者の山を築いた。

この時点で、戦争をやめていれば、沖縄戦も本土空襲も原爆投下もなく、３００万人の死者のうち95パーセントは死なずに済んだ。内田樹《うちだたつる》は近著『サル化する世界』（文藝春秋）の中で、もしそうなっていたとしたら、その後の日本はどうなっていたのだろうかということに思いを馳《は》せているのだけれども、それはともかく、方針が間違っていても、すぐさま改めるというのがいかに難しいかということがよく分かる。

客観的エビデンスを得るために

ところで、話をＣＯＶＩＤ－19に戻すとして、緊急事態宣言というのは、基本的に人の行き来を制限するものだから、当然、景気も下向きになる。状況を見て規制を強めたり、弱めたりする必要がある。どこまで規制を強めるかより、どこで規制を弱めるかの方が喫緊なのだけれど、規制をやめるという決断は、規制をかける決断よりはるかに難しい。

　全校休校の要請も、感染者を増やさないという大義名分で始めたわけだから、やめるとなると、感染者が増えたらどうするんだと文句をつける人が必ずいて、面倒なことになるわけだ。続けるにしろやめるにしろ客観的なエビデンスがあれば、判断は簡単だし、反対者を納得させることも難しくない。そのためにこそ、休校にする学校と、休校にしない学校が、適当にあった方がよかったのである。ある方法の適否が分からないときは、両方ともやってみてどちらが効果的かを調べるやり方は、とても合理的だ。

　ところで、一所懸命から派生した一生懸命だが、こちらは生きている間中、命を懸けろということだから、さらに厄介だ。これが二つとも一緒になると、一つ事に一生、命を懸けて頑張れ、ということになり、体を壊すか精神を壊すかどちらかになる。みんな頑張っているのだから、お前もがんばれという同調圧力を跳ね返し、たまには立ち止まって来し方行く末を考え、駄目だと思ったら、試行錯誤しながらやり方を模索して、ダマシダマシ生きることをお勧めします。「汝《なんじ》の道を歩め、そして人々をして語るにまかせよ」（ダンテ）。

コロナ禍で分かったムダの効用

経済効率最優先システムのワナ

今回の新型コロナウイルスの大流行によって、日本の社会経済システムが極めて脆弱《ぜいじゃく》であったことが誰の目にも明らかになってきた。つづめて言えば、目先の経済的な利益を最大化するために、既存のシステムを次々に経済効率最優先のシステムに変えてきた結果、今回のコロナ禍のような disturbance に対して対処する能力を喪失してしまったということだ。

厚生労働省（以下、厚労省）はここの所ずっと、全国の病院のベッド数を減らすことに腐心してきた。２０１５年に掲げた目標によれば、２０２５年までに最大で15パーセント減らすという。重症患者を集中治療する高度急性期の病床を13万床、通常の救急医療を担う急性期の病床を40万床、それぞれ３割ほど減らす方針だという。この方針に沿って、毎年病院は統廃合されて、病床は減ってきた。

例えば、橋下《はしもと》氏が知事をしている時に、多くの市民や医療関係者が医療崩壊を招くと反対したにもかかわらず、強引に病院の統廃合を決めた大阪では、ＣＯＶＩＤ－19の入院患者が増え続けた結果、四つの病院で救急患者の受け入れを拒否したり、制限したりしたという（２０２０年4月18日現在）。交通事故やクモ膜下出血で緊急手術が必要な人はむざむざと死ぬことになるのだろう。もしかしたら、ＣＯＶＩＤ－19の死者よりも、後者の死者の方が多くなるかもしれない。

無駄を省いて医療費を削減するということは、経済合理性から見て今現在の状況に適合した最適な医療システムにしようということで、状況が少しでも変われば対応できなくなってしまう。環境が、毎年毎年変化する状況下で暮らしている野生動物は、相当な無駄を抱えていることが普通だ。一番の無駄は有性生殖というシステムである。無駄がないと絶滅する確率が高くなるのだろう。

大繁栄と絶滅は紙一重

今の環境に一番適応している遺伝子型があるとして、この遺伝子型の個体をどんどん増やしていけば、この生物種は同じようなニッチ（生態的地位／食物と棲息《せいそく》場所が重なる2種の生物は同じニッチを持つという）を持つ他種との競争に有利になって、個体数が増えていくだろう。同じ遺伝子型の個体を増やす方法は単為生殖である。私が好きなカミキリムシの中にも単為生殖するものがいる。

奈良の春日山《かすがやま》や岡山県の臥牛山《がぎゅうざん》に、クビアカモモブトホソカミキリという名前の、素人に名前だけ聞かせて、どんな虫か想像して絵を描いてくれないかと頼んだら、楽しい絵がいっぱい出てきそうなカミキリムシがいる。この虫は単為生殖をしていることが分かっている。西表島《いりおもてじま》や台湾にも同じ種がいて、こちらは有性生殖をしている。春日山の個体群は、この虫が属する Kuraruа 属の最北端に棲息している。恐らく棲息するのに厳しい環境で、遺伝子型が変化すると生きていけないのかもしれない。その結果、生きていける遺伝子型を持つ個体だけが、無性生殖で生き続けているのだろう。環境が激変すれば、たちまち絶滅に追い込まれると思う。

最近話題になったミステリークレイフィッシュというザリガニは、飼育下で誕生した1匹のメスを祖先に持ち、染色体が3ｎで単為生殖をすることが分かっている。マダガスカル島では大増殖をして在来のザリガニの生存を脅かしているらしい。すべてクローンで、繁殖効率が極めてよく、ニッチが似た他のザリガニたちは勝てないのだろう。無駄を省いて儲《もう》け第一主義に徹した企業みたいなやつだな。しかし、ひょんなことで絶滅しそうな気がするね。単為生殖が繁殖効率に優れ、他の種を圧倒するならば、どうしてほとんどの種は有性生殖をするのだろう。それはタイムスパンを多少長くとると、単為生殖をして遺伝的多様性が全くない生物種は、環境が変化した時に絶滅するからだと思われる。

北アメリカ西部で、1875年の大発生時に12兆5000億匹という天文学的な個体数を記録したロッキートビバッタは僅《わず》か27年後の、1902年までには完全に絶滅してしまった。大繁栄と絶滅は紙一重なのである。

多くの野生生物の個体群には、一見種の存続の役に立たないように見える個体が結構いる。多くの昆虫類は膨大な数の卵を産むが、ほとんどは親になれず、繁殖に関与する前に死んでしまう。無駄を省いて卵数を絞ると、有事の時に絶滅してしまうだろう。『働かないアリに意義がある』（長谷川英祐著、中経の文庫）と題する本がある。わき目も振らずに働いているように見えるアリやハチの7割は余り働かず、1割は一生働かないという。

無駄の極みみたいだけれど、この働かないアリは、有事のセキュリティ装置として、巣の存続に役に立っているに違いない、という話だ。経済効率を優先して、ベッド数を減らせば、通常時の効率は確かによくなるだろうが、今回のような有事には、対応できないのだ。救急医療は他の産業と違って、人の命がかかっている。経済効率第一主義を医療に適用するのは間違っている。

露見する日本の食料&エネルギー問題

今回のコロナ騒ぎでもう一つはっきりしたことは、外国からの人や物の移動がちょっと滞っただけで、輸入に頼っていた物が不足して、インバウンド頼みの観光産業がダウンしてしまうことだ。グローバル・キャピタリズムの論理に従えば、同じものならば、一番安い生産コストで作られた製品が市場を制するということになる。

日本で作られたコムギやトウモロコシや牛肉の生産コストは、アメリカ産のものに比べてはるかに高く、関税をかけなければ、日本産のものは競争に敗れるに違いない。尤《もっと》も、アメリカ産の作物には、ネオニコチノイドやグリホサートといった農薬が沢山残留しており、肉にはホルモン剤や抗生物質などが入っている。富裕層は買わないだろうが、圧倒的多数の一般国民は安い食品を買わざるを得ない。

問題はこういうことを続けていると、日本の農業は衰退して、食べ物の供給をもっぱら外国に依存することになることだ。軍備を増強しても、軍需産業の儲けにはつながっても、真の意味の国防には役に立たない。戦闘機は食えないし、コロナウイルスを退治することもできない。そもそも戦争になる前に、外国からの流通はあらかたストップするであろうから、この時点で、多くの国民は飢えに直面して、戦争どころではなくなる。

今考えなくてはならないのは、多少効率が悪くても食料自給率を上げるシステムを崩さない（作る）ことだ。食料は国の生命線だ。国の生命線をアメリカに握られれば、無理難題でもアメリカの言うことを聞かざるを得なくなる。アメリカの属国化政策を推し進めた安倍政権は、売国奴と言っても過言ではない。経済効率第一主義は有事のリスクを増大するのは、ここでも真である。

もう一つの問題は、日本はエネルギー自給率がものすごく低いことだ。これについては、既にあちこちで述べているので、詳細はここでは述べないが、重要なことは、急に自給率を上げる方途は今のところないことだ。とりあえずは、エネルギーを売ってもらえるように、エネルギー供給国と友好関係を結ぶほかはないだろう。

日本政府は、小泉・竹中時代から、大企業の短期的な利益を極大化するために、正規雇用を減らし、都合に応じて雇用したり、馘首《かくしゅ》したりできる非正規労働者を増やしてきた。

今回のような騒ぎが起きると首を切られた蓄えのない非正規労働者の数が増えて、これは社会不安の増大要因になる。さらに日本人の時給はまだ高いといって、大量の外国人の単純労働者を受け入れた結果、失業した外国人労働者が溢《あふ》れたら、どうするのだろうか。これらもすべて、短期的な利益の追求のために、システムを今現在の状況に最適化した結果である。こういうシステムは、社会的な安定性がなく、状況が変わった途端にクラッシュしてしまう。

インバウンドで食わざるを得ないのも、一般の日本人の給与水準が落ちて、遊びに行くお金が無くなってきたからだ。多くの日本人が、遊びに行ってお金を落とす余裕があれば、インバウンドに頼らなくとも、観光は壊滅しない。国に金がないのに、そんな夢のような話は非現実的だという人が多いだろうが、そう思わされているのは現在のグローバル・キャピタリズムのシステムを当然だと思うからである。システムを変えれば、話は全く違ってくる。

多様性とムダを許容する精神

最後に、医療や労働システムと並んで、教育システムについても私見を述べたい。日本の教育・研究システムは硬直化して、多様性が全くない。同調圧力に逆らうものをのけ者にしていじめるというのは、日本の社会（日本だけではないかもしれないが）の大人の組織でよくみられる風景である。大人の社会を見て育っている子供たちに、いじめはいけないと言っても聞く耳を持たないのは当然だ。

教育・研究も医療と同じように一見無駄に思えることがとても大事である。一例を挙げれば、何度も指摘したことであるが、文科省は２００４年に国立大学を民営化すると同時に、研究費を減らし、なるべく少ない研究費で最大の効果を上げると称して、研究費の傾斜配分を始めた。時の学界のボスや文科省の役人に気に入られた研究にしか手厚い予算を付けなくなったのである。時の権威に逆らう研究者をいじめたわけだ。その結果、日本の科学論文発信力はどんどん下がり始めた。

世の中を変えるような研究は、始めた時点では多くの人にとっては理解できないことが普通である。学会のボスや文科省が評価する研究は、今の時流に乗った研究で、こういう研究だけを優遇して、他の研究に対する予算を絞れば、画期的な研究は出にくくなって、世界的な視野で見れば、日本は世界の科学技術の進歩から取り残されることになる。

初等中等教育においても、先生をこき使って、なるべく金をかけずに、効率重視の横並びの教育を行おうという考えはもういい加減やめた方がいいよ。多様性を維持するにはムダを許容する精神が必要なのだ。医療と教育・研究には金がかかるという常識を共有して、社会システムを変えなければ日本の未来は暗いと思う。

チフスのメアリーとコロナのジョン

感染率・死亡率の差

新型コロナウイルスは直射日光、高温、高湿に弱いと言われていたが、流行状況を見る限り、そう単純ではなさそうだ。病気の性質も徐々に分かってきたようだが、性質は分かっても原因はまだ定かではないものも多い。一番不思議なのは若い人は乳幼児を含めて感染率・死亡率とも低いが50歳を過ぎるころから右肩上がりに上昇する原因は何なのだろうかということだ。老人の方が基礎疾患が多いというだけではなさそうだ。

ゲノムレベルの決定的な差は、老人の方が染色体末端のテロメアが短いことだが、長くても短くても機能的にはあまり差がなさそうなテロメア配列の長さが、抵抗性に関係しているのかもしれない。そう考えて研究している学者がきっと何人もいると思う。

１９１８年から１９２０年にかけて流行したエマージング・インフルエンザ・ウイルス

によるスペイン風邪（そう名付けられているが発祥地はスペインではない。最初の流行は北アメリカから始まった）では、他のインフルエンザの死亡率が乳幼児と高齢者に偏っているのに対して、若年成人の死亡率が高かった。理由は諸説あるが、大分前に流行《はや》った別タイプのそれほど致死的ではないインフルエンザに罹患《りかん》して免疫を獲得していた高齢者は、スペイン風邪に罹《かか》っても致死的にならなかったという説が有力である。

もう一つの説は、若年成人の強固な免疫系がウイルスに反応して暴走を起こしサイトカインストームを引き起こしたというものだ。サイトカインは、本来はウイルスを不活性化するプロセスに関与する物質であるが、過剰に放出されると正常細胞をも破壊して臓器不全を引き起こす。今回のCOVID‐19による死者のかなりの数はサイトカインストームによるものと考えられるが、COVID‐19では若者の方がサイトカインストームに陥りやすいということはなく、どのようなタイプの人がサイトカインストームを引き起こしやすいかは謎である。

新型コロナウイルスについてのもう一つの謎は、感染した人の8割近くが無症状（不顕性）か軽い症状であることだ。その一方で、残りの人々は重症化してその一部は死に至る。この二通りの反応パターンの違いは何に起因するのだろうか。COVID‐19に感染した患者のヘルパーT細胞（抗体を産生するプロセスに関与する免疫細胞）の一部はメモリーT細胞となって新型コロナウイルスのスパイクタンパク質（このスパイクがホストのACE2を認識してそこから侵入して感染を引き起こす）を認識しているという論文が「Cell」に載った。これはいい知らせである。感染した人には免疫ができて再感染しないか、少なくとも感染し難くなるということだからだ。

そうであれば、ワクチンで免疫を作らせて病気をコントロールすることが原理的に可能になる。またこの論文では、普通の風邪であるヒトコロナウイルスに感染した人のメモリーT細胞は、交叉反応《こうさ》（ある抗原に反応する免疫システムがよく似た別の抗原にも反応すること）を起こして新型コロナウイルスを認識できることも示唆されている。これが本当であれば、過去にコロナ風邪を引いた人はCOVID-19に罹らない、あるいは罹っても重症化しないと推測することができる。重症化する人としない人の違いは案外こんなところにあるのかもしれない。

さらにこれが示唆することは、ワクチンが開発されれば、ウイルスが変貌《へんぼう》して予防効果が薄れても、全く効かなくなるわけではないということだ。発症しても死亡率がごく低ければ、それほど怖がることはないわけで、なるべく早く次のワクチンを開発すればよい。

血液型、生活習慣も影響？

東アジア諸国の感染率や死亡率が欧米諸国に比べ大幅に低いのも謎の一つである。日本の感染率や死亡率が低いことを自慢している政府関係者もいるようだが、日本は東アジア諸国の中で、人口当たりの死亡率は最悪である（１００万人当たりの死亡率は２０２０年6月3日現在、日本7・3人、韓国5・3人、中国3・3人、台湾0・3人）。これも理由はよく分からない。新型コロナウイルスはどんどん変異するので、欧米で主流だった新型コロナウイルスは悪質で、東アジアで主流だったのは多少マイルドだったというのも一因であろうが、私見ではＣＯＶＩＤ－19に対する抵抗力に人種差（厳密には、民族による、抵抗力を強く持つ人とあまり持たない人の割合の相違）があるのではないかと思う。

血液型による感染確率の差も示唆されており、A型はO型より2倍あるいはそれ以上感染確率が高いと言われている。しかし人口の40パーセント以上がO型であるアメリカ、イギリス、イタリアなどは、日本（A型40パーセント、O型30パーセント）に比べ、感染者数も死亡者数もはるかに多いので、欧米と東アジアの違いは、それ以外の遺伝的な差異が原因なのかもしれない。最近、ネアンデルタール人から受け継いだゲノム断片の中に、ＣＯ

VID－19を重症化させるタイプと、重症化を防ぐタイプの正反対の遺伝子群があることが判明した。前者は南アジアの人の約50パーセント、ヨーロッパの人の約16パーセントがもっており、東アジアの人にはほとんどみられない。後者はアフリカの人を除く全人類の約半数にみられ、日本人では約30パーセントにみられるという。

生活習慣の違いも案外大きな原因かもしれない。日本人は滅多に握手をしたりハグをしたりしないし、食事の前や、トイレの後は手を洗う習慣があるが、欧米人はあまり気にしないみたいだし、何より靴を玄関で脱ぐという習慣がない。今回のウイルスについては、最小発症ウイルス数（ウイルスに暴露して発症する最少数）はまだ分かっていないみたいだが、一番感染力が強いノロウイルスでは約１００個と言われている。

新型コロナウイルスはこれよりはるかに多いと思われるが、感染しないためには暴露するウイルス数をなるべく少なくすることが重要である。満員電車の車内に感染者がいれば空中にウイルスが漂っているに違いないが、5個や10個吸い込んでも、まず発症しない。つり革やエスカレーターの手すりに素手で触れば、もしかしたら数千個のウイルスが手に付着するかもしれないが、洗ってしまえば95パーセント以上は落ちてしまう。残りの数十個のウイルスは最小発症数以下なので、たとえ口の中に入っても、それだけでは発症しない。

感染者の飛沫《ひまつ》の中に含まれているウイルスは下に落ちてくるので、靴の表面に付着しているかもしれない。この場合靴のまま自宅の部屋に入るのと、靴を脱いで入るのとでは、暴露するウイルス数が桁違いになるだろう。満員電車に乗ったり、他人とコミュニケーションしたりせざるを得ない人は暴露ゼロにするのは恐らく不可能だ。日本人の生活習慣は暴露数を最小発症数以下にするのに役に立っている可能性も大いに考えられる。

一番怖い話は、新型コロナウイルスの感染力が一番強いのは発症する2日前くらいだということだ。インフルエンザなど多くの感染症は発症後2日くらい経って、一番症状がきつい時に感染力も一番強い。ＣＯＶＩＤ－19は一見何でもない人からの感染力が一番強いということは、感染を予防するのがとても大変だということだ。再感染する例が散見されるが、恐らくウイルスが体の中に潜んでいて、増加したり減少したりして、ＰＣＲ検査が陽性になったり、陰性になったりするのだろう。もしこの人が不顕性であれば、本人も周りの人も知らない間に、沢山の人に感染させる可能性がある。

チフス伝染の犯人は誰か

不顕性で長く感染力を保持している人がいると、COVID－19を完全にコントロールすることは大変困難になる。それで思い出すのは「チフスのメアリー」である。「チフスのメアリー」とは不顕性の腸チフスのキャリアで、他人に伝染させるという理由で、人生の後半のほとんどを、ニューヨークのブロンクスのノース・ブラザー島で隔離生活を強制された女性のことだ。

2016年に亡くなった金森修《かなもりおさむ》が若い人に向かって著した『病魔という悪の物語　チフスのメアリー』（ちくまプリマー新書）に詳しく書いてある。この本は緊急復刊されたので、ぜひ読んでみてほしい。メアリー・マローンは子供の頃に、両親と共に合衆国にやって来た、北アイルランドからの移民で、両親がなくなった後は、主として賄い婦として生計を立てていた。

しかし、1900年～1907年までの間に、彼女が賄い婦をしていた6件の家から、22人の腸チフスの感染者が出て内1人が死亡し、メアリーが感染源だと疑われ、強制的に病院に連れていかれてしまう。便を検査した結果、菌が検出され、ノース・ブラザー島にある、伝染病者の隔離施設であるリヴァーサイド病院に強制入院させられ、ここで3年の歳月を過ごすことになる。この島は、身寄りのない人の埋葬地として利用されているハート島と同じブロンクス区にあり、現在は同じく無人島である。

本人は全く健康であったメアリーは、1909年に自身の解放を求めて裁判を起こすが、敗訴する。裁判の6か月後、今後料理人として働かないという誓約書と引き換えに彼女は解放される。しかし、解放されたメアリーは、与えられた洗濯の仕事には飽き足らず、結局は好きな賄い婦の仕事を始めてしまう。1915年の冬、ニューヨークのスローン婦人科病院でチフスの集団発生が起こり、25人の患者が出て2人が死亡する。

集団発生の3か月前に雇ったブラウン夫人という名の賄い婦が、実はメアリー・マローンその人だとわかり、メアリーは逮捕され、再びノース・ブラザー島に送られ、亡くなる1938年までの23年間、この島で過ごすことになる。COVID‐19の全貌はまだ明らかではないとはいえ、メアリーと同じように不顕性で、ウイルスが体に残り、常時あるいは時々感染力を発揮するタイプの人がいる可能性がないとは言えない。今この人を「コロナのジョン」と名付けよう。

COVID‐19が簡単に治ったり予防できたりする病気になってしまえば、コロナのジョンを隔離せよという人はほとんどいないだろうが、不顕性のキャリアからウイルスを排除することができず、この人からうつった人が次々に亡くなるということが続いたとして、はたして、貴方《あなた》はコロナのジョンを隔離することに賛成するだろうか。次なる問いは、貴方が隔離政策に賛成するとして、もし貴方がコロナのジョンだと分かったとして、自身が隔離されることに納得するだろうか。

厚労省の利権がらみでＰＣＲ検査が進まない

日本ではなぜPCR検査が進まないのか

政府の新型コロナ感染症への対策を見ていると、日本もいよいよ東アジア最貧国への転落に拍車がかかりだしたと思って心が暗くなる。ここでいう貧しさとは経済だけのことではなく、アホな対策を進める為政者と、それを指をくわえて眺めている多くの国民の政治的、科学的なリテラシーの悲しいほどの貧しさのことだ。

諸外国ではＰＣＲ検査を積極的に行って感染者を見つけ出し、それなりの対策を立てているが日本ではなぜＰＣＲ検査が進まないのか。中国の武漢でＣＯＶＩＤ－19が流行り始めたのは２０１９年の暮れ。あっという間に大流行の兆しを見せ、２０２０年１月23日、中国当局の指示により、武漢市は突如閉鎖された。

あろうことか、安倍晋三《しんぞう》はその翌日の１月24日、北京の日本大使館のホームページに、

「中国の春節を祝し、オリンピックの年でもあり、訪日大歓迎」の旨のメッセージを載せたのだから、開いた口が塞《ふさ》がらない。結局このメッセージは1週間後に削除されたが、頭の中はインバウンドとオリンピックと習近平《シージンピン》の来日しかなかったわけで、新型コロナウイルスで国民が危険にさらされるのを未然に防ぐための方途に関しては、何も考えていなかったことが分かる。

安倍晋三は、2020年3月2日から全国の学校に向けて、春休みまでの休校を要請するという無意味でトンチンカンなパフォーマンスはしたけれど、感染者数が増えてオリンピックが中止になることを恐れ、PCR検査を積極的に行う政策を忌避した。37・5℃以上の熱が4日続かなければ検査をさせないといった非科学的なルールを作って、すぐに検査を行って入院治療をすれば助かったかもしれない患者を見殺しにした。

政府の方針を忖度《そんたく》した御用学者たちも、PCR検査を増やせばいいものではないというような、のらりくらりとした意見を言うだけで、根本的な対策の提言は行わなかった。中には、PCR検査を無闇にすると医療崩壊を加速させるといった脅迫まがいの意見もあった。常識的に考えれば分かるように、医療崩壊はCOVID-19の重症者が増えて、ベッド数が足りなくなったり、医療従事者のキャパシティを超えたりするために起こるのであって、ＰＣＲ検査が原因で起こるわけではない。

ＰＣＲ検査は精度が１００パーセントではないため、沢山の人を検査すればするほど、偽陰性や偽陽性の人が現れて社会が混乱するという議論があるが、本当だろうか。そのためにはまず感度、特異度、事前確率について理解してもらう必要がある。感度というのは真の陽性者のうち検査によって陽性と判断される割合で、特異度は真の陰性者のうち検査によって陰性と判断される割合である。事前確率は検査対象者のうちどのくらい真の陽性者であるかという予測値である。事前確率は予測値であって、厳密には知る方法がない。おおよその目安である。例えば、熱があってだるさや頭痛を訴えている人たちを対象にすれば、事前確率はかなり高いと予測されるが、見かけ健康な人たちを対象にすればずっと低くなると予測される。

マッチポンプみたいな議論

検査が沢山出来るようになって、例えば１０００万人の検体を検査したとしよう。健康な人も不健康な人も無作為に抽出してとりあえず事前確率を１パーセントと考えよう。すると10万人の人が真の感染者と推定される。感度が70パーセントと言われているので、検査の結果、陽性と判定される人は7万人ということになる。3万人は偽陰性である。一方、真の非感染者は990万人と推定され、少し前に言われていた特異度の99パーセントを適用すると、陰性と判定される人は980万人で、10万人は偽陽性ということになる。付言すれば、偽陰性と真の陰性、あるいは偽陽性と真の陽性を区別することは理念としては可能でも現実には不可能である。別言すれば、真の感染者数を知る方途がない以上、感度も特異度もそれほど信頼に足る数値ではないということだ。

そこで、一般人へのPCR検査不要論を唱える人は次のように主張したのだ。COVID－19を指定感染症としている現行法では、この10万人の偽陽性の人は原則として隔離入院させる必要があるため、偽陽性の非感染者にベッドが占拠され真の感染者を救えなくなる恐れがあり、さらに、非感染者を隔離するのは人権侵害である。一方、3万人の偽陰性の人は、自分は感染していないと信じて出歩くため、感染源となって感染を広げるので、いずれにせよ無闇にPCR検査をすべきでない。

前者の議論の前提は、COVID－19が指定感染症ということからくる議論で、政府が泡食って2020年1月の下旬に決定した政令でCOVID－19を指定感染症にしてしまったのでそういうことが生じたので、さっさと指定感染症から外してしまえば、人権侵害も医療崩壊もなくなる。いわば、マッチポンプみたいな議論である。

さらに言えば特異度はきちんとした検査をすれば、100パーセントに近づけることができるはずで、現在の精度は99・99パーセントくらいになっていると思う。すると1000万人中、偽陽性の人は990人で大した数ではない。中には99・999パーセントでも100パーセントにならない限り、NGだと主張するトンデモナイ医者もいるが、この場合偽陽性の人は1000万人中10人となり、これを問題にする人は、交通事故の死者が1000万人中10人でも自動車を運転しては「ダメ、ゼッタイ」と言っているようなものので、アホとしか言いようがない。

感度を100パーセントにすることは不可能である。ウイルスに感染していても、検体の中にウイルスが入っていないことはあり得るからである。反対に、ウイルスに感染していない人の検体からウイルスが見つかることは原理的にあり得ず、検査の過程でウイルスが混入したわけで、きちんと検査をすれば、特異度を100パーセントに近づけることは可能だと思う。高尾山にフジミドリシジミという珍しい蝶《ちょう》がいるが、採りに行っても採れないことはあるが、高尾山に棲息しないルーミスシジミを採りに行って採れるということはあり得ない。採れたら棲息していたということだ。感度と特異度ではそのくらいの違いがあるのだ。

偽陰性の人が歩き回って人にうつすというのもためにする議論だ。そもそも検査をしなければ、10万人の真の感染者も自分が感染者とは思わないので、3万人の偽陰性の人と同じように出歩くわけで、こちらの方が感染リスクは高くなる。PCR検査をやりたくないのは、オリンピックの開催を優先して、感染者数を低く見せるためにPCR検査をやらない理由をでっちあげたので、今更、方針転換するわけにもいかず、しどろもどろな言い訳をしているからだ。

厚労省と文科省の縄張り争い

政府や官僚が、間違いだと分かっても改めないことを「無謬《むびゅう》性の原則」と呼ぶ。ある政策を成功させる責任を負ったものは、その政策が失敗したときのことを考えたり議論したりしてはいけないという原則である。なんともすごい原則だが、日本の行政を見る限りほとんどの公的組織はこの原則に忠実なように見える。それは税金で成り立っている組織は失敗しても潰れないからだ。私企業であれば、過ちを改めなければ業績が悪くなり、最悪の場合は倒産する。

もう一つPCR検査が進まない大きな原因は厚労省の利権であろう。山岡淳一郎《やまおかじゅんいちろう》『ドキュメント　感染症利権―医療を蝕む闇の構造』（ちくま新書）によれば、1875年（明治8年）の文部省報告には「衛生の事項（病院設立、医術開業、薬品検査等の類）は内務省に属し、医学の事項（医学校の設立の類）は文部省に属し……よろしく注意し、その区域を明瞭にすべし」と記されているという。

行政は内務省、教育は文部省という縄張りは、実に明治の初頭に決められたのである。疾病対策は内務省にルーツを持つ厚労省が担当し、大学医学部や研究機関を統括する文科省は介入しないという暗黙のルールは150年近くたった今でも延々と墨守されており、新型コロナウイルスのPCR検査は厚労省の管轄で、文科省の介入は許さないというおかしなことになっている。いくつかの大学の学長がPCR検査を行う用意があると表明しても、遅々として進まないのは、厚労省の利権が壁になっているからである。

PCR検査を無闇に増やすと保健所がパンクするという難癖は、PCR検査を保健所を通さないで済むようなシステムにすれば即座に解決する。文科省の管轄の理化学研究所や大学の医学部、理学部などではPCRは日常的に行われており（PCRは分子生物学の研究に必須《ひっす》のアイテムなのだ）、COVID-19のPCR検査をしてくれるなら、検査にかかる費用以外にも研究費を特別に配分すると言えば、民間の検査機関に回すまでもなく、かなりの検査件数を稼ぐことができるだろう。

しかし、コロナ対策を独占したい厚労省は、文科省が前面に躍り出てきて脚光を浴びると、予算の配分その他の自分たちの省益が脅かされるので、何としてもこれを阻止したい。かといって、厚労省傘下の病院などのコロナ検査のキャパシティは限られているので、御用学者にＰＣＲ検査を拡げるのは無意味などと宣伝させているわけだ。

僅かな金をケチって、感染の拡大を助長

もちろん、何の症状もない人に無理に検査をする必要はないわけだが、検査が必要な人に対しても検査ができない現在の状況は異常である。症状が軽くても、本人が検査を希望したら速やかに検査が受けられるシステムがあった方がいいに決まっている。インフルエンザの検査は多少怪しければ、すぐ受けられるわけで、何のかんのと非合理的な理由を付けて、必要な人に対しても、簡単に検査ができないシステムは早急に改善する必要がある。日本が開発した全自動のＰＣＲ検査装置があるのだから、これを導入すれば、検査するのに特別な技術はいらない。

ＰＣＲ検査が簡単に行えるシステムがあれば、ＧｏＴｏトラベル・キャンペーンをやるにしても、補助金貰《もら》って旅行に行きたい人は事前にＰＣＲ検査を受けて陰性証明書を提出してもらえば、感染の拡大はずっと抑えられるはずだ。それができないならば、せめて、居住している県内か隣接県に限りＧｏＴｏキャンペーンをやると言えば、沖縄県の感染拡大のような悲惨なことにはならなかったろう。丁度、第2波の兆候が見えてきた頃合いを見計らって、何の対策も立てずに、ＧｏＴｏキャンペーンをするという神経は異常である。

政治ジャーナリストの田崎史郎《たざきしろう》は、ＰＣＲ検査に税金を使うのはいかがなものかと、相も変わらぬ政権擁護の発言をしていたが、唾液《だえき》を自分で採取して国立大学等の公的な検査機関に送る方法をとれば、検査費用は1検体5０００円もかからないだろう。1０００万人検査しても5００億円だ。1兆35００億円のＧｏＴｏキャンペーンの費用に比べれば、たかが知れている。全自動のＰＣＲ検査装置を使えば、効率は飛躍的に上がるはずだ。24検体を2～3時間で検査できる全自動のＰＣＲ検査装置は一台2０００万円くらいなので、1万台導入しても、2０００億円だ。1日12時間稼働させれば、1日で1００万検体の検査ができ、希望者全員がすぐに検査できるようになるはずだ。僅かな金をケチって、感染の拡大を助長している政権を亡国政権と呼ばずに何と呼べばよいのか。

日本だけに限って言えば、ＣＯＶＩＤ－19の死者はまだ一万人弱（２０２1年3月5日現在）で、欧米に比べれば圧倒的に少ないので、マスコミが騒がなければ、今年は変な風邪で亡くなる人が多いね、くらいで、みんな平気で通常の生活をしていて、経済も崩壊することはない、と知ったようなことを言う人がいるが、情報がこれだけ飛び交っている現代社会では、情報を隠蔽《いんぺい》しようとすればするほど、デマが乱れ飛ぶ。無謬性の原則や省庁の縄張り争いをやめて、正しい情報を公開して、科学的なエビデンスに基づいて対策を立てることが、結局、早期の終息と経済の回復を促す最善の道なのである。

コロナは社会システムを変えるか？

コロナ禍以前と以後

コロナ禍が始まって以来、生活のリズムがすっかり狂って何となく調子が悪いという人も多いと思う。私も2020年1月の終わりごろまでは、多少警戒する程度で、新幹線や飛行機に乗って講演に出かけていたが、2月23日の天皇誕生日に長野県の売木《うるぎ》村に講演に行ったのが最後で、これ以降の対面での講演は、次々に中止や延期になって、ほとんど行っていない。

売木村は人口500人の小さな村で、講演当時は未《いま》だコロナは影も形もなくて聴衆の中でマスクをしている人もまばらで、ここで感染者が出たら、真っ先に私が疑われるに違いないと話しても、皆さんハハハと笑い飛ばしていたくらいのものであった。ところが、3月の終わりごろ、志村けんが亡くなってからは、世間の雰囲気ががらりと変わり、COV

ＩＤ－19は恐ろしいと思う人が多くなり、マスクをしていないで街を歩くと、犯罪者のような眼で見られるようになった。

外出する用事が皆無になってしまった私は、暫《しばら》くの間は昆虫の標本つくりに精を出していた。長い間「たとう」（もとは和服などを包む紙。虫屋は脱脂綿を長方形に切って半紙で包んだものをこう呼ぶ。綿の上に展脚した甲虫を並べて保管する）の中で眠っていた標本を改めて見ていると、採集した時の情景が脳裏をかすめ幸せな気分になる。１９９３年12月にタスマニアで１００頭近くとった Lissotes（属）という体長15ミリ前後の小型のクワガタムシを、たとうをひっくり返して見つけだした時は嬉《うれ》しかった。

ローンセストンの近くの Ben Lomond と Trevallyn というところで主に採集したものだ。疎林の中に転がっている倒木をひっくり返して、その下に潜んでいるクワガタムシを長男と次男と一緒に夢中で採ったのがつい昨日のようである。地味な虫ということもあってか、日本にはあまり標本がないようだ。この属はタスマニアに23種、ヴィクトリア州に4種が分布するが、よく似ていて同定が難しい。私の標本にも何種か交ざっていると思うのだが、未だ徹底的に調べていないので、よく分からない。

虫友達に自慢したいのだけれども、コロナ禍の最中で誰も呼べない。コロナ禍が始まる以前、虫友達や仕事関係の人と頻繁に会っていた時は、面倒くさいなあ、と思っていたが、いざ、全くといっていいほど他人に会わなくなると、何となく寂しい。もう電車には長らく乗っていないし、東京に住む子供たちもうっかり実家に帰ってきて、70過ぎた年寄り（私と女房のことだ）にウイルスをうつしてしまって、死なれると厄介だと思っているのだろう。たまにSNSで話すだけだ。

以前と同じ社会生活が返ってくるとは限らない

恐らくホモ・サピエンスは30万年前の生誕の頃から、小集団で生活していたので、談笑したり会食したりする習性は、人類の行動様式の重要な一部をなしているのだ。ただどのくらいの頻度で会うのが心地よいかは人それぞれで、孤独に耐える力がすごく強い人と、からきし弱い人の両極端の間のどこに自分が位置するかということが、今回のコロナ禍でよく分かった人も多かったのではないだろうか。

全く他人に会わずに生活することは不可能であるが、一人でいる方が気楽という人は結構多く、会社に出ないでリモートになって嬉しい人も多いのではないかしら。反対に誰とも話さないでいることには、一日でも耐えられないという人もいると思う。こういう人にとっては今回の事態は余り適応的じゃない。多くの人はこの間のどこかにいて、例えば、私は1週間に一度くらい外出している方が、体や心の調子はいいようである。

実は、コロナ禍で自宅に蟄居《ちっきょ》するまでは、ずっと自宅にいた方が楽でいいやと思っていたのである。しかし、蟄居生活が数か月を過ぎるころから、友人から電話がかかってくると、つい長話をしてしまうことが多くなった。以前は用事がすんだら、とっとと電話を切るのが普通だったが、相手からも何となく電話を切りたくない様子が伝わってきて、そのうちコロナ禍が収まったら、飯でも食おうねと言って終わるのだが、いったいいつのことになるのやら。

こういう人は私だけではないようで、少し前、養老孟司《ようろうたけし》から、ズーム（Zoom）でおしゃべりをしないかというお誘いがあり、旧知の友人を交えて与太話をしたことがあった。養老さんは他人に会っても会わなくても、いつも泰然としているのかと思っていたが、やっぱり何か月も人に会わないのは寂しいのかと思い、一寸《ちょっと》愉快だった。何といっても、箱根の養老昆虫館（バカの壁ハウス）には、人の出入りが絶えなかったのが、新型コロナウイルスを養老先生にうつしたら大ごとだと思った友人、弟子、編集者などがぱったり来なくなったのだから、さしもの養老さんも生活リズムが狂ったみたいだ。

ＷＨＯは2年未満でパンデミックは収まりそうだとの楽観的な予測を出しているが、その間リモート主体の生活をしていると、元に戻っても、以前と同じ社会生活が返ってくるとは限らない。コロナ禍が始まってから、オフィス街の飲食店の売り上げが減ったという。仕事帰りに居酒屋に行くのをやめる人が増えたのだ。部下を引き連れて居酒屋で酒飲みながら威張りたい上司や、ゴマを擂《す》って奢《おご》ってもらいたい部下は、楽しみが減ったが、いやいや付き合っていた人たちは、ほっとしているかもしれない。売り上げが減った飲食店は存亡の危機だという。パンデミックが収まっても、居酒屋に立ち寄らない習慣がついた人は、元に戻らないかもしれない。

飲食店や、インバウンド頼みの店、旅館、観光関連会社、航空会社、鉄道会社などの経営が火の車なのはよく分かるが、意外なことに病院の経営が大変らしい。病院は感染する確率が高そうなので、不急不要の診察はなるべく避けようと考えるお年寄りが多くなったためだ。オンラインで薬だけもらう患者も増えた。今まで、大学病院などの大病院にはなるべく行かずに町医者に行けと指導していた手前、ドンドン病院に来てくれとも言うわけにもいかないのだろう。お年寄りは病院のお得意さんだっただけに、困っているみたいだ。しかし、考えようによっては、もともと病院に行かなくてもいい人が来なくなっただけで、正常に戻ったとも言えるわけで、今までが過剰診療だったのである。このまま患者が減ると、過剰診療を当てにした病院の経営戦略を変えざるを得なくなるだろう。

私は、定期的な緑内障の検査を8月に行う予定であったが、検査室が狭いのでやらなくてもいいと言われ、延期してしまった。6月の下旬に田作を噛《か》んでいて歯が欠けて歯医者に行ったら、今回は根治治療でなくて、一寸詰め物をしておいて、それがだめになってから、本格的に治療しましょうと言われた。私としてはちゃんと根治治療をしてもらいたいと頑張って、結局6回通って治してもらったが、歯医者さんもあまり患者に来てほしくないのかもしれない。

実物はパソコンの画面では再現できない

講演や対談やインタビューや打ち合わせはもっぱらズームでやるようになって、それは全くかまわないのだが、オンライン飲み会というのはNGである。会食は目の前に酒や肴《さかな》があって、実際に飲み食いしながらおしゃべりをするのが楽しいのであって、パソコンの画面にビールの缶やワインの瓶やチーズが映っていても何も楽しくない。シャンパンの瓶が置いてあっても中身がシャンパンかどうかは飲まなきゃ分からない。

リモートに適応した人はコロナ禍が収まって、毎日、出社となればストレスが溜《た》まり、優秀な社員は週の半分はリモートでいいよという会社に移ってしまうかもしれない。そうなると他の会社もそうせざるを得なくなり、通勤列車は緩和され、鉄道会社はお客さんが減って大幅値上げを余儀なくされるに違いない。オフィスビルの需要も減って、都心の地価が安くなるだろう。

ところで、リモートで一番困るのは教育であろう。独学が一番効率が良いので、学校は学歴を貰うために仕方なく行っている、といったタイプの人は、オンライン講義でも、講義など受けなくとも余り困らないのだが、別のタイプの人は、教師や同級生と対面で質問をしたり議論をしたりしてインスピレーションを受けて、学力や知力が伸びる。先生と面と向かって話して、感銘を受けてこの人を一生の師としようと決めた学生もいるに違いない。

神秘的なことを言っているように聞こえるかもしれないが、何かわからないけれども、この人はすごそうだ、といった感覚はオンラインの画面を見ていても生じない。生身の人から発するオーラというのは確かにあるからだ。オンラインは、大教室で教授が話すような講義には向いても、質疑応答を主とする双方向の講義や少人数のゼミには全く不向きである。一番不向きなのは実習である。実物はパソコンの画面では再現できない。だから、コロナ騒ぎが収まったら、学校は以前のように対面の授業をやった方がいいし、実際そうなるだろう。ただ、受講希望者が何百人もいるような講義は、教室ではなくオンラインでやっても問題はないかもしれない。

まあ、今回のコロナ禍で分かったことは、ちょっとしたパンデミックが起こっただけで、今までの状況に過適応していたシステムは、簡単にクラッシュしてしまうということだ。経済合理性を追求したシステムは無駄が全くないので、状況が少しでも変化するとついていけない。今回のコロナ禍を奇貨として、グローバル・キャピタリズムの跳梁《ちょうりょう》を多少とも制御するシステムが構築できればいいのだけれどね。

Ⅳ 思い込んだら百年目

人為的地球温暖化という似非科学を未だに信じる人々

人為的地球温暖化という新興宗教

台風15号と19号が立て続けに東日本を襲って、各地で大きな被害が出た。被災者の方々は本当にお気の毒で、ボランティアに任せないで国は真面目に支援しろ、と声を大にして言いたいが、安倍政権はオリンピックと憲法改悪のことで頭がいっぱいで、国民の生活のことなどどうでもよかったみたいだ。日本列島は「日本劣等」になったとダジャレを飛ばしている場合ではないが、就任早々の大臣が相次いで辞任することに象徴されるように、政権の劣化は目を覆うばかりである。

ところで、台風で被害が出るのは地球温暖化のせいだとかたくなに信じている人がいて、人為的地球温暖化は疑った方がいいよと、いくらエビデンスを挙げて説明しても、理解するつもりがないのか、能力がないのか、ツイッターなどで罵詈《ばり》雑言を浴びせてくる人もいてびっくりする。きっとこの人の頭の中では、人為的地球温暖化は万有引力の法則と同じくらいの、絶対の科学的真理だということになっているのかもしれない。

以前『もうすぐいなくなります――絶滅の生物学』（新潮社）を上梓《じょうし》したが、帯に「人類は、いつ消える？　そのあとは、牛の天下!?」と書いてあったのに反応して、そのことについて詳しい話を聞きたいと「FRIDAYデジタル」（講談社が運営しているニュースサイトらしい）の女性ライターから電話があった。帯は私が書いたわけでもないし、この話はアメリカの研究者の仮説（というより、ホラ話）で、私は信じていないよ、と言ったのだが、私の独自意見を聞きたいと食い下がって自宅までやってきた。

どうやら、地球温暖化がこのまま進めば、人類は暑さで絶滅してその後は牛の天下になる、といったセンセーショナルな記事を書きたかったようで、私がいくら人為的地球温暖化はウソだと説明しても、納得しがたいようで、このまま温暖化が進んで、気温が50℃になれば人類は絶滅しますよね、などと宣《のたま》う。カンブリア紀以来、5億4000万年もの間、地球の平均気温が50℃になったことは一度としてないのだから、人類がどんなにCO_2を排出しても、地球の平均気温がそこまで上がることは絶対にないと説明しても、浮かない顔をしている。

その後も、自分の思い描くシナリオに則《のっと》った話に誘導すべくいろいろ突っ込んでくるのだが、私が乗らないものだから、ゲラが出たらメールで送りますと言い置いて、帰っていった。どんな記事を書くつもりなのかしらと思っていたが、結果的には何だかよく分からないような記事になった。この人も典型的な人為的地球温暖化教の信者である。日本人の大半は真面目で素直でお人好《ひとよ》しなので（まあ馬鹿ともいうが）、マスコミ（朝日新聞とNHKが特に酷《ひど》い。なんの利権があるのかしら）が吹聴《ふいちょう》する、人為的地球温暖化という新興宗教にコロリと騙《だま》されてしまっているようだ。それで、CO_2削減という錦《にしき》の御旗《みはた》を掲げるハゲタカ企業に、税金のみならず、自分のお金も思考能力もむしり取られているわけだ。

反対意見の科学者の声をほとんど全く無視

マスコミは最近、台風の勢力が強くなり、数も多くなり、被害も甚大になったのは、温暖化のせいだと、何のエビデンスもなく垂れ流しているが、そもそも、台風の数はこの半世紀を通じて微減傾向にあるし、勢力も1950年代や60年代の方が強かった。そういうことをツイッターに書くと、居丈高にエビデンスを見せろという人がいるが、気象庁のサイトで公開されているのだから自分で調べればいいのにね。そういう人に限って自説のエビデンスを示したことはない。

自分の主張はマスコミや日本政府のお墨付きがあるので、エビデンスは示す必要がなく、反対する人だけがエビデンスを示さなければいけないという考えは不思議だが、もしかしたら、地球温暖化は弱い立場の人や野生動物を苦しめるので、地球温暖化を憂慮する人は弱者の味方の正義の人であり、懐疑的な人は地球環境より金もうけの方が大事な悪の権化であるといった、悪しき考えを、小学生の頃から刷り込まれているので、人為的地球温暖化に反対する人は無条件でバッシングしていいと思っているのかもしれない。太平洋戦争中の鬼畜米英と同じで、子供を洗脳するのは簡単だからね。

マスコミは事あるごとに温暖化のせいで、「ツバルが沈む」「シロクマが絶滅する」「夏には北極海の氷が全部溶ける」といった話を垂れ流しているので、善良な人々は、「可哀そうに」あるいは「大変だ、これから地球はどうなるのだろう」と思い込んでしまうのかもしれないが、ここ20年以上ツバルの海水準はほぼ横ばいであるし、シロクマの頭数はここ10年くらいの間に30パーセントほど増加したし、夏に北極の氷が溶けてなくなる気配はない。マスコミは危機を煽《あお》る科学者の声だけを取り上げて、反対意見の科学者の声をほとんど全く無視しているので、多くの人が人為的地球温暖化を真実だと信じるのも無理はない。

実のところは、人為的地球温暖化論を推進しているのは、エコという正義の御旗を梃子《てこ》にCO_2削減のためのさまざまのシステムを構築して金もうけを企《たくら》んでいる巨大企業とそれを後押しする政治権力で、反対しているのは何の利権もなく、データに立脚して物事を考える科学者なのだ。普通の人が騙されている主流の論調とは正反対に、金まみれなのは人為的温暖化論者で、貧乏なのは人為的温暖化懐疑論者なのである。

捏造データ公開拒否で敗訴

そのことを象徴する裁判があった。ホッケースティックグラフ(人為的地球温暖化論者の間で英雄扱いされているマイケル・マンがでっちあげた、20世紀の後半になって地球の温度が急激に上がったように見せかけるグラフ。人為的地球温暖化論者に聖典のように仰がれている)がデタラメだと激しく批判したティム・ボール(カナダ・ウィニペグ大学元教授)を、マンがボールの住むカナダ・ブリティッシュコロンビア州の裁判所に名誉棄損で訴えたのだ。典型的なスラップ訴訟(強者が弱者に対して起こす嫌がらせ訴訟)である。

マンは莫大《ばくだい》な資金力を持つ環境利権団体をバックに持つが、ボールは後ろ盾を持たない貧乏学者である。和解をせずに裁判で争うためには100万ドル程度の弁護費用が必要だ。怖気《おじけ》づいて和解に応じるに決まっていると、マンやその支援者は簡単に考えたのであろう。しかし、ティム・ボールは和解に応じず頑張ったのである。ボールの意気を良しとした懐疑派の個人からの献金が相次いだこともボールの心を支えたに違いない。

結果は、マンの完全敗訴で、ブリティッシュコロンビア州の最高裁判所は、原告（マン）の訴えを棄却し、被告（ボール）の弁護費用の全額を賠償せよ、と原告に命じたのである。被告が求めた、ホッケースティックグラフを作成するために使用した原データを開示せよ、という請求をマンが拒んだことが、敗訴の大きな理由である。もともと捏造《ねつぞう》したのだから原データを開示できるわけがないのだ。

この裁判も日本のマスコミ（少なくとも朝日新聞やNHK）は全く報じなかったが、世界の科学者の間では、最近とみに人為的地球温暖化論は怪しいと考える学者が増えてきた（詳しくは『「地球温暖化」の不都合な真実』マーク・モラノ著、渡辺正訳、日本評論社を読んでください）。危機感を抱いた温暖化論者はスウェーデンの16歳の少女グレタ・トゥンベリさんを籠絡《ろうらく》して、地球温暖化対策は喫緊だという演説をさせたが、16歳の少女がいくら熱を込めて演説してもウソが真実に化けるわけではない。

折しも、アメリカのトランプ大統領は2019年11月4日、「パリ協定」からの離脱を正式に国連に通告した（離脱は大統領選翌日の2020年11月4日）。CO_2を排出するのはさしたる問題もなく（気候変動の主たる要因は非人為的なもので、CO_2が増加するのは、穀物生産にとって、デメリットよりもメリットの方が大きい）、化石燃料を使う火力発電が最も環境に対する侵襲は少なく、コストも安いので、トランプの言い分はこの点に限っては正しいのだ。

なんでもトランプに追従する日本がパリ協定から離脱しないのは、CO_2削減策は日本の政治経済システムに深く食い込んでいるので、おさらばすると、これに依拠して商売している企業が存亡の危機に立たされるからだ。しかし、長い目で見れば、年間3兆円も税金を使うCO_2削減策などやめた方が賢いことは事実である。とまれ、超大国のアメリカがパリ協定から離脱すると表明した意義は大きく、これを機に人為的地球温暖化という、世界中を騙した似非《えせ》科学は崩壊するかもしれない。利権を失うことになる人為的温暖化論に依拠した国や企業は抵抗するだろうけれどね（トランプは大統領選に敗れて、アメリカはパリ協定に復帰することになった）。

台風被害拡大の真相

　ところで、冒頭に述べた台風であるが、気象庁のサイトによると、年間30個を超えた年は、1950年代（51年から60年）1、10年間の平均個数は24・6／60年代5、29・5／70年代4、26・5／80年代2、27・5／90年代2、26・2／2000年代0、23・0／2010年代1、26・1となっており、20世紀後半に比べ、21世紀になってからは微減傾向にある。

　勢力も、大きくなっているということはなく、被害も昔の台風の方が大きかった。死者行方不明3000名以上を数えた台風は三つ（昭和の3大台風）。台風史上最大の人的被害（死者行方不明5098名）をもたらした伊勢湾《いせわん》台風（1959年）は最低気圧が895ヘクトパスカル（hPa）、上陸時中心気圧は930ヘクトパスカル、枕崎《まくらざき》台風（1945年）は死者行方不明3756名、上陸時中心気圧916ヘクトパスカル、室戸《むろと》台風（1934年）は死者行方不明3036名、上陸時中心気圧912ヘクトパスカルと近年の台風に比べてずっと規模も死者数も多かった。

　2019年の台風15号は、千葉県に甚大な被害をもたらしたが、死者数は2人、最低気圧は955ヘクトパスカル、上陸時中心気圧は960ヘクトパスカルで、最大級の台風と喧伝《けんでん》された台風19号は死者行方不明101名、最低気圧915ヘクトパスカル、上陸時中心気圧955ヘクトパスカルであった。台風23号は、11月6日時点の中心気圧が905ヘクトパスカルで2019年最強だという。かつての台風並みに強いが最強というわけではない。

ちなみに、1961年の第二室戸台風は最低気圧882ヘクトパスカル、上陸時中心気圧925ヘクトパスカル、死者行方不明202名であった。観測史上最も低い気圧を記録した台風は1979年の台風20号で、870ヘクトパスカルであった。この台風は上陸時中心気圧950ヘクトパスカルで、死者行方不明115名の犠牲を出した。

2019年の台風19号は雨がひどく、各地で川が氾濫《はんらん》して、人的被害ばかりでなく、経済的被害も約1兆8600億円に上ると推定されている。被害が大きくなったのは、温暖化のせいで台風が強くなったのではなく、本来、氾濫原だったところに建物を建てるなどの人災の要素が大きかったと思われる。それについては稿を改めて述べる。

人為的温暖化とは無縁な台風の被害

気候変動予測のウソ

前に温暖化のせいで台風の発生回数が増えたり、勢力が強くなったりしたのはウソだという話をしたのだけれども、人為的温暖化真理教に侵されている人々は度し難くて、未《いま》だに、世界中の科学者の多数派は人為的温暖化説に与《くみ》しているのだから、専門家ではない池田清彦が異議を唱えても信じないと言っている人がいる。しかし、当然のことだけれども、科学は宗教ではないので、信じる信じないの問題ではないのだ。

データは沢山公表されているので、自分で調べれば、すぐに気候変動の主たる原因は人為とは無関係で、人類が排出するCO_2のコントリビューション（温暖化に対する寄与）はあってもごくわずかだということが分かるはずだ。自分で調べようとしないで、マジョリティの尻馬《しりうま》に乗って、マイノリティをバッシングするだけが生きがいの人って、どんなに貧しい知的人生を送ってきたのかと思うと「可哀そうで涙が出るわ」と言えば、烈火のごとく怒るのだろうね。しかし、「知を愛する」という人生最大の楽しみを放棄して、イキがっている人はやっぱり可哀そうだわ。

科学的妥当性は政治と違って多数決では決まらないので、専門家の多くが支持している仮説が正しいとは限らないのは言うまでもない。しかし、不幸なことに気候変動を予測する研究は科学というよりも、ほとんど政治になってしまった。気候変動の予測はコンピュータのシミュレーションで行うため、パラメータを少し変えるだけで、予測値は大幅に変わってしまう。裏を返せば、自分にとって好ましい予測にするために、パラメータを適当に変えることができるということだ。

何であれ、新しい技術を開発して金儲《もう》けの道具にしたい企業にとって、CO_2削減のための様々な装置を設置することを国が義務付けたり、奨励したりすれば、新しい市場が芽生えて儲けることができる。エコカー、ソーラーパネル、風力発電などを開発して、金儲けに結び付けたい企業にとって、人為的温暖化説は願ってもない追い風なのだ。政府としても炭素税を取って税収を増やす根拠（言い訳）にすることができる。

したがって、こういった企業と政府の双方にとって、人為的温暖化説を擁護することは政治的・社会的に正しい（Political correct）という世論を形成させることは不可欠となる。逆に言えば、反対する奴は人類の未来の幸福を考えない人非人だという風潮にしたいということだ。

温暖化対策費用は年3兆円

そうなると、人為的温暖化説に都合がいいシミュレーションを発表した科学者には潤沢な研究費が流れ、反対の科学者は資金が乏しくなる。研究費がなければスーパーコンピュータを動かすこともできないので、いきおい、この分野の科学者は、人為的温暖化説の尻馬に乗って研究費を得た方が賢い、と考えたとしても不思議はない。気候変動に関するコンピュータ・シミュレーションなどは当たるも八卦《はっけ》当たらぬも八卦の世界なのだけれど、未来のことは誰も分からないので、当面は人々を騙すのは簡単である。

しかし、予測が当たったかどうかは時が来れば分かる。20世紀後半になされた20年後の気候変動のコンピュータ・シミュレーションの結果は、ほぼことごとく外れているのだけれども、それについてはほっかぶりしている専門家が多いのは、厚顔無恥としか言いようがない。人為的温暖化説が崩壊すると困る政権と企業とその走狗《そうく》であるマスコミは、それに関しては一切報道せずに、未だに、温暖化は大変と言っているのも笑止だけれども、ほとんどの国民は未だにそれを信じている。

いきなり、氷河期が来たらどうするつもりなのかしら。太平洋戦争中に、神国日本、鬼畜米英を叫んで、日本は不敗だと言っていたのが、敗けた途端に一億総懺悔《ざんげ》になったように、みんなでツラっとして人為的温暖化真理教はなかったことにするのだろうね。俺は懺悔しないからね。

ひとたび、人為的温暖化説が「Political correctness」になると、反対する人を理屈も論証も無視してバッシングすることに快楽を感じる、品性卑しい人が跋扈《ばっこ》するようになる。「２０１９年の台風15号と19号の原因は温暖化のせいなのだから、温暖化していないと言っている人たちは、台風で被害が出た人に申し訳ないと思わないのか」といった無茶苦茶な言説まで飛び出してくる。

前に詳しく述べたように、台風と温暖化は無関係であるし、況《ま》してや台風の被害と温暖化は何の関係もない。日本は温暖化対策と称して、官民合わせて年間３兆円もの金をつぎ込んできたが、たとえ人為的温暖化説が正しいとしても、この金は温暖化防止にほとんど役に立っていないし、もちろん、台風被害の防止にも何の役にも立っていない。

渡辺正《わたなべただし》『「地球温暖化」狂騒曲─社会を壊す空騒ぎ』（丸善）によれば、日本は京都議定書で「１９９０年の基準から２０１２年までにCO_2を６％削減する」という約束をして、議定書が発効した２００５年以来、温暖化対策に努め、第一約束期間終了までに、官民合わせて総額20兆円以上の金をつぎ込んできたが、この約束が守られたとして（実際は排出量取引などで帳尻を合わせただけで実質は１・４パーセント増だった）、日本の貢献はその間の地球の気温を０・０００３℃下げるだけだという。焼け石に水どころかほとんど無意味に近い。

ならば、温暖化対策費と称する年３兆円の大金を福祉、教育などに使った方が賢いし、一部は台風の被害の防止や被災者の救済費に当てることもできるだろう。５パーセントとしても１５００億円だ。毎年、これだけあれば、台風の被害はかなり防げるし、被災者の救済も捗《はかど》るはずだ。

悪しきコンプライアンス至上主義

ところで、台風が襲ってくるのは自然現象で防げないとしても、被害を最小にとどめる方途について考えてみよう。２０１９年の台風15号は風台風で、千葉県では多くの家の屋根が飛んだ。これに関しては、屋根が飛ばないような家を建てるしかない。猛烈な風台風が頻繁にやってくる先島《さきしま》諸島、沖縄、奄美《あまみ》、屋久島《やくしま》などでは、広範囲に渡って屋根が飛んだという話はあまり聞かない。滅多に強い台風が来ないところでは、屋根が飛ぶという想定をしていないことが多いのだろう。台風銀座の沖縄では琉球《りゅうきゅう》赤瓦《あかがわら》という強風に強い構造の屋根が多く、県外の人も、家を建てるときに屋根の台風対策について考えた方がよさそうだ。

個々人ではなかなか対策のしようがないのが大雨をもたらす台風である。台風19号の被害はほとんど大雨によるものだった。河川の氾濫をどう防ぐかが喫緊の問題である。ダムは台風の時に洪水を防ぐ役に立つ場合と、洪水の元凶になる場合がある。前者は大雨の水をダムで貯水して、下流の水害を防げる場合。後者はダムが満水になり、緊急放流の結果、下流の水害を引き起こしてしまう場合だ。

そこで、台風が来るとわかった場合は、何日も前から少しずつ放水してダムを空の状態に近づけておけば、緊急放流に至らないと思われるが、現行のやり方ではなかなかそうもいかないのである。ダムの水は大雨時を除いては、貴重な水資源であり、水利権の問題も絡み、無闇に放流できないのである。事前に放流してダムを空っぽにしておいたところ、雨が余り降らなかったら、農業用や工業用の水が不足して、責任問題になりかねないので、台風が来るからと言ってあらかじめ全部、空にするには勇気がいる。台風が来そうなときは現場に任せて、後で文句を言わない仕組みを考えることが必要だ。

コンプライアンスは平常時のことを想定しているので、台風のような非常時には、現場の判断でコンプライアンスは多少無視してよいということにしないと、緊急事態に対応できない。被災後に山北町で起きた給水拒否事件は、悪しきコンプライアンス至上主義の典型だ。町の要請で自衛隊の給水車が到着したのに、神奈川県の知事や自衛隊の師団長の、法令通りの杓子《しゃくし》定規な対応の結果、一滴も給水を行うことなく給水車は帰っていき、5時間半後に県の給水車がやって来たという。

氾濫原に住むリスク

河川の増水で一番大きな問題は、氾濫しそうなときに水をためておく遊水地が不足していることと、本来、氾濫原であったところを開発して、団地やタワーマンションなどの建築を許可したことだろう。鶴見川は町田市上小山田《かみおやまだ》町の泉を源流として、川崎市を通って横浜市鶴見区から東京湾にそそぐ一級河川で、かつては暴れ川として知られ、大雨のたびに氾濫を繰り返していた。ところが、横浜線の小机《こづくえ》の北に大きな遊水地を作って、大雨が降って鶴見川が氾濫しそうな時は、ここに大量の水を誘導できるようになった。この遊水地は日産スタジアムがある新横浜公園で、２００３年に運用を開始してから鶴見川の氾濫はなくなった。

氾濫を免れた利根川にも、渡良瀬《わたらせ》遊水地という八ッ場《やんば》ダムの３・３倍の貯水量を誇る遊水地がある。渡良瀬遊水地は、本来、足尾銅山の鉱毒を溜《た》める遊水地としてこの地にあった谷中《やなか》村を強制的に廃村にして作られたが、現在は利根川の氾濫を防ぐ遊水地になっている。荒川もまた、さいたま市と戸田《とだ》市に普段は公園として使われている遊水地のおかげで、氾濫を免れたのである。残念ながら多摩川には、こういった大きな遊水地はない。河川流域は開発されていまさら機能的な遊水地は作れそうもない。

大河川の中下流は、本来、氾濫のたびに流路を変えて、昔、河川の本流であったところが三日月湖として残るのが自然な姿である。三日月湖の周りは氾濫原であり、いつ水が出ても不思議はないところなのだ。それを堤防を作って流路が変わらないようにするものだから、大雨が降って、堤防が決壊すれば、川筋の低い土地は本来の氾濫原に後戻りするわけだ。究極的な解決策は氾濫原に住まなければいいわけだ。先日、一緒にトークイベントをした養老孟司《ようろうたけし》は氾濫原に住んでいる人に移住してもらえばいいと言っていた。確かにその通りだけれども、今住んでいる人はなかなか難しいよね。とりあえず、新しく家を建てる人は、河川の川筋の氾濫原と思《おぼ》しき所は敬遠することですね。

ビーガンという倒錯

生きた動物を殺して食べるのは残酷

ドミニク・レステルという初めて聞く名のフランスの哲学者が書いた『肉食の哲学』（大辻都訳、左右社）という本を読んだ。原題は『Apologie du carnivore』（肉食者の擁護）である。帯には「肉食は我々の義務である。ビーガンの心がけは立派だ。だがその道は地獄に続いている」と過激な文言が書きつけてある。帯の後半は「地獄への道は善意によって敷き詰められている」という有名な箴言《しんげん》のもじりだな。

ところで、ビーガンとはどういう人か。基本的に植物食の人はベジタリアンと呼ばれるが、ベジタリアンにもピンからキリまであって、忌避する食べ物の種類によって五通りくらいに分けられる。

1　ビーガン　植物性食品のみを食べ、動物性食品は一切食べない。最も極端なベジタリアンである。
2　ラクト・ベジタリアン　植物性食品に加え牛乳や乳製品は食べる。
3　ラクト・オボ・ベジタリアン　2に加え卵は食べる。
4　ペスコ・ベジタリアン　3に加え魚は食べる。
5　ポーヨー・ベジタリアン　4に加え鳥肉は食べる、獣肉は食べない。

ベジタリアンの意識の底に流れる基本的な倫理として、生きた動物を殺して食べるのは残酷だという思いがあることは確かだろうが、4や5は健康志向あるいは個人的な趣味の問題で、倫理的な問題とはあまり関係ないだろう（だからいけないと言っているわけではない）。牛や豚を殺して食うのは残酷だが、魚や鶏《とり》を殺して食うのは残酷ではないというのは、どう考えても合理的でないからだ。

牛乳や乳製品は殺さなくても入手できるので、これを食べるのは上の倫理に照らして許されるという2の人の考えは理解できるが、3は微妙である。鶏の卵には有精卵と無精卵があり、前者は鶏に育つので、これを食するのは発生途中の鶏を殺すことになり、鶏の生命が至上のものとの考えに立てば、人間でいえば堕胎と同様な倫理的問題を孕《はら》む。無精卵は厳密には生きていないとは言えないが、発生を始めることはないので、単なる細胞だと考えれば、これを食するのに倫理的抵抗感は少ないだろう。尤《もっと》も有精卵と無精卵を見た目で判断するのは不可能に近いが。

「反・種差別の考え」の矛盾

冒頭に紹介した本が攻撃しているのは、普通のベジタリアンではなく倫理的ベジタリアンと著者が呼ぶ人たちで、一般的にはビーガンと呼ばれる。ビーガンの主張はつづめて言えば、動物を殺して食うのは人を殺すのと同様な犯罪だということだ。日本では過激なビーガンはあまり聞かないが、フランスではビーガンの人口に占める割合は0・5パーセントだという。フランスの人口は約6500万人なので、32・5万人もの人がビーガンということになる。

何を食うか食わないかは、人を食ったりしない限り基本的に自由で、ビーガンが動物を食わないのは本人たちの勝手であって、何の問題もないのだが、問題は一部のビーガンが肉食者を敵視して実力行使に出ていることだ。先の本によれば、2018年、フランスでは何軒かの肉屋がビーガンに襲撃されて、スプレーで落書きをされ、窓を割られ、血糊《ちのり》をまき散らされたりする事件があったということだ。

動物の命は人間の命と同様に貴いという反・種差別の考えは一部の欧米人に根強く、捕鯨は犯罪だと主張して、実力行使をも辞さない、シー・シェパードに通底するところがある。こういった原理主義者が次々に出てくるのは、一神教の社会の弊害なのだろう。正しい考えは唯一であると信じると、それ以外は全部間違いということになり、正義を守るためには手段を択《えら》ばずということになりかねない。かつて、中絶に反対する人が、中絶手術を行っている医者を射殺した事件があった。命の至高性を主張して、反対する人の命を奪うことを躊躇《ちゅうちょ》しないのは、不思議と言う他はない。

『肉食の哲学』は議論が込み入っていて、余り分かりやすい本ではないので、私なりのビーガンに対する反論を以下に記す。まず「反・種差別」の考えは他の生物を食うことなしには生きていけない人間の生態を前提にする限り、必ず破綻《はたん》することだ。ビーガンは植物のみを食べるというが、野生のものでない限り、人間が食べる植物は耕作地で作られている作物であることが多く、作物を食べる害虫を殺戮《さつりく》した果ての産物である。牛や豚の命は守るべきだが、害虫は殺しても差し支《つか》えないというのは、種差別そのものである。どこかで守るべき命と守らなくてもいい命の線引きをしなければ、人はそもそも生きていけない。

一番合理的で多くの人が納得するのは人とそれ以外のすべての生物の間に線引きをして、人間は特別だとする考えである。もちろんこの考えにも超越的な根拠があるわけではないが、それ以外の所での線引きはすべて恣意《しい》的になって、合理的に根拠づけることは不可能だ。

さらに耕作地は、本来は自然生態系で、そこを開墾して作物を栽培しているわけで、もともとそこに棲《す》んでいた多くの野生動物を結果的に死に追いやった果てに作られたものだ。ビーガンは虫食いの痕《あと》がない穀物や野菜を食べて、動物の命を守っているという幻想に耽《ふけ》っているのかもしれないが、彼らが食べる作物を育てる過程で、どれだけ多くの動物たちが犠牲になったかについては想いが及ばないのであろう。

ベジタリアンは恐らく長生きしない

人類は雑食性の動物であったが、肉を食べるようになって脳が大きくなった。人類以外の類人猿（オランウータン、ゴリラ、チンパンジー）も植物食を基本とする雑食性で、動物も食べるけれども、人間的な感覚で言えば動物性たんぱく質も少しは食べるベジタリアンである。チンパンジーと約600万年前に分岐した人類の祖先も基本的にベジタリアンであったと思われる。サヘラントロプス、オロリン、アルディピテクス、アウストラロピテクスと連なるホモ属以前の人類の成人の脳容量は500ミリリットルを超えることはなかった（約400ミリリットルのチンパンジーとさして変わりがない）。

アウストラロピテクスからホモ属が分岐する少し前のアウストラロピテクス・ガルヒ（約250万年前）あたりから肉の摂食量が増えて、ホモ属になった途端に脳容量は飛躍的に増大した。最も原始的なホモ・ハビリスで650ミリリットル、ホモ・エルガステル900ミリリットル、ホモ・エレクトス1200ミリリットルとどんどん大きくなり、現生人類（ホモ・サピエンス）では1350ミリリットル、ネアンデルタール人は1450ミリリットルである。ネアンデルタール人の脳容量が現生人類より大きいのは、肉食の依存度がより高かったからという説もある。ちなみに、約200万年より少し前に、ホモ属に進化するアウストラロピテクスから分岐したパラントロプスは恐らく完全な植物食で、脳容量は500ミリリットルであった。

脳組織の50～60パーセントは脂質でそのうちの三分の一はアラキドン酸やドコサヘキサエン酸といった多価不飽和脂肪酸で、これは植物には余り含有されておらず、肉や魚に多く含まれているため、脳の構造と機能維持には動物食は欠かせないのである。そのことを思えば、ベジタリアンは恐らく長生きしない。長命のベジタリアンというのは聞いたことがない。

ビーガンが肉を嫌うのはビーガンの勝手で別に文句はないけれども、人間の本来の食性を考えれば、肉を忌避するのはむしろ不自然なのである。生態系を構成する生物は植物（生産者）、動物（消費者）、菌類（分解者）である。生産者は水とCO_2を原料として主として太陽光のエネルギーで、炭水化物を作って生きているので、他の生物を食べることはない。ビーガン的には最も倫理的な生物ということになるのかもしれない。動物は植食性、雑食性、肉食性と食性は三つに分けられるが、ビーガンの倫理をあまねく適用すると、ライオンも植物だけ食って生きろということになりかねない。

個体の命か種の繁栄か

今は、動物の肉を、動物を殺さない方法で作り出すことが可能になったが、ビーガンはこの肉も食わないのだろうか。筋肉細胞を作り出す体性幹細胞を培養して、ここから肉を作れば、動物を殺さずに肉を食べることができる。この方法でものすごく安くうまい肉が作れれば、牛や豚や鶏を殺して肉を食べることを忌避する人たちが増えるかもしれない。

殺人とは距離の問題である、とかつてどこかに書いたことがある。自分の身内や友人が殺されれば、多くの人は悲しみに暮れ、犯人に対する怒りの感情をたぎらせるが、知らない人が殺されてもさほど心を揺さぶられない。アフリカの知らない土地の殺人事件には多くの人は何の興味も示さない。

これは殺人ばかりでなく、他の動物と自身の距離に関しても妥当するだろう。人に極めて近縁な類人猿を殺すことは、サイコパスではない普通の人は忌避するに違いないし、系統的に近縁でなくとも、身近でいつも見ているペットの犬や猫を殺すことも平常心では行えないに違いない。しかし自分に危害を与える動物や、小さな昆虫やミミズを殺すことには心の痛みを覚えない人が普通だろう。

ビーガンも恐らくハエやゴキブリは躊躇なく殺すのではないかと思う。我々が牛を殺すこととゴキブリを殺すことの違いは、結局は距離の問題であって、それ以上の理屈はない。

それからもう一つ。我々は自分の命が大切なので、命の問題を個体の命に限定することが多いが、種の繁栄を第一義だと考えると、話は相当変わってくる。今、地球上でもっとも個体数が多く繁栄している大型動物は、人間を除けば、牛、豚、羊などの家畜である。

これらの動物の肉が培養肉として食べられるようになれば、これらの動物を飼育する人はほとんどいなくなり、個体数は激減するだろう。家畜の種の繁栄という観点から見て、これはいいことなのかそれとも悪いことなのだろうか。

多様性ってなんだろう

合理的理由なき多様性の忌避

多様性というのは曖昧《あいまい》なコトバである。生物多様性から人間社会の多様性まで、多様性は様々な文脈で用いられるが、その意味するところは必ずしも明瞭《めいりょう》ではない。例えば、生物多様性は、普通はある地域の生物種がどれだけ多いかを示すコトバとして使われるが（種多様性）、単純に、種多様性が高ければ高いほど素晴らしいかというと、なかなかそうもいかないのである。

例えば、ある地域の生態系に外来種が侵入してきたとする。ほとんどの場合は、しばらくすると絶滅するが、稀《まれ》に定着すると、この地域の種多様性は1種増えたことになる。種多様性が高いことを無条件に善とする立場からは、これは歓迎すべきことだが、外来種排斥主義者は、悪と思うだろう。確かに競争力の強いアメリカザリガニのような外来種は、在来種を絶滅に追いやったり、激減させたりするので、外来種排斥主義者の主張も分かるが、在来種と共存して、共に生残可能なものは、問題ないと思う。

例えば、アカボシゴマダラという蝶《ちょう》がいる。この種は人為的な放蝶によって関東地方に定着した外来種で、中部地方や東北地方にも分布を拡げている。幼虫はエノキの葉を食し、オオムラサキ、ゴマダラチョウ、ヒオドシチョウ、テングチョウといった在来種と食草が同じである。食草が競合するという理由で、環境省はアカボシゴマダラを特定外来生物に指定して、人為的な移動や飼育などを禁じたが、アカボシゴマダラ自身は法律を守らないので、どんどん分布を拡げている。

実はアカボシゴマダラは、他のエノキ食いの蝶と多少ニッチ（生態的地位）が違い共存するので、問題にするほどのことはないのである。日本の蝶の種多様性を増やしたのだから、排斥しなくともいいと思う。尤も膨大な税金をつぎ込んでも絶滅させることは不可能だけれどもね。

多様性が大事だと言いながら、合理的な理由からではなく、自分たちの感性に合わない多様性を、遺伝子汚染というコトバで忌避する人たちもいる。生物学では、種多様性のほかに遺伝的多様性という概念があり、一つの種が擁するゲノムの総体のことだ。無性生殖で増えている生物は基本的に親と同じゲノムを持つので、一個体のメスの子孫はすべて同じゲノムを持つクローンで、遺伝的多様性はない。

クローンが環境変異に弱く絶滅し易いのは生物学の定説で、遺伝的多様性が高く、様々なタイプの個体が存在している方が、種の絶滅確率は低くなる。すでに書いたことがあるが、有名なのは19世紀半ばのアイルランド飢饉《ききん》だ。当時アイルランドの人々の主食はジャガイモで、栽培に最も適したほぼ1品種のジャガイモだけを栽培していた。まあクローンに近いと考えてよい。ところがジャガイモ疫病というカビによって引き起こされる伝染病が流行して、アイルランドのジャガイモは壊滅的な被害を受け、酷い飢饉が発生した。このクローンはジャガイモ疫病に弱いタイプだったのだ。

外来種はコントロールできない

遺伝的多様性が高い方が生き残り易いのは人間にも当てはまる。約10万年前からアフリカを出て波状的にユーラシア大陸に侵入したホモ・サピエンスの一部は、先住人類のネアンデルタール人と交雑した。その結果アフリカに残ったホモ・サピエンス以外の現生人類にはネアンデルタール人の遺伝子が2〜5パーセントほど混入している。

交雑した個体はそれほど多くなかったろうし、ネアンデルタール人は3万9000年前に絶滅しているので、混入したネアンデルタール人の遺伝子が特別適応的でなければ、確率的に消えていってもよさそうだ。なぜ残っているかというと、これらの遺伝子は耐寒性に優れた遺伝子だったからだと考えられている。ネアンデルタール人と交雑せずに純血を守ったグループもあったに違いないが、氷河期の寒さで絶滅したのだろう。ジャガイモの生き残りばかりでなく、人類の生き残りにとっても遺伝的多様性は重要なのである。

京都の鴨川《かもがわ》のオオサンショウウオは、現在9割以上がニホンオオサンショウウオと、人為的に移入されたチュウゴクオオサンショウウオのハイブリッドで、外来種排斥主義者は遺伝子汚染と言って忌み嫌っているが、当のオオサンショウウオにしてみれば、交雑したことで遺伝的多様性を増やし、結果的に種の生き残りを図っているとも考えられる。

自分たちもネアンデルタール人との交雑の産物なのに、なぜ他の生物の交雑を遺伝子汚染というネガティブなコトバで呼ぶのか分からない。異質な他者は排除した方がいいという感性が身に付いているせいなのだな、きっと。恐らく、これは狩猟採集生活を脱して、集団間の抗争や戦争が始まり、他の集団を警戒せざるを得なくなった時からの思考パターンなのだろう。

野外で起きる、外来種と在来種の交雑は気に入らないが、飼育栽培されている動植物を交雑させて様々な品種を作りだすのは許容するという考えもよく分からない。野生動物の交雑は制御できないが、飼育栽培生物はコントロール可能ということなのだろうね。

そういえば、栽培されている野菜や穀物は日本原産でなくても外来種とは言わないというのが、外来種排斥主義者の定義のようだけど、勝手な定義だね。栽培作物であれ何であれ外国から人為的に入ってきた生物は外来種だろう。外来種のなかにも許容できるものと、排斥した方がいいものがあるという考えの方が余程素直だ。人間にとって役に立つもの、アカボシゴマダラのように生態系に大した侵襲を与えないものは、たとえ外来種でも、排斥する必要はない。

野外に放たれた外来種はコントロールできないので、それが気に入らないというのはいかにも都会人の考えだが、そもそも自然や生物が人間の思い通りにはならないのは、自分の体を観察すれば分かる。自分の体の老化をコントロールするのは不可能だ。どんなに金をかけても、人は老いて病気になってやがて死ぬ。ヒトの体は自然物だからである。

頭脳の多様性を抑圧する教育制度

ところで、長いタイムスケールを取れば、遺伝的多様性が高い生物の方が絶滅しにくいが、短期的な繁栄にとってはクローンの方が効率がいいのは確かである。単為生殖はコストがかからないので、当該のクローンが環境に適応している限り、競争力が高いからだ。

この観点から現代社会を見てみると、労働環境の多様性は経済効率を最優先した資本主義の敵だった。例えば、戦後の日本を世界第二位の経済大国に導いたのは、労働者の働き方の均一化や製品の画一化であった。これによって生産コストを下げ、国際競争力を高めたのである。

しかし成功は失敗のもとである。多くの日本の企業はこの成功体験を忘れられずに、脱工業化社会になっても、社員の働き方や考え方の多様化に舵《かじ》を切ることができなかった。第一次産業革命（18世紀末から19世紀初頭に蒸気機関の発明により起こった産業革命）、第二次産業革命（19世紀末から20世紀初頭に内燃機関と電気モーターの発達によって起こった産業革命）までは均一化と画一化は生産性にとってプラスに作用したが、第三次産業革命（20世紀末にコンピュータとインターネットがもたらした産業革命）が起こると、この二つは生産性を引っ張る桎梏《しっこく》に転化したのである。

今や、資本主義は神戸大の松田卓也名誉教授が提唱した「頭脳資本主義」の時代に入っており、勤勉、従順といった工業社会で持てはやされた属性は役に立たず、知力の勝負になってきた。優れた知力を持つ社員を集めることができた企業だけが生き残れる。日本はこの点では全くダメで、初等教育からして同調圧力の下で、異端を許容しない傾向が強い。

近年ではさすがにＬＧＢＴなどの身心的属性を差別の対象にしてはいけないという考えが当たり前になってきたが、多様性は趣味や性的指向といったものに限られており、教育や働き方といった面での多様性は、まだまだである。日本の政治権力者は政権に盾つかない国民を作る教育政策の構築ばかりに腐心しており、国民の知力を向上させることには何の興味もなさそうである。確かに政権の短期的な維持にはこの政策は有効かもしれないが、長期的に見れば、頭脳の多様性を抑圧する教育制度は、国家衰退への道である。

多様性を大事にしていると口に出して言うのは簡単だが、多様性という曖昧なコトバに隠れて、その内実を問わなければ、多様性の尊重はお題目に過ぎなくなる。みんなで口をそろえて「多様性を尊重しましょう」と言っても何を尊重しているのか分からない。ある枠組みの中の多様性ばかりでなく、枠組みをはみ出た多様性を尊重しなければ、真のイノベーションは起こせない。企業は知力の優れた社員を優遇しなければ潰《つぶ》れてしまうので、既存の枠組みをはみ出た多様性を担保するようになっていくだろうが、問題は教育である。既存の枠組みをはみ出さないような教育ばかりしていれば、そもそも知力の高い国民は育たず、日本ではまともな企業は成り立たなくなってくる。教員の給与を上げて、採用試験では専門の知識力を重視し、事務的な雑用はさせずに、授業の半分は検定教科書を使わずに、教員の自主性に任せるようにする辺りから始めなければと思うけれど、今の政権と国民性ではお先真っ暗だな。

初中等教育の教員は無価値労働に近い雑用ばかりで、国立大学の運営費は毎年減らされている状態を看過している国に未来はない。日本は官民そろって、ドツボに陥る政策を選んでいるとしか思えない。このままでは遠からぬ将来、先進国のグループから脱落すると思う。何度も言うように、ネトウヨ諸君は口を開けば、「日本すごい」と叫んでいるが、日本が本当にすごいのは、凋落《ちょうらく》の速度なのだ。

「役に立つ」とはどういうことか

人間の脳が作り出した「崇高な存在」という概念

人間を「役に立つ人間」と「役に立たない人間」に峻別《しゅんべつ》して、「役に立つ人間」を増やして、「役に立たない人間」を減らそうという優生思想の行きつく先は「ナチズム」であるが、最近の「生産性」のない人間に対するバッシングを見ていると、ナチズムの亡霊は未だに残っているようで、暗澹《あんたん》たる気持ちになる。

そもそも、役に立つとは一体どういうことだろう。我々の身の回りにある様々な道具は、生活の役に立つ。自動車や自転車は移動の手段としてとても役に立つが、壊れて修理不能になれば、役に立たなくなって、粗大ごみになってしまう。道具は役に立つ間だけ価値があって、役に立たなくなれば無価値だということだ。人間の生活が至上で、道具はそれに奉仕するものだというごく普通の考えに立てば、これは真《まこと》にもっともなことだ。

この伝でいけば、「役に立つ人間」という言い方の中には、個人は個人を超える何か崇高なものの存続のための道具だという考えが、インプリシットにではあれ、存在しているに違いない。戦前、国民は国家の役に立つ人間にならなければならないという思想を徹底的に吹き込まれた大日本帝国臣民は、国家のために戦って（ごく少数の賢い人は馬鹿馬鹿しいと思っていたに違いないが）、多くの人は命を落とし、さらに多くの人は生き延びて、大日本帝国そのものは滅んでしまった。

主体（この場合は大日本帝国）に奉仕すべき道具（この場合は国民）は滅びずに生き延びたが、主体そのものは滅んでしまったという結末は、一般的な意味では倒錯だけれども、道具が奉仕すべき崇高な存在は滅んでも、道具たる人間は、人類滅亡の日まで滅びないというのは不滅の真理である。

崇高な存在というのは、国家であれ神であれ、資本主義であれ、その他どんなイデオロギーであれ、所詮《しょせん》、人間の脳が作り出した概念に過ぎない。概念は実在せず、生物としての個々の人間は実在するわけだから、前者が消滅しても、後者は消滅せず、後者が消滅すれば前者も消滅するのは当然なのだ。だから、個々の人間が、国家や資本主義のために奉仕するという構図は、コトバの真の意味において倒錯なのである。

人類が狩猟採集生活をしていた頃は、個人は自分が生き延びることに精いっぱいで、何かの役に立つために生きるという観念は希薄であったろう。バンドと呼ばれる50人～100人くらいの集団で暮らしていて、お互いに助け合って生きていたに違いないが、それは畢竟《ひっきょう》、自身と子孫の生存率を上げるための行動で、バンドに奉仕するための行動ではなかった。

農耕が始まって穀物を備蓄できるようになり、貧富の差が拡大して、階級社会が形成されると、支配階級は被支配階級を従わせるための装置として、個人を超える崇高な概念を捏造して、そのために働くのは貴いことだという物語を流布しだしたのである。己の属する集団のために命をかければ、死後、神になれるとか、天国に行けるとかの嘘八百を並べ立てて、被支配階級を懐柔したのである。一方で、支配階級に盾つく奴は処刑したり、追放したりして、いわば飴《あめ》と鞭《むち》で体制の維持を図ったのである。

厚生省発表の「結婚十訓」

人間の脳には崇高な存在を崇《あが》めるという不思議な機能があって（私のようにそういう機能をほぼ持たない脳の持ち主も稀にいるが）、崇高なものの役に立つことに快感を覚える人が少なからずいる。先に述べたように、しかし、国家や神は幻想であるから、支配階級の「国家や神のために命をかけろ」との煽動《せんどう》は、支配階級の利益のために命をかけろということに他ならない。

支配階級のトップを生き神様にして、至高な存在に奉ってしまうやり方もある。「朕は国家なり」と言い放ったルイ14世や、戦前の天皇は、神とほぼ同格の存在であった。しかし、生身の人間を崇高な存在にしようとの戦略は必ず破綻する。生身の人間は現象で、必ず変化するが、崇高な存在は脳内の概念で、とりあえず不変だからである。

そこで、近代になると、国家などの集団はその成員たる個人よりも上位の存在であるという理屈を、科学の衣に包んで説明する学説が現れた。国家有機体論と呼ばれるこの学説は、国家と国民の関係を、生物個体と細胞の関係に擬するもので、もちろん典型的な疑似科学である。

生物の個体、特に高等動物の個体は極めて複雑なシステムで、システムが不調になれば、個体を構築している細胞がシステムを調整したり修復したりする。システムを支える細胞は、システムの維持のために働き、個体は至上の存在であるが、ほとんどの細胞はいわば使い捨ての存在である。国家有機体論者は、このことを国家と国民の関係に敷衍《ふえん》して、国家は至上であるが国民は国家のための道具だと言いたいわけであろう。

しかし、全く異なるところもある。高等動物の個体が滅びれば、それを構成する細胞もほどなくして滅んでしまうが、国は滅んでも国民は死なない。個体のシステムを維持する基本的なルールは極めて保守的で、遺伝暗号や発生システムを変えることは不可能だが、国家は憲法を変えることも不可能ではない。

何よりの違いは、高等動物の個体は固有の欲求を持ち、自らの行動の決定権も持つが、細胞はそのようなものは持たない。また、国家の欲望や政策決定は、国家そのものではなく、国家に属する人間（個体）の誰かが行っていることだ。行動を決定する最上位の存在は個体であって、国家という概念でもなければ、細胞という実体でもない。

いずれにせよ、役に立つ人間になれ、と支配層や御用学者がプロパガンダを始めたときは、支配層の利益のために働けという謂《い》いであることは間違いない。太平洋戦争の少し前と戦争中は、戦争を遂行することが、日本の支配層にとっての一番の関心事であったので、男は頑健で上官の命令を素直に聞く兵隊になることが、最も役に立つことであった。女は、男の子を沢山生んで、立派な兵隊になれるように育てることが役に立つことであった。

発足したばかりの厚生省が１９３９年に「結婚十訓」なるものを発表したが、その最後の項目は「産めよ育てよ国のため」である。それ以外にも、「心身共に健康な人を選びましょう」「悪い遺伝のない人を選びましょう」「なるべく早く結婚しましょう」といった項目が並んでいる。

当時は、寝たきりで10年も生きている介護老人などはほとんどいなかったので、役に立たない人間は、兵隊として役に立たない障害者、病者などであり、これらの人々を断種して、病者を増やさないようにするために、ナチスの「遺伝病子孫予防法」を模した「国民優生法」を1940年に制定して、この法律に基づき、47年までに538人の主として精神障害者の人が断種された。

資本主義の論理と日本の未来

さて、戦争が終わって、日本が本格的な資本主義社会に突入すると、兵隊ではなく、安い給料で働く労働者として、あるいは消費者として、さらには国民年金や厚生年金の納付者として、ある程度の人口を確保したい支配層は、少子化は困ると言い出したわけである。

しかし、子供を沢山産んで育てても、その子供たちが大人になって働き口がなければ、資本主義の論理からすれば、生産性がないわけで、今の状況を鑑《かんが》みるにそうなる可能性の方が高そうだ。「ＬＧＢＴは生産性がない」とアホ丸出しのことを口走った議員がいたが、例えば台湾のオードリー・タンのように高い知性を持っていれば、ＬＧＢＴでも、沢山稼いで税金も沢山納めるわけだから、資本主義の論理から言えば、生産性は高い。

右も左も、少子化は悪いことであるかのような議論がまかり通っているが、人口が減れば、人一人当たりの資源量は増えるわけで、生態学的な見地からは、少子化は歓迎すべきことではあっても、忌避すべき理由はない。少子化が困るというのは現在のような資本主義がしばらく続くという幻想に基づく話であって、長い目で見れば、少子化はいいことに決まっている。

人口が増えて、この人たちが高齢者になれば、資本主義の論理からすると生産性のない人間になるわけだから、少子高齢化は困るという理屈は、未来のことを考えれば矛盾しており、現時点しか見ていない短絡的な意見なのである。介護老人は生産性がなく、国の税金を使って生き延びている「役に立たない」人間だから、なるべくなら早く死んでもらいましょうという意見を言う人がいるが、いずれ自分も役立たずの年寄りになるということが分かっていない。

あと20年もすれば、ほとんどの労働はＡＩに任せられるようになり、大半の人は失職し、資本主義の論理から言えば、生産性のない役立たずの人間になる。介護老人は社会のお荷物だから安楽死させた方がいいと言っている人も、いざ自分が健康なうちに社会のお荷物になったら、喜んで安楽死するとは言わないだろう。

V　閑居老人のよしなしごと

家庭菜園に来る害虫たち

キュウリとシソとオンブバッタ

定年前から、自宅の庭で野菜を栽培していたが、定年を機に庭の一角を耕して野菜畑にした。楽しみのためにやっているので、いろいろあった方が面白かろうと思って、キュウリ、ナス、トマト、オクラ、シソ、ツルナシインゲン、キンジソウなどを手あたり次第に植えた。無農薬としゃれこんだのはいいが、とにかく害虫がやってくることこの上ない。

まずキュウリ。去年は「夏すずみ」という品種を植えた。支柱を立ててネットを張って、結構手間をかけて育てて、黄色い花が咲くとワクワクした。雄花は咲いて次の日には散ってしまうが、雌花は花の下にすでに小さなキュウリがついていて可愛い。これが、あっという間に大きくなる。初物を収穫して、生のまま味噌《みそ》をつけて食べる。買ったものとは一味違う（ような気がする）。それから暫《しばら》くは次々と実がなって、実に楽しいが、だんだん葉っぱが黄色くなってくると、キュウリが曲がり始めて、この頃からウリハムシがどっと増える。

朝起きてみると、キュウリの葉っぱに数十頭の黄色い集団がたかっていて、キュウリの葉は穴だらけである。捕虫網を振って採れるだけ採るが、何匹かは逃げられてしまう。これで明日は少しは減るだろうと思いきや、次の日の朝も同じくらいのウリハムシがたかっていて、いったいどうなっているのだろうと思う。こうなると、元気がなくなってきて、キュウリを作るのはやめたくなる。

それで、今年はミニキュウリにした。背が高くならないので棚を作る必要もなく、手間がかからず、10センチくらいの長さで収穫できる品種で、どんどん実がつくが、ウリハムシが増える前にあっという間に老化して終わってしまう。収量は多くないが、こっちの方が私向きなので、来年もミニキュウリを植えよう。

葉が穴だらけになることで、最も壮観なのはシソである。食べるのはオンブバッタ。大きなメスの上に小さなオスがチョンと乗っている姿は可愛いけれど、シソが大好物のようで、あっという間にシソの葉がレースのようになってしまう。

太い葉脈ばかりでなく細い葉脈も残して、柔らかい葉の部分だけ食べるので、人間には絶対に作れないような見事なレースができる。保存できないのが残念である。オンブバッタは他にもマリーゴールドが好きで、アブラムシ除《よ》けになると言われて植えておいたのに、オンブバッタのエサを植えたみたいだ。マリーゴールドが本当にアブラムシ除けになるかどうかは知らない。他にもナスやキンジソウの葉も食べるが、不思議とトマトは余り食害されないようだ。

オスのオンブバッタがメスの背中に四六時中しがみついているのは、他のオスにメスを盗《と》られないためだという。交尾をした後、用済みだとばかりに離れてしまうと、他のオスがやってきて、メスの体内の精子を掻《か》き出した後で交尾をして、精子を入れ替えてしまうらしいのだ。オンブバッタの人生（虫生）も大変なのである。

しかし、当方にとっては野菜を食い荒らすにっくき敵なので、見つけ次第容赦なく捻《ひね》りつぶしてしまう。摑《つか》まえて左手に胴体、右手に頭をもって引き裂くのだが、頭のない胴体はそれでも跳ねて逃げてゆくところが敵ながらあっぱれである。しかし、素手でやると手が黒い体液で汚れることが多いので、今年になってから、手で摑まえずに小さなハサミを近づけていって、電光石火で胴体をちょん切るという捕殺法を実行したら、これがなかなか上手《うま》くいくので結構悦に入っている。江戸時代には不義密通をした男女は重ね切りになってもしかたがなかったと言われるが、不義密通をしているわけでもないのに、重ね切りされるオンブバッタは可哀そうな気がしないでもない（私がやっているんだけれどね）。

ナスやトマトに一喜一憂

去年はナスが余り上手く収穫できなかったので、今年こそはと思い、「とげなし千両二号」と「たくさん中長ナス」と「秋ナス」をそれぞれ2株ずつ植えておいた。「とげなし千両二号」は最初の7、8個の実はとても上手く育ったのだが、そのうちアブラムシの攻撃を受け、うどん粉病が発生し、惨憺《さんたん》たる有様になった。

新芽や花芽にアリがいっぱいたかっているなと気づいたときは、既にアブラムシが何十匹も付いている。手のひらを差し出してアリがたかっている場所をポンポンと軽くたたくと、アリが10匹近く落ちてくる。すかさず、両手のひらをすり合わせてアリを潰《つぶ》して殺す。アリはオンブバッタと違って潰しても体液がほとんど出ず、手が汚れないのが有難い。その後で、アブラムシの方は指ですりつぶすのだが、これは指が汚れて有難くない。

そうこうしているうちにナスの花がばったり咲かなくなってお仕舞となる。それでも「とげなし千両二号」はまだ収穫できただけましである。「たくさん中長ナス」と「秋ナス」は花が数個咲いただけで、実を収穫するまでには至らなかった。何が「たくさん中長ナス」だ、と腹を立てても、当方の育て方が悪かったのだろうと諦《あきら》めるしかないな。ナスとは相性が悪いようだ。

相性がいいのはキンジソウとトマトである。キンジソウは知り合いから数年前に頂いたものだが、味噌汁に入れたりおひたしにしたり天ぷらにしたりして食べると結構いける。ホウレンソウのネオニコチノイド（ハチの神経経路を破壊する農薬、渡り鳥や人間の神経にも影響を与えるという報告もある）の残留基準が大幅に緩和されて以来、ホウレンソウは買ったことがなく、代わりにもっぱら自宅の庭で栽培したキンジソウを食べている。

キンジソウの茎を適当なところで切って葉を取った後の茎を、地面に挿しておくと、芽がいっぱい出てきていくらでも増える。オンブバッタに食われるくらいで、アブラムシも付かないしうどん粉病も出ない。完全無農薬で、お金も手間もかからない素晴らしい野菜だ。

次はトマトである。数年前に初めてミニトマトを作った時は、オオタバコガが発生して往生した。この蛾の幼虫はまだ青いトマトの実に穴をあけて中に入り込んで食害する。食い物の中に住んでいるようなもので、鳥には見つからず、実に賢い。しかしなぜか今年はオオタバコガが発生しなかったので、ミニトマトと中玉トマトはよく穫《と》れた。10月の中旬になってもまだ花が咲いて小さい実が出来てくるが、そろそろお仕舞である。

大玉トマトもいいかなと思って「桃太郎ファイト」というのを植えたけれど、これは失敗だった。最初に咲いた数個の花の実は見事に大きくなって、うっすらと色づいてきて、あと数日で食べごろだなと思った次の日の朝、トマトは何者かに食われて、残骸《ざんがい》が庭に転がっている。昔、カキの実が熟れる寸前に何者かに全部食われることがあって、タヌキかハクビシンかと思っていたら、ある日庭を悠々とニホンアナグマが歩いていてびっくりしたことがある。その後も大きなトマトは色づくと食われてしまい、「お前の食べ物を作っている訳じゃないよ」と独りごちていたが、庭で撮ったニホンアナグマの写真が可愛かったので、まあしょうがないかと思ったのだった。でも来年は大玉トマトは作らないからね。

可愛いクロメンガタスズメの幼虫

トマトとナスの害虫で一番びっくりしたのはクロメンガタスズメの幼虫だ。この蛾の成虫の背面には顔の模様があり、そう呼ばれるのだが、人の顔よりも猿の顔に似ていて、よく見るとちょっと滑稽《こっけい》である。この蛾は南方系の蛾で、かつては九州より南に分布していたが、最近北上して関東地方でもナス科（ナスやトマト）の害虫として嫌われるようになった。ナスの葉が重たそうに垂れていたので、不思議に思って裏を見ると体長8センチにもなろうかという芋虫がついていたのだ。見たこともない幼虫だ。調べてみたらクロメンガタスズメの幼虫だったというわけだ。まさか高尾に分布しているとは思わなかったので大いに驚いた。

女房に見せたら可愛いというので、大きい飼育箱で飼うことにした。大きなナスの葉を3枚くらい花瓶に挿して入れておくのだが、次の日にはすっかり食われている。顔を持ち上げてシャクシャクシャクシャクとすごい勢いで葉を食べる姿が可愛いと女房は言うのだが、よく分からん感性である。ムチムチ、プクプクしたところが赤ん坊に似ているのかしらね。

暫くして色違いの幼虫がトマトにもついているのを発見して、これも別の飼育箱で飼うことにした。不思議なことに最初ナスについていた幼虫はトマトの葉よりもナスの葉を好み、トマトについていた奴はトマトの葉を好む。最初に食べた植物を好むような刷り込みがなされるのかもしれない。

11センチにもなり、そろそろ食欲もなくなってきたので、大きめのタッパーに土を入れて蛹《さなぎ》になる場所を作ってやる。暫くすると姿が見えなくなったので、土の中で蛹になったのであろう。2週間ほどして飼育箱を覗《のぞ》くと上の方に成虫が止まっている。首尾よく成虫になれてよかったねと女房は言う。私はこの蛾の標本を持っていないので、殺して標本にしたいのだが、可愛がっていた女房の手前、標本にするとはなかなか言い辛《づら》い。飼っていると情が移るのである。殺人とは距離の問題だということがよく分かる。

逃がすと、来年にはこの子たちの子孫にナスとトマトが食い荒らされて大変だよとか、蛾の一生は成虫になったら終わったも同然で、後は死ぬばかりなので、標本箱の中で燦然《さんぜん》と輝いていたほうがむしろいいんじゃないのとか、いろいろ屁理屈《へりくつ》を言って女房を説得して、この2匹の蛾は今は私の標本箱の中に鎮座している。

暇つぶしで家庭菜園を作るのも、楽しいんだか楽しくないんだか、よく分からねえな。

老人閑居してよしなしごとを考える

人生にとって重要な出来事

新型コロナウイルスの感染を警戒して、2020年の3月の講演やトークショーや様々な会合はほぼすべて中止になって、昆虫標本の整理をすべく、溜《た》まりに溜まった、未《いま》だ標本箱に収めていない、タッパーや衣装ケースにぎっしりと入っている「たとう」の中の未整理標本をひっくり返して、産地別、分類群別にまとめて、保管し直す作業をしている。

とにかく、ものすごい量の標本で、これ以外にも冷凍庫の中に保管してあるものがあり、私が死んだら冷凍庫の中の標本はまず見捨てられるだろうから、本当はこちらを先にしなければならないのだけれども、解凍して、展脚して、たとうに並べるのが面倒で、つい後回しになってしまう。死んだ後のことを考えたところで詮無《せんな》いのだけれども、頭のどこかでは、死んだ後も魂は標本の行方を気にしているに違いない、とアホなことを考えているのだろう。煩悩のなせる業だ。

　徳川家康は、自分の死後について、事細かな遺言を書き、あれこれ指示しているが、面倒くさいジジイだな。尤《もっと》も、死人に口なしで、遺言を守るかどうかは生きている人の都合次第なので、遺言は正しくは履行されなかったようである。自分の遺体の取り扱いについての家康の遺言は、1．遺体は駿府《すんぷ》の久能山《くのうざん》に収めること。2．葬儀は江戸の増上寺《ぞうじょうじ》で行うこと。3．位牌《いはい》は三河《みかわ》の大樹寺《だいじゅじ》に建てること。4．1周忌を過ぎた後日光に小さな堂を立て、関東の鎮守として勧請《かんじょう》すること。

　私は、久能山東照宮《とうしょうぐう》にも、日光東照宮にも行ったことがあるが、家康が遺言で小さな堂を立てろといった日光東照宮は小さいどころではなく、久能山東照宮を凌《しの》ぐ豪華絢爛《けんらん》なものになり、今や世界遺産である。徳川幕府の政治的な配慮があったのだろうが、遺言はあ肝腎《かんじん》なところは反故《ほご》にされると思った方がよさそうだ。

　たとうをひっくり返していると、いろいろな虫が出てきて、採った時の情景を思い出すものと思い出さないものがあり、普通種だから思い出さない、珍種だから思い出すというものでもない。現在、作成中の『日本産カミキリムシ大図鑑II』のプレート写真に使いたいからと言って、図鑑を作っている藤田君から頼まれてお貸ししている、屋久島《やくしま》産のクロキスジトラの完全黒化型は、私が採ったカミキリムシの中でも指折りの逸品で、１９７４年の７月、初めて屋久島に採集に行った時に採ったものだが、採った時の情景は思い出せない。

反対に１９７７年５月７日高尾山、と書かれたたとうの中から、つい最近見つけたドイカミキリは普通種であるが、採った時の情景がまざまざと思い出されて、懐かしい気持ちになった。高尾山のケーブルカーの山頂に向かって左側に、川沿いを登っていく登山道があり、道端にオニグルミの樹が何本か生えていて、その枯れ枝を掬《すく》って採ったのだ。あっ、ドイカミキリだ、と思っただけで、別に感激もなかったのだが、ネットの中を覗いてドイカミキリがうごめいている情景まで、はっきりと覚えている。自分の人生にとって重要な出来事を覚えているのは、当然な気がするが、何でもない日常のありふれた情景をありありと思い出し、時にビッグイベントを忘れてしまうのは、脳のどんなメカニズムによるのだろうか。

野鳥を見る楽しみ

虫の整理は楽しいのだけれども、３時間も続けると飽きてしまい、昼間なので酒は我慢して、お茶を飲みながら、庭に来る小鳥たちを眺めている。年寄りは根が続かなくていけない。小鳥たちを観察していると、昔のことなどがいろいろ思い出されて、懐かしいような侘《わび》しいような気持ちになる。アオジのために「小鳥のエサ」（ムキアワ、ムキキビ、ムキヒエ、カナリーシードをミックスしたもの）を撒《ま》いてあるが、アオジは時々しかやって来ず、専らキジバトのエサになっている。

よくやってくるキジバトは3羽。2羽はペアで、1羽は独り身である。ペアのキジバトは仲睦《むつ》まじく、並んでせっせとエサをついばみ、食べ飽きると、庭に座り込んで日向《ひなた》ぼっこをしている。独り身の方は別に羨《うらや》ましいふうでもなく、少し離れたところでエサをついばんでいる。最近は発情したのか、ペアの方のオスが喉《のど》を膨らませて「ルルルー、ルルルー」と唸《うな》りながらメスの尻《しり》を追い回している。メスはいい加減にしてほしいと言わんばかりに、逃げ回っているが、逃げる途中でエサをついばんだりしていて、色気より食い気だと可笑《おか》しくなる。この情景を見て、女房は「オスは本当に邪魔だねえ」とあきれ顔である。

オスの一人である私は、そうは言ってもオスが頑張らないと種が存続しないんだよ、と心の中で呟《つぶや》いているが、口に出すと波風が立ちそうなので、黙っている。君子危うきに近寄らず。私は別に君子ではないけどね。種の存続と言えば、数年前に、玄関わきのサンシ

ユユの枝にキジバトが巣を作って、子育てをしたことがあった。何匹かの雛《ひな》が巣立ってい
ったが、もしかしたら、今庭に来ているキジバトはその時の雛なのかもしれないな、と思うとちょっと楽しい。

なんてことを書きながら、キジバトは狩猟鳥で、いかにも美味《うま》そうだな、と思って見ている自分が一方にいて、なんだかなあ、と思うけれども、昔、ベトナムに虫採りに行って、ハトを食べておいしかった思い出があるので、もう一度食べてみたい気がするのである。ドバトに比べると、確かに、見るからにキジバトは美味そうだな。尤もドバトは狩猟鳥ではないので、獲《と》って食べると法律違反だ。どう考えてもキジバトよりドバトの方が害鳥だと思うけれども、不思議な法律だ。

キジバトの次に「小鳥のエサ」を食べにくるのはガビチョウである。ガビチョウは外来種ということで環境省に蛇蝎《だかつ》のように嫌われているが、これも狩猟鳥ではないので、獲ってはいけないのだ。いったい環境省はどうやってコントロールするつもりなのか、訳わからん。狩猟鳥に指定して食べたらおいしいよというキャンペーンでもやれば、少しは数が減るかもしれないのにね。尤もうまいかどうかは食べたことがないので、知らない。ガビチョウを食べた話は寡聞にして聞かないが、食べた人はいるのだろうか。

ガビチョウは低く飛んで、チャカチャカ歩き、歩き方が可愛い。西脇順三郎《にしわきじゅんざぶろう》の「日が暮れてきたので、イタチのように速く歩いた」という詩の一節を思い出す（「旅人かえらず」か「Ambarvalia」のどっちかに入っていたと思うが、手元に詩集がなくて、うろ覚えだ）。それでまた思い出したのだが、ガビチョウには関係ないが「かつしかの娘たちよ　別れの言葉を教えておくれ」という一節もあったな。私は、小学校に上がる前に葛飾《かつしか》区小菅《こすげ》に住んでいたので、葛飾という言葉に郷愁を感じるのである。

小学校に上がる直前に足立区島根町に引っ越したが、「あだちの娘たちよ　別れの言葉を教えておくれ」ではサマにならない。「すみだ」でもサマにならない。ここはどうしても4文字じゃないとしっくりこないのかと思って、「えどがわ」を入れてみてもやっぱりピンと来ない。4文字でも濁音があってはだめなのかもしれないと思って、「あらかわ」を入れてみると案外しっくりくるな、なんてどうでもいいことを考えながら、野鳥を見ているのである。

コロナ騒ぎと無関係な生物たちの日常

枯れたポポーの枝につるしているエサ台に入っているヒマワリの種には、ヤマガラとシジュウカラが次々にやってくる。朝、昼、夕とたっぷりと入れておくのだが、あっという間に食い尽くしてしまう。まるで思春期のガキの食事のようだ。私は最近昼飯を抜くことも多いので、カラ類たちの食欲には驚くばかりである。小さな体で恒温動物の小鳥たちは、代謝が活発で、一日でも絶食すると餓死してしまうに違いない。ヒマワリの種が空っぽになると地べたに降りてきて、「野鳥のエサ」のアワやキビなどをついばんでいるので、いざとなれば、何でも食べるのだろう。

玄関わきのゲンカイツツジが満開である。その下に植えてあったキンジソウは、気温が零下になった日にばったり枯れてしまったが、よく見ると茎の一番下から新しい芽が出ている。生物たちはコロナ騒ぎで慌てふためく人間社会を尻目に、したたかに生き抜いているようだ。遠からぬ将来人類が滅びても、地上から生物たちのさんざめきが消えることはないと思う。人類が消えた地球を想像するとちょっと楽しくなるのは、自分でもどうかなと思うけれども、その日が来ることだけは間違いない。

女房は、ナスとトマトに付いていたクロメンガタスズメの幼虫が可愛かったので、また見てみたい。ナスとトマトを植えれば、今年も来るかしら、なんて呑気《のんき》なことを言っているが、どうも本気のようで、ナスもトマトも自分が食べることはどうでもいいみたいだ。

「確かにナスやトマトはスーパーで売っているけど、クロメンガタスズメの生きた幼虫はどこにも売ってないからね」と女房の顔を見ながら、相槌《あいづち》を打ってご機嫌を取っている。

早くコロナ騒動が治まらんかな。

私がいじめられなかったわけ

コロナ社会ではいじめが減る

最近、「コロナ時代をどう生き抜くか」と題する公開講義を、西條剛央《さいじょうたけお》、岩田健太郎の両氏とオンライン上で行った。岩田さんは忖度《そんたく》なしではっきりものを言う人で、権謀術策の渦巻く医学界では結構いじめられているのではなかろうかと思っていたら、新刊の『ぼくが見つけたいじめを克服する方法―日本の空気、体質を変える』（光文社新書）を頂いてびっくりした。案の定、小さい時からいじめられ、医者になってからも意地悪されていたようで、岩田さんと同じような資質を持つ人にはとても役に立つ本だと思う。

公開講座は2回にわたり、最初は西條君と僕がメインに喋《しゃべ》り、旭川医科大学の阿部泰之《あべやすし》さんがコメンテイターとして加わり、2回目は岩田さんと西條君がメインで僕がコメンテイターを務めた。この中で、仮にコロナ禍が長く続き、他人との直接的なコミュニケーシヨンが難しくなり、携帯とかライン（LINE）とかスカイプ（Skype）とかズームと言った媒体を介して行うテレコミュニケーションが主流になったとして、社会はどう変わるだろうかという話題が出た。

私は、すかさず、いじめは減るでしょうね、と言ったので、参加者の多くは、ちょっとびっくりしたようであった。私がなぜそう思ったかというと、いじめは、直接顔を合わせてコミュニケートする集団以外のところでは、発生しないからである。そう言うとSNS上では、匿名の嫌がらせが飛び交っているではないかという意見が出るだろうが、一般人の場合、いじめが深刻になるのは、いじめられているターゲットが、いじめている人たちと、現実の社会においても、お互いに直接見知っている集団に属している場合に限られるのである。最初からSNS上だけの付き合いであれば、いじめは起こらない。

少し以前、どなたかのツイッターに返信して、「特攻隊は犬死だ」と書いたら、すさまじい数のバッシングがきて驚いたことがある。最初は、ネトウヨ諸君がどんな理屈で私のこの言説をバッシングするのか眺めていたが、途中から、面倒くさくなって、全部ブロックしてしまった。私はネトウヨ諸君を知らないし、何の利害関係もないので、ネトウヨ諸君が私をいじめることは不可能なのである。岩田さんも先の本の中で、アホな意見は取り合わずに、ブロックするのが一番だ、と書いておられた。むきになって反論するのはエネルギーの無駄である。もちろん真っ当な意見に対してはネット上で意見を交換するのは有意義なことではあるが、これはいじめとは無関係だ。

著名人に対する匿名のバッシングが問題になるのは、バッシングされた本人の商売に差しさわりがあるときである。これは立派ないじめである。例えば、タレントの宮迫博之《みやさこひろゆき》さんが、反社会勢力の忘年会へ参加して闇営業を行っていたとして、大規模なバッシングに曝《さら》されて事実上テレビ業界から干されたが、これは大いに問題だと思う。岩田さんも、非難するのはまああありとしても、罪を犯したわけでもないのに、物理的に番組から降板させ、芸能人生命を絶つのは、社会的ないじめだと断じている。

「もっともらしい理由があれば、集団でタコ殴りにしても許される。これこそが、いじめの論理である」(前掲書86頁)。私の場合は、ネット上でいくらバッシングされても商売に余り差しさわりがないので、気にしないでいられるのかもしれないね。ともかく、子供のいじめは、大人の社会でいじめを許容する風潮の反映であることは間違いない。

アウトサイダーな人生遍歴

さて、岩田さんと違って、私は小さい時からいじめにあった覚えがない。仲間外れにされても、全く気にしなかったし、そもそも、仲良しの仲間を作りたいというパトスがなかったのである。最初から蚊帳《かや》の外であれば、いじめられることはない。徒党を組んでやるスポーツは大嫌いで、野球もやったことがない。当時の小学生ではこれはかなり珍しいと思う。徒競走と相撲は得意だった。短距離は学年で二番目に速く、相撲は学年で五指に入っていたと思う。中学、高校時代も球技は大嫌いで、バスケットボールやバレーボールは徹底的にさぼって、体育の教師に睨《にら》まれていた。しかし、教師にも同級生にもいじめられた覚えはない。根っからアウトサイダーはいじめ甲斐《がい》が全くないので、いじめても面白くないのであろう。

高校2年生の時に東京オリンピックがあった。授業の代わりにオリンピック競技の観戦に行くという話になった時も、私は「高校生の本分はオリンピックを見ることではなく、勉強することでしょう」と教師に意見して、頑としてオリンピック見物に行くことを拒み、天邪鬼《あまのじやく》の数名の同級生と、ガランとした教室で遊んでいた。私のオリンピック嫌いは筋金入りなのである。

小学校5年生か6年生の時、夏休みにグループ学習をしようと先生が言い出した。グループ学習の核となる生徒を、先生が男女5名ずつ指名して、他の生徒は入りたいグループに参加して、週に数回集まって、お勉強をするという趣旨であった。私はアウトサイダーではあったけれど、勉強はまあまあできた方なので、池田班のリーダーということになった。

池田班を希望した生徒はクラスの中で断トツにお勉強ができず、身なりも小汚く、同級生と遊んでもらえない奴ばかり5人であった。池田班は真《まこと》にいい加減で、宿題は私がさっさとやって、残りの5人はそれを写すだけで、写し終わると、母親ががんで入院していたM君の家で、みんなで餅《もち》焼き網を作る内職を手伝っていた。

と、ここまで書いて、早稲田大学に勤めていた時の上級ゼミ（卒論を書くためのゼミ）の受講者諸君も、少数の優秀な学生を除いて、後はどちらかというと成績下位の学生が多かったのを思い出した。私には、ゼミ生はかくあるべきといった考えが全くなかったので、卒論のテーマも自由、欠席遅刻早退も自由であった。私がゼミ生に課したルールはただ一点、最低限の卒論を書かなければ単位は出さない、ということだけだった（まあ当たり前だけれどね）。それで、2年がかりで、さらには3年がかりで、やっと卒論を書き上げた学生も何人かいた。本人の資質の問題だから、これればかりはどうしようもない。

ゼミが終わった後、時々コンパを開いた。ゼミはさぼってコンパにだけ出てくる学生もいたけど、私を含めて、だれも不思議とも思わなかった。ゼミもコンパも自由参加みたいなもので、出席したからには楽しもうという学生が多かったように思う。最初の頃は私が1万円くらい出して、残りは割り勘であったけれど、テレビ出演や講演で金銭的に少し余裕が出た頃からは、学生からは一人1000円集めて、残りは私が払っていた。

金がある奴が払えばいいというのは、私と私の親しい友人たちが共有する哲学なのだ。「ご馳走《ちそう》様でした」と口に出して言う学生も言わない学生もいたけれども、私はあまり気にしなかった。私が思ったことは、将来、この子たちが社会に出て金銭的に余裕ができたときに、後輩や部下にさりげなく奢《おご》ってあげる奴が何人か出てくるだろう、ということだった。奢ることを支配の道具にしない人は、いじめることもいじめられることもない、というのは恐らく、不朽の真理である。

空気を読まないフリ

岩田さんの本で一番感心したエピソードは、アメリカで研修医をしていた時、真面目に働かない同僚に頭にきて、その同僚がやるべき仕事も全部引き受けて、馬車馬のように働きまくっていた後、その同僚が常ならぬ真剣な表情で、「ケンタロウ、本当にすまなかった。悪かった。有難う」と言って、さぼらなくなったという話である。岩田さんは、この話の前段として「間違ったことをしている人にそのことを分からせようと思えば、正しいことをしなさい。だがその人に分からせようと思わなくて良い。人は、自分の目で見たものを信じる。見せてあげることだ」というH・D・ソローの言葉を引用している。ソローは日本ではあまり有名ではないけれど、環境保全運動の先駆者として令名が高いアメリカの作家である。

私は絶対、岩田さんのような振る舞いはできないけれど、教育とは先生が手取り足取りして教えることでもなければ、あれこれ指図して弟子を指導することでもない。弟子は先生が何をしているか見て、良かれあしかれ、自分の生き方を考えるのである。尤も、私は学生を教育しようとのパトスがほぼ欠落していたので、偉そうなこと言えないのだけれどね。

冒頭で名前が出た西條剛央君は、私の構造主義科学論を気に入って、押しかけ弟子になった人で、早稲田の人間科学部で学位を取った後、私の研究室に2年間ほど居候していた。最初のうちは机一つに本が少しであったものが、だんだん占拠スペースが大きくなり、軒を貸して母屋を乗っ取られたような恰好《かっこう》になった。私は基本的に週2回しか大学に行かず、西條君は毎日来るので、誰の研究室か分からないような有様であった。

押しかけ弟子とはいっても、別に私が何か教えるわけではない。月に1回、西條君が主宰、私が顧問格の理論論文研鑽《けんさん》会を開いて、7～8人の有志の諸君と侃々諤々《かんかんがくがく》の議論をしていた。京極真《きょうごくまこと》君（現吉備国際大学教授）は常連で、岩田健太郎さんもお見えになったことがあり、『感染症は実在しない』（北大路書房2009年、新装版　集英社インターナショナル新書2020年）の草稿を開陳してもらって、意見を言い合ったのが、つい昨日のことのようである。

西條君は、エキセントリックなところがあり、いじめられそうな雰囲気を漂わせているが、余りいじめられたという話を聞かないのは、空気を読まないフリをするのが得意だからだと思う。これは岩田さんも先の本の中で言及していた。空気は読めるけれども、あえて読まないフリをする、というのもいじめられないコツかもしれない。岩田健太郎、西條剛央、池田清彦の3人は、空気を読まないフリをする天才である。

いじめられないための極意

小学校の思い出で、一番心に残っているのは、私にとっては理不尽と思えることで先生に叱られて、罰として校庭を3周廻《まわ》って来いと命じられ、一寸《ちょっと》だけ走って、そのまま校門から出て、自宅に帰ってきた時のことだ。先生はきっとカンカンに怒ったのだろう。放課後、他の生徒を引き連れて自宅までやって来た。私は玄関わきの便所に隠れていたが、対応に出た母親は一言も謝らずに、私を擁護して先生を追い払ってくれた。次の日、登校しても先生は何も言わなかった。この母子に何を言っても無駄だと思ったのだろう。そう思わせるのもいじめられないコツである。

母親は変な人だったけれど、偉い人の言うことを聞かないということでは一貫していた。君が代は歌うな。日の丸は仰ぐなという母親の遺言を私は今でも守っている。別に偉くはないし、日の丸仰いで、君が代歌う人を非難するつもりもないけれどね。全員が同じことをするのはどっちにしても気持ちが悪い。

長じて、大学の教師になったけれど、私は岩田さんと違って、学会の権威筋からいじめられることはなかった。なぜなら学会にはほとんど出席しなかったからである。一応、大学院の専攻は動物生態学であったので、日本生態学会、日本昆虫学会、個体群生態学会などに所属していたけれど、生涯で、生態学会の大会に出席したのは二度、昆虫学会は一度、個体群生態学会には一度も出席しなかった。

当時、世界の生態学界で主流であったネオダーウィニズムを論駁《ろんばく》する本や論文をいっぱい書いたので、私の悪口を言う人は山ほどいたが、私のことを直接見知っている人はほとんどいなかったので、いじめようがなかったのである。もちろん、塀の外にいると学会の動向が分からず、批判のしようがないし、学会の中にいて、学会の権威に盾つく論説を展開すればいじめられることは必定であるので、いじめられずに好きなことを言うには、右にも左にも落ちずに、塀の上を歩けばいいということになる。

というわけで、いじめられないための極意は、いたずらに徒党を組まないことと、気に入らない集団を避けることに尽きる。しかし、多分私は特殊で、多くの人はそうはいかない事情があることと思う。そういう人は岩田さんの本を読んでください。

埋葬と墓に関するいくつかの話

火葬の古今東西

新型コロナウイルスで、沢山の死者が出たニューヨーク市で、身寄りのない死者や葬式を出すお金がない人を、ブロンクス区の東にある、今は無人島になっているハート島に埋葬する映像がSNSで流れていた。この島は、かつては個人の所有地であったが、1868年にニューヨーク市が買い取って、1869年から共同墓地として使われだし、現在まで100万体の遺体が埋葬されているという。

埋葬する映像を見ていると、幅が2~3メートルの縦長の穴を掘って、ブルドーザーで棺《ひつぎ》を次々に並べて、その後で土をかぶせているようだ。頭を西向きにして埋めるのが正しい埋葬の方法とのことだ。キリスト教国では火葬は一般的ではない。土葬にしないと最後の審判の際に生まれ変われない、と信じている人が多いので、火葬は人気がないのである。

ただ土葬は手間がかかるので、近年では火葬にする信者も多いようだ。同じキリスト教でもプロテスタントはカトリックより火葬にする割合が多いという。

キリスト教よりもっと火葬を忌み嫌うのはイスラム教徒で、日本にも10万人以上いるイスラム教徒が亡くなった場合、国内で土葬にするのはなかなか大変とのことだ。多くの自治体では条例によって火葬が義務付けられており、土葬が可能な自治体は限られている。その場合でも、自分の土地だからと言って、死体を埋めることはできず（死体遺棄罪に問われる）、埋葬の場所は決められている。東京都で暮らすイスラム教徒が亡くなると、防腐処理をして祖国に送るか、山梨県の甲州《こうしゅう》市にあるイスラム教徒の墓地に埋葬することが多いようだ。

現在は公衆衛生上の観点から、多くの国では火葬をするのが一般的だが、かつては、火葬は庶民が簡単に行えるものではなかった。一番の理由は荼毘《だび》に付すために使う薪が貴重だったからだ。日本では長い間、庶民は土葬か風葬が一般的で、火葬は天皇や高僧に対して行われるのが普通だった。

もともと火葬は仏教と深く関係していて、釈迦《しゃか》が亡くなった後荼毘に付されたことから、敬虔《けいけん》な仏教徒は火葬を望むようになったと言われる。日本で最初に著名人の火葬が行われたのは西暦700年、法相宗の開祖、道昭《どうしょう》を荼毘に付したのが最初と言われているが、火葬そのものはそれ以前より行われていたようで、朝鮮半島からの渡来人は600年頃に火葬をしていたようだ。

天皇で最初に火葬にされたのは持統《じとう》天皇。自ら望んで火葬にされたという。703年のことだ。それ以来暫く火葬が続いたが、756年、聖武《しょうむ》天皇から土葬に戻り、1011年、一条《いちじょう》天皇から再び火葬が行われるようになった。さらに、1654年、後光明《ごこうみょう》天皇の葬儀から火葬が廃されて、現在に至っている。明治、大正、昭和の三代の天皇は、大々的な葬儀の後で、土葬にされたが、これは、時の政府が、仏教より国家神道を上位に置くため、仏教と結びついた火葬を忌み嫌ったからだと言われている。しかし、先代の天皇は火葬を希望しており、実現すれば、ほぼ400年ぶりに、天皇の火葬が復活することになる。

人が死者を弔う理由

ところで、人類はいつから死者を弔い、死体を遺棄せず、埋葬するようになったのだろうか。約7万年前のネアンデルタール人の遺跡であるシャニダール洞窟《どうくつ》から発掘された遺体は、埋葬されたと言われている。この遺跡では、一体の遺骨のそばに大量の花粉が見られたことから、死者に花をささげたと考えられていたこともあったが、ネズミが運び込んだという説が有力になり現在では否定的だ。しかし、死者を悼んだ事は恐らく確かだろう。

ホモ・サピエンスは認知革命が起こった7万年前から、先祖とか神とか言った共同幻想を抱くようになり、同時に死者を悼み、埋葬するようになったと思われる。縄文時代（1万6000年前~3000年前）の日本の著名な遺跡である三内丸山《さんないまるやま》には、村の一角に共同墓地があったことが知られている。さらに時代が下がった弥生《やよい》時代（3000年前~西暦3世紀中頃）の吉野ケ里《よしのがり》遺跡には庶民や兵士用の共同墓地のほかに、もう少し立派な墓もみられ、集落の首長のものではないかと考えられている。縄文時代の遺体は屈葬と言って体を丸めた姿勢で埋葬されたが、弥生時代になると伸展葬が一般的になったようだ。埋葬方式にも流行があって、変化したことにさしたる理由はないと思う。

古墳時代（西暦250年~600年頃）になると、墓は権力の象徴となり、権力者は競って巨大な墓を建てるようになる。古墳時代中期の仁徳天皇陵《にんとくてんのうりょう》は日本最大の前方後円墳として名高い。さらに飛鳥《あすか》時代になると、先に述べたように火葬が行われるようになったが、自分の墓が建てられるのは身分の高い人だけで、庶民の埋葬場所は決められた共同墓地だけであったようだ。

奈良時代から平安時代（710年～1185年）にかけては、身分の上下に拘《かかわ》らず、平《へい》城京《じょうきょう》や平安京《へいあんきょう》の内部に埋葬したり、墓を建てたりすることが禁止されて、貴人の墓も居住地から遠く、墓を建てても墓参りに行くことは稀《まれ》だった。庶民は京の外、化野《あだしの》、鳥辺野《とりべの》、蓮台野《れんだいの》と言った共同墓地に埋葬したり、その余裕もない場合には風葬にしたりして、もちろん墓も墓標もなかった。

死んだ人を丁寧に弔うことにやぶさかではないが、余りかかわっていると祟《たた》りがあると当時の人は考えていたのではないかと思う。死んだ人の思い出は心にしまって、特別な行事を定期的に行うことをむしろ忌避したのではないか。アフリカのマサイ族も、かつては獣葬といって亡くなった人をサバンナに曝し、獣に食べさせるという葬儀をしていたようだが（現在も獣葬を行っているという話もある）、現在はサバンナに埋葬して、土盛もせず墓標も立てず、しばらくすると埋葬場所が分からなくなってしまうという。ここには、現代日本人になじんだ墓参りとか骨を拾って丁寧に墓所に収めるといった考えは全くない。だからといってマサイ族の人たちが死者をゴミ扱いにしているとか、敬意を払わないということでは決してないのだ。

チベット仏教が盛んな所（チベット、ブータン、ネパール北部など）では、死者を丘の小高いところに置いて、ハゲワシなどに食べてもらう鳥葬が行われている。魂のぬけた亡骸《なきがら》を天に運んでもらうためと言った説明がなされるが、鳥葬を始めた後で、まことしやかな理由が付けられただけで、どんな葬法にも特別な意味はない。たまたまその土地に合った葬法が流行《はや》ったのだろう。重要なのは、何らかの葬儀をして、死者を特別な地位に留《とど》めておくことだ。

死者は動物の死体のような単なる物体でもなければ、生者と同じ存在論的身分をもつものでもない。何もしなければ、死者はゴミか、生き物のどちらかに転がってしまう。だから、ゴミでも生き物でもない第3の身分に留めておく必要があるのだ。そうしなければ、今生きている人の安寧が得られない。そう考えれば、死者を弔う装置として墓は必ずしも必須《ひっす》でないことが分かる。

墓のあれこれ

日本で、現代と同じようなコンセプトの墓が上流階級の間で一般的になったのは、平安時代の終わりから鎌倉時代で、個人の墓を建てて、命日などの記念日に墓参りに行くということが行われ始めた。死者は共同体全員が祀《まつ》るものではなく、主として死者の関係者が祀るものになってきたわけだ。尤も、これは特権階級に関してだけで、庶民が墓を建てるようになったのは江戸時代になってからである。庶民にとっても死者は残された親族だけのものになってきたのであろう。

江戸時代の中期に檀家《だんか》制度ができ、寺が戸籍を管理するようになると、寺と墓が密接に結びついて、墓地と言えば寺という日本本土の人にとっての常識が生じたわけである。しかしまだ、墓は個人のもので、現在ふつうにみられる、先祖代々の墓（○○家の墓）というのはなかった。先祖代々の墓が造られ始めたのは明治時代以降で、主たる理由は、個人に割り当てる墓地が足りなくなったからであろうが、明治政府が家制度（戸主を絶対的権力者とする家族制度）を作って、庶民を統制したことも幾分関係するのかもしれない。

沖縄では戦後しばらく風葬の習慣が残っており、海岸の崖《がけ》の上に死体を安置してカニなどに食わせて風化するに任せ、あるいは、亀甲墓《かめこうばか》という大きなお墓の中の空所に遺体を安置して、同じように骨になるのを待ち、その後で洗骨をして甕《かめ》に収めてお墓に収める、といった葬儀が一般的であった。現在は公衆衛生的な理由と女性差別を廃止する（洗骨は女性の義務であった）という観点から、風葬は禁止されて、火葬に変わったが、沖縄の伝統的な墓は、先に述べた亀甲墓で、門中の人が亡くなると、皆同じ墓に埋骨するのは今も同じであるようだ。

門中とは先祖を同じくする父系の血縁集団のことで、17世紀の中葉以降に発達した制度である。門中の墓には本土の先祖代々の墓よりさらに沢山の人が埋骨されており、清明祭（シーミー）には、門中の一族が集まり、懇親を深めるなど、墓が一族の結束に大きな役割を果たしているようだ。墓は死者を第3の身分に留めておくという以上の文化的な意味を持っている訳である。ちなみに沖縄では、仏教寺院は多くなく、寺と墓の結びつきは希薄である。

尊敬する先人の墓参りをするのも、祟りがあるからではなく、故人に敬意を表する行動（まあ自己満足だけどね）の一環として行っているのだろう。思わぬところで、有名人の墓に遭遇してびっくりした経験をお持ちの方もあると思う。私も、大分前に金沢《かなざわ》市の大乗寺《だいじょうじ》に女房と物見遊山に出かけ、境内を歩き回っていたところ、林銑十郎《はやしせんじゅうろう》の墓を見つけびっくりしたことがある。

林銑十郎は陸軍大将で第33代内閣総理大臣。在任期間は僅《わず》か4か月で、特に目立ったことをしなかったので「何もせんじゅうろう内閣」と皮肉られたようだが、何もしないのは次から次へと悪いことばかりした安倍内閣よりはるかにましである。なぜびっくりしたかというと、多磨《たま》霊園にこの人の立派な墓があることを知っていたからだ。金沢の生まれだから、大乗寺に墓があるのは不思議ではない。どっちかの墓に分骨をしたのだろうか。

ところで、なぜ林銑十郎といった、今の若い人はほとんど知らない人に興味があったかというと、山梨大学の私の前任者（正確には前任者の前任者）の白上謙一《しらかみけんいち》の伯父《おじ》だからである。林銑十郎の弟・白上佑吉《ゆうきち》の息子が山梨大学教授と京都大学教授を歴任した白上謙一なのだ。白上謙一は知る人ぞ知る博学の理論生物学者で、60歳で夭折《ようせつ》した天才なのだ。60歳は夭折とは言わないと普通は思うだろうが、後10年生きていればすごい理論を世に出したに違いないと思うと、私的には夭折なのだ。長くなったので、今回はこれでお仕舞。

物々交換の過去と未来

超富裕層の子孫はいつまでも超富裕層

資本主義は何もコントロールしなければ、必然的に貧富の差を拡大させる装置である。その根本的な理由は、物と物とを交換するための道具に過ぎない貨幣の専制にある。物の売り買いによって生じる資本家の儲《もう》けは、上手に再配分させなければ、特定の法人や個人に蓄積し、結果的に貧富の差は拡大する。法人や富裕層の税率を強化するとか、労働者の最低賃金を上げるとかすれば、多少は貧富の差の拡大は防げるが、法人税の税率は儲けに拘らず一定であり（日本では23・2パーセント）、個人の税率も日本では4000万円までは累進課税であるが、それ以上は一定で（税率45パーセント、所得が1億円でも10億円でも税率は45パーセント）、相続税の累進課税も法定相続人の取得金額6億円までで、それ以上は一定である（税率55パーセント、100億円相続しても、1000億円相続しても税率は55

パーセント)。これでは超富裕層の子孫はいつまでも超富裕層のままだ。

物やお金が国境を越えて自由に行き来している、グローバル・キャピタリズムの下では、法人の税率が高い国の企業は、国際競争で不利になるので、法人税は下がる傾向にある。実際アメリカのトランプ政権は法人税を35パーセントから21パーセントと大幅に引き下げた。アメリカは個人の最高税率も39・6パーセントから37パーセントに引き下げたために富裕層と貧困層の経済格差はますます拡がっている。アメリカが法人税を下げれば、他の国も自国の企業の国際競争力を確保するために追随せざるを得なくなり、グローバル・キャピタリズムをコントロールしない限り、貧富の差の拡大は世界的な傾向となる。

私は近刊の『環境問題の嘘 令和版』(MdN新書)で、物々交換こそが、行き過ぎたグローバル・キャピタリズムを牽制《けんせい》する力を秘めていることを述べたが、まずは物々交換から貨幣経済へ変化した歴史を概観し、その後で、物々交換の未来と新しい貨幣の可能性について考えてみたい。

長く信じられていた商品貨幣起源説

今から1万年以上前、人類が50人から100人くらいの集団で暮らしていた狩猟採集生活の頃、物々交換で欲しいものを入手するということは滅多になかったのではないかと思われる。獲ってきた獲物や果物、種子などはみんなで食べ、誰か特定の個人の所有物ではなかったので、物々交換はまず起こりえなかったに違いない。

物々交換が起こるのは基本的には定住や農耕が始まり、穀物といった財を蓄えることができるようになり、他のグループと交流するようになってからであろう。風土が違うところに住むグループ間で、自分たちの特産品を交換したのであろう。

青森県に三内丸山という縄文時代の遺跡がある。今から5500年前から4000年前まで、1500年もの間繁栄した大規模集落であり、最盛期には500人ほどの人が暮らしていたと推定されている。クリの実を主食としていたようで、遺跡から出土したクリのDNA鑑定からこのクリは栽培したものであることが分かっている。他にもクルミ、トチ、一年草の栽培植物であるエゴマ、ゴボウ、マメなども出土した。さらにエゾニワトコの実を発酵させて、酒を造っていたことも分かっている。肉はノウサギとムササビが主で、シカやイノシシも狩っていたようだ。それ以外にも海産品も食べていた。

遺跡からは土器、石器のほか、交易で得たと考えられる黒曜石、琥珀《こはく》、漆器、翡翠《ひすい》などが出土している。翡翠は上越地方から黒曜石は北海道などから船で運ばれてきて、三内丸山の特産品、恐らくクリと交換されていたものと思われるが、もしかしたら交換品は酒だったかもしれない。物々交換は三内丸山ばかりでなく、交流がある遠く離れた集落間で特産品が異なる場合は、比較的頻繁に行われていたのだろう。

しかし、労力をかけて運んできても、相手が欲しいとは限らないので、欲しい時に欲しいものを得られる道具として、物々交換していた商品の中から、耐久性に優れ、希少性が高く、嵩張《かさば》らずに持ち運びに便利なものが、取引の道具として使われ出し、これが貨幣の起源になったというアリストテレス以来の商品貨幣起源説が長らく信じられていた。近現代では貨幣として金や銀が使われることが多かったので、この説にリアリティを感じる論者は多い。ちなみに知られる限り最古の金属貨幣は紀元前7世紀のリディア王国（現トルコ）から出土している。

しかし、商品貨幣起源説には確たる証拠があるわけでないので、別の仮説もある。信用貨幣起源説は、取引は債権（請求）と債務（支払い）から成り立ち、これは貨幣制度が導入される前から存在しており、貨幣はこれを具現化したものだという説だ。信用は互いによく見知った人の間でしか成り立たないため、よく知らない人と広く交易を行うために貨幣が導入されたというものだ。ミクロネシアのヤップ島に石貨（フェイ）と呼ばれるものがある。主に冠婚葬祭時に送られる贈答品で、大きなものは持ち運びをせずに所有権のみが移行する。船や不動産の取引に使われ、これは信用取引の一種である。ヤップ島には他にも貝貨《ばいか》という貨幣があり、これは食品や日用雑貨の取引に使われたという。貝貨は我々が使用する貨幣と使い方は変わらない。

貯蔵できない貨幣がもつ可能性

いずれにせよ、現在の貨幣の機能は、1交換手段、2価値尺度、3価値の保蔵手段だということは確かである。しかし、機能面だけからでは貨幣経済が貧富の差を拡大する原因を突き止めることは難しく、貨幣が持つ本質的な性質をまず考えなければならない。フォン・ヘーゲンは貨幣の性質として1貯蔵可能性、2交換可能性、3無名性を挙げている。

この中で、機能面から見た貨幣の性質で最も重要なのは交換可能性で、他の二つは無くとも、これだけで貨幣として機能する。しかし、資本主義が存続するためには残りの二つの性質も不可欠である。その果てに、少数の富裕層と大多数の貧困層が出現する。無名性は誰が使おうとどんな手段で手に入れようと、1000円は1000円ということで、貨幣に広範囲な流通可能性を与えた反面、手段を択《えら》ばず、儲かればよいといった非倫理的な心性を助長した。

最大の問題は貯蔵可能性である。資本主義は、禁欲的に労働に励む精神から始まったというのがマックス・ヴェーバー『プロテスタンティズムの倫理と資本主義の精神』の主張である。禁欲的に労働に励んだ結果、利潤を得たのであるから、利潤の獲得と利潤追求の正当性は肯定されるべきだ、というのが資本主義の精神だ、というわけだ。儲けた金は貯蔵可能でそれを元手にさらに儲けることができる。かくして資本主義は金儲けとお金の蓄積を最大の目的とする装置となったのである。

利潤を最大化するには製品を生み出すコストを最小にしなければならない。そのためには、労働者の賃金を抑え、一次生産者（農業や漁業に従事している人）から仕入れる生産物を買いたたく必要がある。物々交換は資本家の介在する余地がないから、資本主義を潰す極北の方法である。貨幣が機能しなくなれば、資本主義は潰れる。しかし、物々交換は物を生産できる人々の間でしか機能しないので、都会で労働者として暮らしている人々には無縁なシステムである。

そこで、行き過ぎたグローバル・キャピタリズムを多少とも制御するために、貯蔵できない貨幣を使うことを考えよう。株式会社 eumo を立ち上げた新井《あらい》和宏《かずひろ》さんは電子地域通貨 eumo という通貨を考えて、2019年の9月から実証実験をスタートさせた。この貨幣がユニークなのは貯められない（基本3か月経つと使えなくなってしまう）ことだ。貨幣は貯められるので、多くの人はお金を貯めることを目的にしてしまう。物と物との交換のための道具だったものが、いつしかお金が一番大切といった倒錯に陥ってしまったのだ。

もう一つユニークなのは現地に行かなければ使えないことだ。eumo が使える生産者や店はまだ少ないけれど、信用のあるところだけに限定して、ここに行って買い手と売り手がコミュニケーションしてお互いに親密になって、まあ友達になることで取引を行い、貨幣の無名性を消そうというわけだ。対面で直接会って、相手を信用して取引するというのは物々交換に近い。ただ都会人は物々交換したくとも交換する物がないので、物の代わりに eumo を使おうというわけだ。eumo は物々交換の進化型なのだ。eumo は3か月で腐ってしまうので大資本が介在する余地がなく、売り手は買いたたかれる心配がなく、買い手は信頼できる生産者や店と取引できるので、ヤクザなものをつかまされる恐れが少ない。

ただ年寄りの私に言わせてもらえば、常に現地に行って取引するのはしんどいので、最初の3回くらい行った後は、お互いに了解すれば、適当に行ったり行かなかったりで、取引できる方がありがたいし、参加者も拡大すると思う。いずれにせよ、不動産を買うわけではないので、腐る通貨というアイデアは面白い。用途に応じて様々な通貨があって一向にかまわないと思う。何といってもヤップ島にだって不動産を取引する石貨と消耗品を取引する貝貨の違いがあったのだから。

いずれベーシック・インカムの世界になったら、支給するお金の例えば8割は腐る通貨にした方がいいと思う。経済は廻るし、個人がお金を貯めることを目的化することも抑制することができる。お金は使うためにあるのであって、貯めるためにあるわけではないのだ。

本書はメールマガジン「池田清彦のやせ我慢日記」
２０１９年９月27日～２０２０年12月25日配信分を
再構成のうえ、加筆・編集したものです。

池田清彦（いけだ・きよひこ）
1947年、東京生まれ。生物学者。早稲田大学名誉教授。構造主義生物学の立場から科学論・社会評論等の執筆も行う。カミキリムシの収集家としても知られる。著書は『ナマケモノに意義がある』『ほんとうの環境白書』『不思議な生き物』『オスは生きてるムダなのか』『生物にとって時間とは何か』『初歩から学ぶ生物学』『そこは自分で考えてくれ』『やがて消えゆく我が身なら』『真面目に生きると損をする』『正直者ばかりバカを見る』『いい加減くらいが丁度いい』『本当のことを言ってはいけない』『生物学ものしり帖』など多数。

どうせ死《し》ぬから言《い》わせてもらおう

池田清彦《いけだきよひこ》

2021年 5 月 10 日　初版発行
2023年 11 月 10 日　3版発行

発行者　山下直久
発　行　株式会社KADOKAWA
〒102-8177　東京都千代田区富士見 2-13-3
電話　0570-002-301（ナビダイヤル）
装丁者　緒方修一（ラーフイン・ワークショップ）
ロゴデザイン　good design company
オビデザイン　Zapp!　白金正之
印刷所　株式会社KADOKAWA
製本所　株式会社KADOKAWA

角川新書

ISBN978-4-04-082408-6 C0295

●お問い合わせ
https://www.kadokawa.co.jp/（「お問い合わせ」へお進みください）
※内容によっては、お答えできない場合があります。
※サポートは日本国内のみとさせていただきます。
※Japanese text only

KADOKAWAの新書 ❦ 好評既刊

災害不調
医師が見つけた最速の改善策

工藤孝文

地震や感染症など、自然災害が相次いでいる。医師である著者は、災害が起きるたびに、強い不安やめまい、不眠などの苦しさを訴える人が増えることに気づき、「災害不調」と名付けた。不調の発生の仕組みと解消法を提示する。

檻の中の裁判官
なぜ正義を全うできないのか

瀬木比呂志

政府と電力会社に追随した根拠なき「原発再稼働容認」、カルロス・ゴーン事件で改めて露見した世界的に特異な「人質司法」、参加者の人権をないがしろにした「裁判員裁判」。閉ざされた司法の世界にメスを入れ、改善への道を示す！

真実をつかむ
調べて聞いて書く技術

相澤冬樹

著者は記者として、森友学園問題など、権力の裏側を暴いてきたが、失敗も人一倍多かったという。取材先から信頼を得るには何が必要なのか？　苦い経験も赤裸々に明かしつつ、その取材手法を全開示する、渾身の体験的ジャーナリズム論！

AIの雑談力

東中竜一郎

私たちはすでに人工知能と雑談している。タスクをこなすだけでなく、AIに個性を宿らせ、人間の感情を理解できるようにしたメカニズムとは。マツコロイドの対話機能開発、プロジェクト「ロボットは東大に入れるか」の研究者が舞台裏から最前線を明かす。

第三帝国
ある独裁の歴史

ウルリヒ・ヘルベルト
小野寺拓也 訳

ドイツ国民懐柔のために東欧は生贄にされた！　ヒトラーは第二次世界大戦の最中に拡張した領土を、国民をいかに統合・支配したのか？　ナチズム研究の第一人者の手による、世界最高水準にして最新研究に基づく入門書、待望の邦訳。

KADOKAWAの新書 好評既刊

元号戦記
近代日本、改元の深層
野口武則
昭和も平成も令和も、天皇ではない、たった「一人」と一つの「家」が担っていた! 改元の度に起こるマスコミのスクープ合戦。しかし、元号選定は密室政治の極致である。狂騒の裏で制度を支えてきた真の黒衣に初めて迫る、衝撃のスクープ。

学校弁護士
スクールロイヤーが見た教育現場
神内 聡
学校の諸問題に対し、文科省はスクールロイヤーの整備を始めた。弁護士資格を持つ現役教師であり、スクールロイヤーでもある著者は、適法違法の判断では問題は解決しないと実感。安易な待望論に警鐘を鳴らし、現実的な解決策を提示する。

戦国の忍び
平山 優
フィクションの中でしか語られなかった戦国期の忍者。しかし、史料を丹念に読み解くことで明らかとなったのは、夜の戦場で活躍する忍びの姿と、昼夜を分かたずに展開される熾烈な攻防戦だった。最新研究で戦国合戦の概念が変わる!

代謝がすべて
やせる・老いない・免疫力を上げる
池谷敏郎
代謝は、肥満・不調・万病を断つ「健康の土台」を作ります。代謝のいい筋肉から、病気に強い血管、内臓脂肪の上手な燃やし方まで、生活習慣病・循環器系のエキスパートが徹底解説。「体にいい選択」をするための「重要なファクト」を紹介します。

ロンメル将軍
副官が見た「砂漠の狐」
ハインツ・ヴェルナー・シュミット
清水政二(訳)
大木 毅(監訳・解説)
今も名将として名高く、北アフリカ戦役での活躍から「砂漠の狐」の異名を付けられた将軍、ロンメル。その副官を務め、のち重火器中隊長に転出し、相次ぐ激戦で指揮を執った男が、間近で見続けたロンメルの姿と、軍団の激戦を記した回想録。

家族遺棄社会

孤立、無縁、放置の果てに。

菅野久美子

角川新書

はじめに

『家族遺棄社会』というリアル

日本社会そのものが地盤沈下を起こしつつある。漆黒の闇ではなくて、うっすらと灰色がかった靄《もや》に覆われて、引きずり込まれていく。ゆっくりと、そしてジワジワと時間をかけて何か得体のしれないものが我々の社会を飲み込もうとしている。目に見えないスピードで、そして加速度的に崩壊していく兆し――。

私は2015年から孤独死の取材を行っているが、人知れず亡くなって、長期間誰にも発見されないという孤独死は、年々その数を増やし続けているという実感がある。そこには、家族や社会からまさしく「遺棄」された末に、親族や近隣住民からも「迷惑な死」を遂げる大勢の人たちのラストエンドがあった。そんな時代の手触りは、年々深刻さを増している気がする。

孤独死などの事故物件のお祓《はら》いを1000件以上手掛けてきたある宮司は、その現状をつぶさに語る。

「これだけ孤独死が増えてるってことは、日本の崩壊の予兆ということじゃないの。だって人が死んでて、腐っててもわかんねぇんだから。

これだけ人口が集中している都市で、50センチ先にも通勤のサラリーマンがダラダラ歩いている。それで知られないということはもう孤立社会で、崩壊に向かっている兆しだよね」

現に宮司のもとには２００９年ごろから、孤独死のお祓いの依頼がひっきりなしに寄せられていて、その数は年々増え続けている。

「崩壊」――はその人の最期、つまり死を通じて、社会と向き合っている職業の人たちが多く口にする言葉だ。これまでの様々な社会規範がガラガラと音を立てて崩壊し、雪崩のように我々を飲み込みつつある。

「市役所から父親が死んだと電話がかかってきました。遺体の引き取りは拒否しました。その後、父親の遺体がどうなったかはわかりません」

「今は、親のことをかわいそうだとか、憎いという感情もない。自分の中で親の存在は、消去しちゃってる。ある意味、自分の中で死んじゃってるのかもしれない」

そんな子供たちの声も数えきれないほどに取材では聞いた。

子供が親を捨てるなんて罰当たりな——そう思うかもしれない。しかし、このようなケースはもはや決して珍しい話ではない。

「我々の仕事は、完全に子供たちの親の『姥捨《うばす》て』の尻拭《しりぬぐ》いですよ」

高齢者の終活サポート事業を行う一般社団法人LMNの遠藤英樹《えんどうひでき》代表理事は、こう耳打ちする。遠藤らは介護から納骨まで、その人の最期のあれこれを一手に引き受ける、家族代行業だ。遠藤によると、親子間であっても関係が希薄であれば、「親の世話なんて面倒くせぇな」という言葉が躊躇《ちゅうちょ》なく飛び出す。そして、子供や兄弟などの親族は、介護から葬儀、果ては骨の行方まで我関せず、「なるべく安い金額で」遠藤らに丸投げする。

我々の社会は、目に見えないところで未曾有《みぞう》の『家族遺棄社会』をすでに迎えている。そして、社会そのものが、「お荷物」になった家族が次々と捨てられる巨大な墓場になりつつある。

核家族化、離婚の増大、毒親や虐待、非正規雇用、就職氷河期、中高年のひきこもりとその親を取り巻く8050問題、孤独死、そして、行き場のない遺骨——。

私たちの社会を取り巻く状況は暗澹《あんたん》たるものだ。

このルポルタージュは、水面下で密《ひそ》かに活躍する終活サポート団体、そして、近年急増中の遺品整理、特殊清掃業者、さらに家族すら面倒を見ることを放棄したゴミ屋敷の住人や葬送関係者などを通じて、現役世代が迎えつつある孤立の現実をつぶさに描いたものだ。

第一章では、親を捨てたい子供たちが抱える実情や葛藤《かっとう》に迫った。

第二章では、反対に、家族や社会から捨てられた個人がどのような道筋を辿《たど》るのか、その行方を追った。

第三章では、孤独死の壮絶な現場から浮かび上がってきた社会の実像を浮き彫りにした。

第四章では、そんな家族遺棄社会はどこから来たのか、包括的な視点で専門家に語ってもらった。

第五章では、家族遺棄社会と戦う人々の姿を描いた。

家族遺棄社会とは、家族が家族に遺棄される社会、そして、社会から遺棄された家族が彷徨《ほうこう》する社会の両方を指す。どちらも、日本社会が抱える深刻な問題であることには変わりはない。

本書は２０１０年代以降「無縁社会」が声高に叫ばれる中で、一人ひとりの身の上に襲い掛かろうとしている『家族遺棄社会』の真実《リアル》と、そんな日本社会に懸命に向き合う人々の物語である。

目次

第一章　親を捨てたい人々

ひたひたと無縁社会が押し寄せる中、俄《にわ》かに活況を呈しているのが、家族代行ビジネスだ。

親や親族と最も濃密に、そして否《いや》が応でも向き合わざるをえないのが、介護から「死」までのラストランの期間である。親と疎遠だったり遺恨があっても、親の介護が必要になったり亡くなったときに突如として、親族は、病院や行政から遺体の引き取りや延命などの判断を突きつけられる。

家族代行業は、その人の『最後の後始末』を代理家族として引き受けるビジネスである。彼らと契約し、その「対価」を払うことで親族は一切本人と関わることなく、生前から死後、つまり墓の中までおさらばできる。そう、家族代行ビジネスとは、いわば家族遺棄ビジネスの一面もあるのだ。

第一章では、そんな家族遺棄ビジネスの最前線や、親を捨てたい人々の葛藤《かっとう》からあぶり出される日本社会の実像に迫る。

父を遺棄した僕が母を捨てるまで

「青森県の某市役所の者です。お父さんが波打ち際に打ち上げられて亡くなっていました。

海に身投げして自殺したみたいです」

西良太《にしりょうた》（仮名・37歳）の携帯電話に青森の市役所の職員から連絡があったのは、23歳の暑い夏の日のことだった。

その言葉を聞いた瞬間、一粒だけ涙がこぼれた。

オヤジ、死んだのか――。

悲しみなのか、怒りなのか、よくわからない感情が込み上げ、良太の胸はぐちゃぐちゃになった。

ふと、頭の片隅に父親の顔がフラッシュバックする。父親の記憶は、どれも苦々しいものだった。良太にとって、父親は絶えずギャンブルや女性に溺《おぼ》れていた身勝手な存在という記憶しかない。

良太の父親は、かつては電車の整備員をしていた。しかし、友人の会社の保証人になり、多額の借金を抱えたことで一家の転落が始まっていく。父親は借金の返済のためにギャンブルにハマり、良太が3歳の時にマイホームを失い、一家は路頭に迷ってしまう。

父親が電車の整備員の仕事を辞めると、一家はある会社の寮に移住することになる。父親はそこで社員たちの調理師兼管理人として住み込みで働くことになった。しかし、父親のギャンブル癖は止むことはなかった。パチンコにのめり込み、借金は見る見るうちに膨れ上がっていく。父親は不倫も繰り返していて、家に帰ってこないこともよくあった。

しまいには良太が小学三年生の時に、不倫相手の女性とともに蒸発。残された家族には借金だけが残り、清掃員の母親がわずかな給料から月々返済していくという貧乏を絵にかいたような日々が続いた。それでも借金は払いきれずに、家に借金取りが押し寄せ、生活は火の車だった。

良太には、今でも忘れられない思い出がある。

貧困のため母親の給料だけでは給食費を払えず、何度も、職員室に後から納めに行ったこと。小さい頃に買ってもらったボロボロの自転車を、体が大きくなるまで乗り回していたこと。

自分の家は、なぜ、他の家と違って貧乏でお金がないんだろう――。なんで自分たち家族はこんな思いをしなくてはいけないんだろう。

お父さんさえ、しっかりしていれば――。理不尽な思いが良太の中で募っていった。そんな境遇もあって良太自身、子供の頃から抑うつ症状が現れていた。将来が不安で夜安心して眠れない日々が続いたのだ。

母親も働けど働けど豊かにならない生活に疲れ果てたのか、いつしか酒に溺れるようになっていく。

次第に母親も夜の街に繰り出して、家に帰ってこなくなっていった。良太が中学生ぐらいになると、警察から「母親が道端で寝ていたから引き取りに来て欲しい」という連絡が頻繁に入るようになる。母親はよく、警官に両腕を抱えられ、泥酔していた。そんな母を見るのは何よりも辛《つら》く、屈辱的だった。

母親は何とか貧困生活から抜け出そうと良太の反対を押し切って地元でスナックを始めたが、それも立ち行かず借金だけが残った。

良太にとって、ギャンブル中毒の父も、厚顔無恥な母も家族そのものが記憶から消去したい存在だった。自分を苦しめた父も母も、良太は大嫌いだった。

良太は、家族の窮状を受け止めきれず思春期になると自暴自棄になっていく。特攻服を着て、駅前にいるヤンキーの真似事をしたこともあった。

しかし、高校卒業後親元を出て社会人になってからは、真面目に勤めてきたのだった。父の死を知らされたとき、これまでの過去と、様々な交錯する思いが、まるで走馬灯のようにフラッシュバックして、思わず眩暈《めまい》がした。

家族を捨てた父の孤独な死

「それで、お父さんのご遺体もそうですが、お父さんのアパートも車もそのままになっています。それをこっちに引き取りにきて欲しいんですよ」

しかし、すぐに市役所の男性の言葉によって、現実に引き戻された。

電話の向こうの市役所の職員は、家族なら当たり前といったように、良太にそう投げかけてくる。

「いやいや、ちょっと待ってください」

ついカッとして、慌ててそう言い返した。

「申し訳ないけど、そっちで『処理』してくださいよ」

「そう言われても……」

相手は、困り果てた様子で、それでも食い下がってくる。

「知らねーよ!!」

怒りで思わず頭に血が上り、罵倒《ばとう》している自分がいた。市役所の職員によると、父親の最後の勤め先はパチンコ店だった。年齢を計算すると享年63になる。父親は一人暮らしで、最後まで借金は絶えず、一緒にいたはずの女性も姿を消していたらしい。

なぜ、散々迷惑をかけ、最後には家族を捨てていった父親の面倒を、子供だというだけで自分が見なくてはいけないのか。なぜ、親族というだけで、最後の後始末まで自分が引き受けなければならないのか。なぜ、父親は最後まで自分たちを苦しめるのか。

そう思うと、無関係な職員には悪かったが、大声を上げて拒絶するしかなかった。

「じゃあ、仕方ないですね。わかりました」

結局、長時間の押し問答の末、市役所の職員は根負けする形で引き下がった。それ以降、二度と市役所から連絡が来ることはなかった。

「父親は、最終的に周りに誰も頼る人がいなかったみたいなんです。本当に孤独な最期だったと思いますね。狭いアパートで、一人暮らし。女性もいなかった。借金苦の末に自殺。でも父ならいつかそんな死に方を、するだろうなと思ったんです。そりゃ孤独な死を迎えるよ。そうなるしかない。人を捨てていった人は、そういう結末を迎えるしかないと思うんです」

私には、良太の葛藤が痛いほどに伝わってきた。良太にとって、父親は決して思い出したくない過去の一つだったのだ。良太はその一件があってから、本格的に「家族を切る」

決意をした。

全てをなかったことにしたい

良太はいつだって、「普通の家族」に憧《あこが》れていた。お父さんがいてお母さんがいて、お金に苦労することもなく、いつも笑いあって、仲が良くて、みんなが当たり前のように手に入れている、そんな「普通」の家庭――。だけど自分の家族は、明らかに周りとは違っていた。

だから、「普通になるために」父も、母も全てを消し去りたいと思った。そして、できるならば自分の家族の存在をなかったことにしたい。

それを実行するために、良太はあることをしに居住地の市役所に行った。

それは、自分の戸籍を抜くことだった。もう、二度と父親の件で行政などから連絡が来ないようにするために。

「籍を抜きたいんです」そう告げると市役所の職員の年配の男性は、良太の深刻な表情に何か事情があると察したのか、好意的な態度で手続きをしてくれた。戸籍には、初めて見る父方の祖母の名前があった。

職員は、「人生色々あると思うけど、頑張りなさいね」と言って良太に優しいまなざしを送った。戸籍を抜いても法的な親子関係が切れるわけではない。しかし、籍を抜いた瞬間、良太はどこか晴れ晴れしい気持ちになった。家族を捨てること、それが新たな自分にとっての出発になる、それが長年の良太の願いだった。

今が幸せだからこそ、自分を苦しめてきた家族とは縁を切りたいし関わりたくない――。その考えは二児の父となり、妻と子供と幸せな家庭を持った今も変わらない。

「全てが、血縁がベースの社会になっているのが苦しいんですよ。だけど、自分の家族も行政もそれが当たり前だと思ってる。そういう意味で、家族は捨てられないのがやっかいだと思うんです。本当のことを言えば家族は全部捨てたいんですよ」

良太を苦しめるのは、亡くなった父親だけではない。良太は酒に溺れ、10年以上会っていない母親とも、その関係を清算しようと考えていた。良太にとって家族とは、まとわりついて離れない生霊のようなものなのだ。自立心のない母親にも、散々振り回されてきた。血縁というだけでその始末が自分に降りかかり、その度に良太は過去のトラウマを思い出し、仕事に手がつかなくなることも度々あった。

良太はかつての家族を清算することで、初めて自分が守るべき、家族と向き合おうとしていた。

「家族遺棄」ビジネス

良太のように、毒親だったり疎遠になった家族の最期を家族以外の第三者がサポートする受け皿はないのだろうか。実はそんな親の最期を引き受けている団体がある。

遠藤英樹《えんどうひでき》代表が運営する一般社団法人LMNは、一種の「家族代行業」として、そんな親の最後の「後始末」を手掛けている数少ない民間の終活団体である。遠藤の仕事は、ズバリ子供に変わって親の最後までを請け負う、いわば、エンディング版の家族代行サービス「レンタル家族」だ。

ある春の日、良太は遠藤と練馬《ねりま》駅前の喫茶店で待ち合わせをすることになり、私も同席することにした。

「我々の仕事は、完全に子供たちの親の『姥捨て《うばす》』の尻拭《しりぬぐ》いですよ。『面倒くさい親子の最後をお金で解決したい人はうちにどうぞ』とホームページに書きたいくらいなんです。だけど、それだとあまりに露骨すぎるからね。でも実際問題としては、それが現実ですから」

ＬＭＮの遠藤英樹（52歳）は良太とお辞儀を交わし名刺を渡すとそう言って、静かにブラックコーヒーをすすった。

遠藤の細いまなざしは優しく、どことなく人を包み込むような安心感がある。何もかも受け入れる菩薩《ぼさつ》のようなほほ笑み。そして、醸し出される不思議な包容力。遠藤は抗《あらが》いがたい謎めいた魅力の持ち主である。

高齢になった親の介護施設をどうするのか、終末期になったときに延命はどこまでするのか、葬儀はどんな形で執り行うのか、お骨はどうするのか。

そこに「縁起でもない」という言葉は存在しない。いくら本人がピンピンしていて元気であっても、契約の際に納骨までの全てがオープンに、そして事細かに淡々と話し合われる。遠藤は亡くなった後のことも全てクライアントである家族と生前に取り決める。それを家族や本人の希望に合わせてカスタマイズ、コンサルティングしていく。家族の代わりに本人のサポートに入り、家族に代わって生前から死後のあれこれまで、遂行するのが遠藤というわけだ。

良太が遠藤に向かって堰《せき》を切ったように口を開いた。

「僕、母親と10年くらい絶縁状態なんです。正直、突然死んでくれたほうが良いんですよ。その母親をどうしたらいいのか。もう会いたくないんです。これからのことを考えると迷惑をかけられるのがすごく嫌なんですよ。

特に何かあって会社に連絡がきちゃうのが一番怖い。そういう、あれやこれやの面倒を避けたいんです。母が死んだら、葬儀があるだけしか連絡を欲しくないんですよ」

良太は、これまでの経緯を怒濤《どとう》の勢いで話し始めた。

疎遠だった父親が亡くなった時に、自分に連絡がきたこと。行政に父親の死後のあれこれの処理を迫られたこと。そんな思いはもう二度としたくないということ。そして、母親とも死後まで一切関わりたくないということ。

これまで誰にも言えず一人だけで抱えていた父への思いが、堰を切って溢《あふ》れてくる。これは、良太がたった一人で誰にも言えず抱えていた苦しみだった。

遠藤は時たま頷《うなず》いたり、質問を投げかけたりして、冷静に良太の現状や要望を聞き出していく。そして、落ち着いた口調でこう返した。

「要するに良太さんは、お母さんにこれ以上迷惑をかけてほしくないんですね。私たちのもとには、良太さんのように親と会うのが本当に嫌な方も相談にいらっしゃいます。例えば疎遠だった父親が孤独死したパターンがある。その方の場合、火葬代と部屋の片付け代と納骨代を出すけど、作業は一切やりたくないから勝手にやってというご依頼でした。もちろんそういう方の場合でも、ご家族の意向をお聞きして、納骨までうちがちゃんとお引き受けします。

私たちがサポートするのは本人じゃなくて、あくまでご家族なんです。良太さんに迷惑がかからないようにサポートを私たちがしていくことが精神衛生上、良太さんにとっても一番いいことですからね」

最後はお金で解決しませんか?

親の面倒を見たくないという家族たちは、当然ながらそれぞれに事情を抱えている。しかし、それが社会一般の常識と相いれずに、傷ついた過去を持つ人も多い。そこで遠藤は、たとえどんな状況においても自分たちは良太の味方であるという安心感を持ってもらうことに尽力している。

「ところで、お母さんは何歳ですか?」

「78歳です」

「その年齢だと、お母さんはあと数年以内に何かしら体が悪くなってくる可能性がありますね。うちに相談に来ている方で一番多いのは、80歳前後なんです。78～82歳くらいがメインの年齢なんですよ。介護施設に入ったり、何かしら不調が出てきやすい年齢ですね」

良太はそんな遠藤の言葉に真剣に耳を傾けている。遠藤は、言葉を続ける。

「私たちは、全部リスクを想定するんです。今の話で一番懸念されるのは、お母さんが認知症になった場合ですね。体が健康なまま認知症になった場合は、それからが長い。その年齢だと10年以上生きるケースもある。

そうすると、介護施設との頻繁なやり取りなどが必要になり、親族にとても迷惑がかかることもあります。あとは、突然ケガしたときに病院に運ばれて良太さんに電話がくるというパターンも考えられますね」

良太は黙って遠藤の話を聞いていたが、過去のトラウマを思い出したのか、体中から血の気が引いたように真っ青な顔になった。

「僕、父親が死んだときに電話がかかってきて、本当に疲弊したんです。母親の件でも、以前に警察から連絡があったりしたことも多くて、そうなると心が疲れちゃうんですよ。だからこういう連絡とか、電話をしてこないようにして欲しいんです」

遠藤は、良太の言葉を引き取り、資料をめくり始めた。

「なるほど。私たちとしては、息子さんたちにはお母さんのいざというときの金銭管理や、入院するときの身元保証に関する手続きだけは、やっていただきます。だけどそれ以外の連絡や、日頃の生活の面倒を見るのはうちがやります。そこはお金で解決しませんか？というのがうちの提案ですね。

　これから、お母さんが病気になったら病院に入ったり介護も出てくるし、変な話、亡くなった後のお墓に関しても絶対的に金銭面などの問題が発生するんです」

超低料金のお墓を選ぶ子供の事情

遠藤が、Ａ４サイズの申込書を開いた。エンディングコンサル料として医療、介護、相続、お片付け、葬儀、供養、家族代行サービス料などの項目が並んでいる。

遠藤は、それらの項目を指さしながら、言葉を続ける。

「それで、うちのプランだと最低30万円がお母さんの面倒を見る金額になります。30万で介護施設の選定から納骨までの仲介は全部うちがやります。もちろん、介護施設の月々の費用などは別になります」

「30万なら、全然いいな」

良太は、少しホッとした表情を見せた。

「ありがとうございます。では、申し込んだ場合の流れを説明しますね。うちでは、こういった書類をもとに具体的なサポートプランについて打ち合わせをします」

遠藤の手元には透明のクリアファイルに入った1センチほどの書類の束が置かれている。その中には、「葬儀関連指示書」「葬儀時の希望書」「家系図」「委任状」「訪問シート」「事前指示書　リビングウィル（終末期医療における事前指示書）」などと書かれた書類が詰め込まれている。

一番のポイントは、原則的に本人が介護施設に入所した時に身元保証人になるのは家族だが、第一連絡人はLMNとなっているという点である。

つまり、クライアントである家族は、お荷物となった本人の最後を遠藤に、文字通り「丸投げ」することで、本人と家族との関わりを絶つことができるというわけだ。その代わり、必要な連絡は遠藤からくることになる。

遠藤は、「事前指示書　リビングウィル（終末期医療における事前指示書）」を取り出し説明をしていく。

「今後お母さんについて考えなければいけないことがいくつかあります。例えば、延命が必要な状況になった時に、延命をやるかやらないかではなく、どこまでするのかという問題があります。そして胃ろうや人工呼吸器をつけるかは、基本的に家族や親族にしか判断できない案件なんです」

「延命はいらない気もするんですが、ちょっと状況を見ないと」

良太は、頭を抱えた。

「今決めなくても大丈夫です。ただ、うちは書類をご家族の方から事前にもらっておきます。何かあった時、病院に私たちが駆けつけた時に、本人やご家族はこういう希望ですと伝えるためのものです。すると病院はわかりました。それでは電話でご家族に確認させてください、という流れになる。

その時に良太さんが延命の最終決断を主治医の先生に意思表示してください。もし良太さんじゃなくても、ここだけは親族でもいいのでトラブル防止のために、ご家族の方にお願いする場面です」

「本当はそれもしたくないけど……、わかりました」

良太はしぶしぶといった表情で、了承した。

次の用紙には、『本人の氏名、住所、好きな食べもの、靴のサイズ、アレルギー、介護度』などと書かれた項目がある。

「これは本人に書いてもらうものですね。介護施設に入るときに、本人の情報としてこれだけは必要なものになっています。だから、この紙を先に作っておいて、介護施設に入るときうちらがポッと出せるようにします。次は葬儀関連なんですが……」

次に遠藤は「葬儀関連指示書」という用紙を開いた。そこには、菩提寺《ぼだいじ》、宗派、希望の葬儀の形、葬儀費用、希望する供養方法などの記入欄がある。

「母が亡くなった後にかかるお金も最低限しか払いたくないんです。理想を言えば葬式には参加だけして1、2万払って帰りたい」

「それなら、葬儀はやらないほうがいいですね。お坊さんを呼んだりするとさらに40万くらいかかるから。火葬式と言って、火葬場でお別れだけする形にしましょう。ご遺体を焼却した後、ご遺骨が上がってきます。まず収骨したいかどうか。つまりそのお骨をみんなで骨壺《こつつぼ》に入れたいかどうかなのですが」

「あぁー、自分は全然入れたくないですね。親戚《しんせき》付き合いも乏しいから、どう思われようが正直、どうでもいいですし」

「では、火葬場の方に事情があってご家族はいらっしゃらないので、収骨は職員の方でお願いしますということで手配しましょう。さて、その葬儀の後にご遺骨をどうするか。誰かに預かってもらえるのかということなのですが、どうしましょうか」

「父も亡くなってるし、お墓はないんですよね。一番安いのでいいです」

「それならば、うちでは5万円で納骨できるプランがありますよ」

「そんなに安いプランがあるんですね」

遠藤の団体では京都の寺院と提携することで、民間の合祀墓《ごうしぼ》に5万円で納骨できる仕組みを作っている。付属のキットに骨を詰めてゆうパックで送れば、地下に掘られた京都の永代供養の納骨堂に自動的に置かれる。それで終わりだ。当然ながら、お墓の維持費もかからない。もちろん、遺族がお参りすることもできる。最近ではこういった超低料金の合祀墓が人気なのだという。良太は、そのプランを選択した。遠藤は、良太の希望をサラサラと記入していく。遠藤の話を聞いて、良太は腹を決めていた。

「30万円払ってほぼ全て解決するなら、遠藤さんにお願いしたいと思います。本来であれば、認知症になったとか延命治療の際も連絡は欲しくないんです。母が死んだら、何日に葬儀がある、それだけしか母親とは関わりたくないんですよ。全部終わった後に、了解しましたという、その電話一、二回で終わらせたいくらいなんです」

親の死もメールのみであっさり完結

遠藤は、良太の言葉に深く頷きながら、慣れた口調でこう返した。良太のような家族を捨てたい子供たちと向き合うことは、遠藤にとってはいつもの日常であるからだ。

「うちの依頼主様の中には、電話どころか必要最低限のメールで終わりという方もいらっしゃるんです。その方のお母様の生前から納骨までの期間でです。病院はイライラしてるけど、病院も息子さんと連絡がつかない。その方はほとんど連絡つかなくて、つかまらなかった。うちらもやり取りは形式上のメールで送受信するだけ。

それでも、あとは全部こっちでやってくださいと契約を交わして、依頼されている。だから心配されなくて大丈夫ですよ。他にも書いていただかなくてはいけない書類はありますが、それは申し込みの際にご説明しますね」

「わかりました。時間をください。少し考えたいです」

「はい、こちらの名刺のアドレスにご連絡いただければ、いつでも力になれると思いますよ」

良太は遠藤との会話で憑《つ》き物が落ちたような顔となっていた。遠藤に複雑な家庭の事情を話せたことで、心が楽になったらしい。席に着いた時に硬かった良太の表情は、すっかり和らいでいた。

そしてスマホで時刻を確認すると、遠藤が渡したＬＭＮの案内書と申込書を持って、足早に去った。仕事の昼休みに会社を抜けてきたが、これから仕事に戻らなければならない。

子供の「お荷物」となる親たち

遠藤は良太との話が終わるとブラックコーヒーのお代わりを注文した。そして、美味《おい》しそうにコーヒーカップに口をつけて一息ついた。

「私たちが事業を始めた当初は、身寄りがないいわゆる高齢の『おひとり様』からの申し込みを想定していたんです。でも、蓋《ふた》を開けてびっくりしました。募集をしてみると、実際は高齢者本人からの申し込みは３割を切っていて、思ったよりも少なかった。申し込みの内容のほとんどが、介護が必要になった家族をお荷物に感じていて、何とかしたいという人たちだったんですよ」

遠藤が民間の高齢者の終活サポート団体である一般社団法人ＬＭＮを立ち上げたのは、

2016年。しかし活動を始めてみると、良太のように家族の面倒を見たくない、という家族や親族からの需要が余りにも多いという事実に気づかされた。そのため、自ら終活を希望する当事者を想定した内容から、「家族が重い」家族のサポートに向けて、大きく舵《かじ》を切ることになった。遠藤に依頼してくる子供は現役世代で、その親は低所得寄りの中間層が多いのだという。

まさに、金融庁が試算を出した預貯金や動産を合わせて2000万近くは老後資金はあるが、年金だけだと不安を抱えるミドル層で、いわゆる平均的な一般人だ。

「次に多いのは、子供が親の面倒を見たくないというケースですね。要するに、煩わしさをお金で解決したいというんです。良太さんのように遺恨があるケースもありますが、ただ単に忙しくて親の面倒を見るのが面倒くさいという理由も多い。

あとは、高齢者同士の兄弟で子供もいないため、その最後を看ることができないかもしれないという理由で依頼されることもあります」

遠藤のもとには、親子関係が希薄な人や毒親を抱えた人からの相談や依頼が毎日のように舞い込んでくる。多くが親のことが「煩わしい」と感じる子供たちからだ。

親子間でも、良太のように何十年もお互いの居場所を知らないこともざらだし、特に関係が悪くなくても、連絡を取るのは数年に一度という人たちもいる。親が元気な時はそれでもいい。しかし、そんな親が一度病気になったり介護施設に入ると、突然、病院や行政から頻繁に連絡が来るようになる。突然親の世話を押しつけられる理不尽さに戸惑う子供たちに遠藤は長年向き合ってきた。

目前にある姥捨てのリアル

「二言目に皆さんがおっしゃるのは、『めんどくせぇな』という言葉なんです」

面倒くさい――、確かに良太も幾度となく、私にそう言っていた。

「なんだよ、おふくろ。足悪くしたのかよ、しょうがねぇな」

これが遠藤に依頼する多くの子供たちの反応だ。認知症や介護が必要な状態になると、入所できる介護施設を見つけて、やれパジャマだ、下着だ、と必要な物を買って届けなければならない。親族からは自分の親なのに、なんでちゃんと面倒見ないのと言われる。介護施設に入所する時には、それまで住んでいた家や部屋も、誰かが片付けなければいけない。その作業は、膨大となり、なかなか一人では手に負えない。そんなストレスの中で板挟みとなり、子供の口からは「面倒くさい」という言葉がつい出てくる。

そこで遠藤らの出番となる。介護施設の選定から、お部屋の片付け、煩雑な介護施設とのやり取り、終末期の判断や死後の連絡、役所とのやり取りなど、委任を受けた遠藤らが「代理家族」として、希望に応じて請け負うのだ。

「介護施設に親や兄弟を入れた人が陥りがちなのは、とりあえず介護施設に入れたら、大丈夫だろうと思ってしまうことなんです。でも、そんなことは全くないんですよ。電話も来るし判断もさせられる。むしろ、元気なころより、連絡は多くなるくらいだと思ったほうがいい。

問題のある親は、高齢者になって益々プライドが高かったり傲慢《ごうまん》だったりする。介護施設の中でもトラブルを起こす。そうすると、さらに新しい介護施設を探したりしなきゃいけなくなり、悪循環のスパイラルに陥っていく。だから私たちみたいな、家族と他人の間の2・5人称の関係の人間が必要なんです」

遠藤らは、介護施設とも数十カ所提携を結んでいる。提携先の介護施設に入所することも可能だが、遠藤が担当するケースでは、子供が見つけてくるケースも多いのだと言う。

その理由は、何と言っても月々の費用、「安さ」だ。

子供たちは、たとえ親が東京に住んでいたとしても地方の「安い」施設に躊躇《ちゅうちょ》なく、送り込もうとする。「それだけ遠いと、お子さんにとっても通うのが大変ですよ」――。

いくら遠藤が説得しても、どちらにせよ会いにいくことはないので場所はどこでも関係ないと子供に突っぱねられる。それよりも「安さ」を優先して欲しい――と。

介護施設のランクは、当然ながら金額に比例する。高ければ高いほど、設備は良くなり、サービスも手厚くなる。安い施設は廃施設を改装して一部屋をベニヤ板で三つに区切って個室に見立てたり、共同の六人部屋にパイプベッドをずらりと並べたりしてコストを節約することまである。

遠藤はそんな介護施設の環境を毎回丁寧に説明し、顧客をやんわりと諭す。

しかし、子供たちは「それで構わない。亡くなったらそのまま遺体を搬送して火葬して、あとは適当に散骨してください」と、最後まで無関心を貫くこともざらだ。

まさに姥捨てを地でいくような話だが、遠藤が抱えている案件ではありきたりの話なのである。契約が成立した瞬間から終末期、それどころか納骨まで子供が立ち会うことがないこともある。

親の顔を見ずに墓場までサヨウナラ

ある女性は母親と同居していたが、長年憎しみを抱いていた。そのため母親は、骨折をして入院した後、娘が選んだ最も安い最低ランクの介護施設に入所させられた。介護施設を仲介するコンサルタントから紹介を受け、それ以降は遠藤が母親のサポートを引き受けることになった。

「私も時たま介護施設を訪れて母親の様子を見に行ったんですが、娘さんは一度も来ませんでしたね。お母さんは終末期なのに日中がらんどうの倉庫のような場所に置きっぱなしでした。移動式のパイプベッドの上でまさしく、放置されていたんです。職員が見ているわけでもなく、ただ、置きっぱなし。あんなにひどい環境の介護施設は初めて見ましたね」

まさに、それは、「家族に遺棄」された、親の悲しき末路だった。

数日後、母親が「亡くなりました」と介護施設の職員から連絡を受けた。娘にそれを知らせたが、あっさりしたもので反応はなかった。遠藤は遺体の搬送の手配を行い、葬儀社に契約のときに決めておいた内容をファックスした。

かろうじて葬儀は行うことになっていたが、それも親戚がいるため、世間体のためだけのお飾りのようなものだった。女性は、母親の入所する介護施設から車で30分くらいの距離に住んでいるが、葬儀の2時間立ち会って、それっきりだった。

しかし、ここまではまだよくある話だ。母親は先祖代々のお墓がある菩提寺を持っているので、そこにお骨を納めることになった。しかし、女性は母親の納骨にも行きたくないし、そのあとの死者を弔う儀式である法要もやりたくないと頑《かたく》なに突っぱねた。遠藤は、菩提寺との交渉の一切を引き受けることとなった。しかし、交渉は難航した。

母親の菩提寺であるお寺の住職に女性の意向を電話で伝えると、「お前は何様だ！　檀《だん》家《か》でもないのに！」と住職に怒鳴られたのだ。

依頼主の親子関係が断絶していること、そして、娘のほうは母親との関係を絶ちたいと思っていること。法要などの死者を弔う儀式は娘が望んでいないこと。今後菩提寺とも付き合いたくないこと。遠藤は3時間もの時間をかけて粘り強く住職を説得した。その甲斐《かい》あって、住職には法要はなしということで何とか納得してもらったのだという。

毒親の死で大荒れする葬儀

ここまでのやり取りを聞いていても、遠藤の仕事は、とてつもなく骨が折れるということが伝わってくる。それは血縁社会を前提とした社会モデルが崩壊しつつある中で、誰も引き受けたがらない社会の歪《いびつ》さの齟齬《そご》を埋める作業を一手に引き受けているのが遠藤らだからだ。

「介護や終末期もそうだけど、葬儀や納骨も、親と疎遠だったり毒親だったりするケースだと、その後大変なことが待っているんです。子供からすると、火葬だけでいいというケースが多い。しかし、親戚や兄弟とかいると、そうはいかない。お前なにやってんだと言われてしまう。だから形式上葬儀は挙げなくちゃいけない。なおかつ菩提寺があると、お墓に入れるために僧侶《そうりょ》も呼ばなきゃいけない。

でも子供としては、傷つけられた親のためにそんなことはしたくない。そこにジレンマがある。その妥協点を探るのが、私たちの仕事です。例えば、親戚30人くらいの一日葬という選択肢を提案することもある。それでも、親戚はなんで御通夜をやらないんだと言ってくる。その間に立って、お互いの主張を受け止めるのが僕たちなんです」

遠藤のような終活ビジネスには、近年消費者庁が警鐘を鳴らしている。一部の悪徳業者が保証人代行サービスや身元保証を巡って、高額な契約金などを高齢者から詐取するなどして、トラブルが起きているためだ。

そのため遠藤らは身元保証サービスや、介護施設入所の際の保証人代行などは行っていない。しかし、遠藤のサービスを利用すれば極端な話、依頼者は介護施設への入所から本人の骨さえ見ずに、親や親族とサヨウナラできる。そして善し悪しにかかわらず、そんな社会が我々の水面下でひたひたと押し寄せつつある。

「一つ言えること、それは人の最期は家族以外の誰かが間に入っているほうが圧倒的に楽なケースが少なからずあるということです。介護施設の職員も、疎遠だった子供に連絡事項があって電話すると、『いちいち電話すんじゃねぇ！』とかめちゃくちゃ言われるから、ビクビクしている。私たちが関わると、それがなくなるから安心される。連絡がくるのが嫌な人は私たちみたいなのを入れるか、第三者を入れたほうがいい」

遠藤はあえて、親子が疎遠だったり、こじれた理由について突っ込んで聞くことはない。あくまで今の状況から本人や家族が望むベストな方法を考えていくのだという。

「親子が疎遠だったりする原因は、過去に虐待があったのかもしれないし、もっと大きな社会的な要因があるのかもしれない。だけど、その煩わしさをお金で解決できるんだったら、そのほうがお互いにとって精神衛生上いいと思うんです。

介護も、死後のことも無理はしないほうがいい。苦しいならば、頼れるところは他人を頼って、死後は親の残した財産など、もらえるものはもらったほうがいい」

遠藤はコーヒーを飲み終わると、時計を見て立ち上がった。これから身寄りのない男性の入所する神奈川県の介護施設に向かうという。そして、振り返り際にこうつぶやいた。

「願わくは、うちみたいな団体がもっといっぱい出てくればいいと思うんです。とにかく無縁社会といわれるだけあって、我々への相談件数もうなぎ上りだし、需要は切れ目なくある。だけど、それほどお金にもならないし、何より家族の根っこのところに関わる大変な仕事だから、皆やりたくないんですよ」

遠藤らは、誰もが目を背ける社会の暗部を一手に引き受けている稀有《けう》な民間業者だと言える。遠藤の仕事に様々な感情を持つ人はいる。

しかし今の社会にとって、遠藤らの存在が必要とされているというのは確かだ。社会が押しつける通念や正しい家族像に苦しんだ人々の中には、遠藤に救われた人が数多く存在するというのもゆるぎない事実なのである。また、そこには縁と縁とが切れ切れとなった私たちの社会が抱える家族たちの実像が見え隠れする。家族代行ビジネスとは、つまり家族遺棄ビジネスである。

無縁社会が加速する現代において、遠藤のようなビジネスはこれから増えていくだろう。そして、こういった家族代行ビジネスが当たり前となり、活況を呈する日も遠くはないのかもしれない。遠藤の後ろ姿に、そんな未来を思い描いている私がいた。

「あんたなんか産まなきゃ良かった」と言われて

親を捨てようとする子供たちは何を思って、その道を選んだのか。

「たとえ両親が亡くなったと知っても、あぁ、そうなんだというくらいですね。お葬式もやらないだろうし、ましてや遺骨の引き取りもしたくない。親のことをかわいそうだとか、憎いという感情もない。自分の中で親の存在は、消去しちゃってる。ある意味、自分の中で死んじゃってるのかもしれない」

入江《いりえ》祥子《しょうこ》（仮名・50歳）は、紅茶をすすりながら迷いのない視線でこちらをしっかりと見つめながら、そう答えた。祥子がきっぱりと親を突き放すのには、深い理由がある。祥子は、両親からその養育をほとんど放棄されて育ったからだ。

両親に関しての記憶はあまりない。ただ、いつもお金を巡って両親がいがみ合っていたことだけは子供心にぼんやりと覚えている。

「あんたなんか、産まなきゃ良かった！　あんたは橋の下から拾ってきた子なんだよ」

両親の喧嘩《けんか》の度に幾度となく母親に罵倒されたこと――。それは、今でも夢に出てくるほど鮮明な記憶として脳裏に焼きついて離れない。

祥子は営業マンの父親と、パートだった母親の間に生まれた。両親は、祥子が小学一年生の時に離婚。ある日、学校から家に帰ったら母親の荷物が全て、なくなっていた。その後、祥子は父親と二人で暮らすことになる。父親は派手好きで、麻雀《マージャン》に明け暮れ、毎晩遊び歩いていた。そのため、ほとんど家に寄りつくことはなかった。

物心ついたときから、炊事や洗濯、食事は祥子が一人でこなしていた。いつもの「貯金箱」に置かれていたお金を持って一人で買い物に行き、幼稚園のときから、お弁当を自分で作った。

一人で生きることが、生活することが、祥子にとっての「当たり前」だった。

そんな状況を憂えた中学の担任は児童相談所に相談、中学一年からは半ば強制的に児童養護施設で生活するようになる。祥子が児相に行ってからも、父も母も会いに来ることは一度もなかった。高校まで養護施設で育った祥子は卒業後はケーキ屋に就職し20歳で結婚、二人の子供に恵まれた。

ある日、子供たちがおばあちゃんに会いたいと言うようになった。そこで、養護施設で調べてもらった母親の住所に手紙を出すと返事があり、都内の喫茶店で再会した。

20年ぶりに会った母親は、少しだけ昔の面影があった。どうやら母親は再婚し、都内で飲食店を開いているらしい。祥子はどうしても聞いておきたいことがあった。

「私、お母さんと離れてから施設に入ってたんだよ。知ってた？」

「それは知ってたよ。自分の生活があったから私も忙しかったのよ。私も自分の店を出したり、生活するのが大変だったんだから」

母親は悪びれずにそう返した。信じられないことに、祥子の窮状を親戚から聞いていたにもかかわらず、母親は見て見ぬふりをしていたのだ。行き場のない感情が、祥子を揺さぶった。

「その時は、思わず母親のことを殴ってやりたい、と感じました。でも、ぐっとこらえたんです。母は自分の娘が施設に入っていることを知りながら、それでも私を放置したんだ。そう思うと、怒りが込み上げてきました。私がこれまでもどれだけ辛《つら》い思いをしたか、わかってるのって言ってやりたかった。

だけど、母は自分のことしか考えていないってわかったんです。母には何を言っても無駄だと感じたから、殴るのをこらえたんです」

子供が会いたがったために、それから年に一回ほど母親と会う日々が続いた。しかし、子供が手を離れると自然と疎遠になり、もう10年が経とうとしている。父親も児相に連れていかれて以来、何の音沙汰《おとさた》もない。

やはり、自分は両親から捨てられたのだ――。それが祥子の答えだった。

そんな祥子の人生において、血のつながりとはいったい何だろうか――。祥子は私の問いかけに、迷う様子もなく、言葉を返した。

「血のつながりって、あってないようなものだよね。だって血がつながっていても、私の家族みたいに心ではつながってないわけなんだから。血がつながってるからわかり合えるなんて、百パーセントないと思う」

祥子の口から出てくる言葉はとてつもなく重く、私の心にズシンと響いた。

今後考えられるのは両親に介護が必要になったり、亡くなったときのことだ。両親は、現在70代。不慮の事故などで行政や病院から、祥子に連絡が来ることがあってもおかしくない。しかし、そのもしものときのことも祥子は、もうすでに決めている。それは、絶対に自分は親のために何もしないということだ。それが親が祥子にしてきたこれまでの仕打ちへの当然の答えだった。

「血のつながりがあるというだけで、第一連絡先を私にしないで欲しい。私は、両親の事務手続きもしないし、葬式にも出たくない。一円たりとも親にはお金は出したくないし、何もしたくない。だからどんな連絡があっても『そっちでやってください』と絶対突っぱねる」

祥子はこれまで親から、深く傷つけられてきた。だから、そう考えるのは当然だと思う。しかし人は最後は老い衰え、誰かの手助けなしには生きていけなくなる。それが如実に表れるのが、人生の終盤だ。子供を捨てた親はかくもその人生のラストシーンで、否が応でもそんな自分の人生と向き合う時なのかもしれない。人は生きてきたようにしか、死ねない――。そんな言葉がふと、頭をよぎった。

これからの章でも取り上げるが、祥子のように子供や親族が引き取りを拒否するケースは決して少なくない。火葬する親族がいなかったり拒否される場合は、行政によって火葬、茶毘《だび》に付されるのだが、その後も親族に引き取ってもらえない遺骨は年々増えつつある。それらは漂流遺骨として、無縁仏となったり、3万円や5万円の激安の合祀墓に入れられるケースも多い。

これらは行政の費用負担となるため、社会問題となっている。

母という呪縛

親を捨てることを選択する人がいる一方、かつて自分を苦しめた親と、自分なりに向き合うことを決めた子供もいる。戸田幸子《とださちこ》（仮名・50歳）も母親との関係で葛藤を抱えていた一人だった。

「家族遺棄」の取材を通じて感じるのは、親が元気なうちはあまり問題は起きないということだ。親は子供と疎遠ながらも自立的に自分の人生を送っているし、それなりにおう歌しているかもしれない。

しかし、認知症やケガなどで親や兄弟の介護が始まったときから、五月雨《さみだれ》式に様々な「面倒くさい」ことが発生し、そこには大きな葛藤が生じる。親族は、身内として突如ありとあらゆる決断を迫られることになるからだ。それは、親と物理的な距離があっても、たとえ親を介護施設に入れていたとしても変わらない。

「毎月、介護施設の請求書と一緒に母親からの手紙が送られてくる。私はそれを『呪いの手紙』と呼んでいたんです。介護施設に入れていても、この手紙が来ると気持ちがガクンと落ち込んで、ざわざわする。辛すぎる。親がおかしいのか、自分がおかしいのか、時たまわからなくなっていました。私の中で、何かが欠落してるのはわかる。私がおかしいのか。でもどこでおかしくなったのか、わからなかった」

関東の介護施設に看護師として勤めている幸子は、そう言って一通の手紙を差し出した。幸子が「呪いの手紙」と呼ぶその封書には、84円切手が貼られていて、文面を見るとボールペンでびっしりとつづられた呪詛《じゅそ》のような言葉が並んでいた。

『こんな犬も猫も着ない服なんか送ってきて。自分のことを乞食《こじき》かと思うこともあります』

幸子は、封筒の中に入っていた一枚の写真を取り出した。

写真の中に写っている高齢の女性は、紫色の花柄のタートルネックを着てベージュのソファーに座ってわずかながら、ほほ笑んでいる。やせ形で白髪が目立つが、ボブの髪型と目元が幸子にそっくりだ。背後には、介護施設の木製の手すりが見える。これが、母の恵子（仮名・78歳）である。写真の中の恵子は、一見穏やかに見える。しかし幸子にとっては、かつてはまとわりついて離れない蠅のような存在だった。

恵子が毎月送ってくる手紙――そこには毎回、自分が欲しいものが書かれている。パジャマやインナー、靴下。しかし、実際に手紙に書いてきたものを送ると、その度にケチをつけられる。母の終わりのない要望、いくらそれを叶《かな》えてあげても、尽きることはない。それだけでなく、母は施設でトラブルを起こし、数えきれないほど施設を転々としていた。

そのトラウマが、幸子の中で恐怖心として焼きついている。

母の居住地は秋田のため、会うことはないし積極的に会いにいくつもりもない。しかし、何かある度に問題を起こす母親に、幸子はほとほと疲れていた。

母が亡くなったら胸を撫でおろす

「他人から見たら、『かわいそうに、お母さんはあんなに年取ってるのになんでキッとなってるんだろうね』と見られると思う。だけど、抑えられない導火線が自分の中にはあるの。手紙とか介護施設からの電話連絡がくると、それにポッと火がついて、腹が立ってた」

幸子は医療従事者の父親と、専業主婦の母親・恵子との間に生まれた。父親が37歳の時の子供で、当時では遅く生まれた一人っ子ということもあり、父親は幸子をとてもかわいがった。

しかし、今思いかえしてみても、母親からはまともな愛情を受けた記憶はなく、ネグレクトされて育った。それが、幸子にとっては大きな傷となっていた。物心ついた時から、母親は強迫神経症を患っていた。

火事になるかもしれないという妄想を抱き、家中のコードを抜いたり、突然怒鳴り声をあげることもあった。そんな異常な行動を取る母親が、子供心に怖かった。

幸子には、忘れられない辛い思い出がある。小学四年のときに、自家中毒で入院をしたときのことだ。背中に人の腕ほどの大きい注射をすることになった。子供心にあんなに大きい注射は、怖くてたまらなかった。隣のベッドの女の子は、「注射我慢したよ」と母親に自慢すると、頭を撫《な》でてもらい、「よく頑張ったね」と折り紙を折ってもらっていた。それが羨《うらや》ましかった。

私もあの女の子みたいに、お母さんにかわいがられたい――。そう母親に伝えた。しかし、母親からは鬼のような形相で、「あなたには十分やってる。私は私で一生懸命やってるの！　今までで十分だから」と突き放された。

普通の子供のように甘えられる母親、それが心底羨ましかった。恵子は感情が欠落したロボットのようだった。

「小さいころ、あなたが泣き止まないから、足をつねってたのよ」と笑顔で言われたこともある。私のこと、愛してなかったんだ。ずっとそう思っていたため、地元の秋田を離れてからは母とも自然と距離ができるようになった。

「母がやってきたことは本人にとっては何の悪気もないと思うの。特に手を上げられたわけでもない。だけど、私にとっては殴ったり蹴《け》ったりと同じだったと思ってる」

幼少期の辛い思いは、大人になった今でも幸子の中にひっそりと影を落としていた。

それでも離れて生活していたうちはまだ良かった。父親が70歳で亡くなってから10年間、恵子は一人で生活していた。しかし、11年目の春に突然様子がおかしくなった。

「私の家の井戸水が石油臭い」

そんな妄想に取りつかれて家を出て、賃貸マンションに引っ越したのだ。しかし、その引っ越し先でも「水が石油臭い」という妄想にかられ近所の住民を騒がせるようになる。役所のケアマネージャーから「お母さんの様子がおかしい」と幸子に電話がきたのは、5年前だ。

恵子の行動は異常だが、精神科へ入院が必要なほどではない。それがケアマネの見立てだった。そのため、グループホームへ入居することになった。しかし、そこも「ベッドが固い、変な臭いがする」と二日で飛び出してしまう。移った施設でも、「なんでここはトイレが少ないの」「自殺する!」と施設の職員を怒鳴りつけ、度々トラブルを起こした。そして問題を起こす度に、施設を点々とせざるをえなかった。恵子は施設をたらいまわしにされ、その度に次の施設を探さなければならなかった。幸子は、次第に介護施設からの電話におびえ、不安に襲われるようになっていく。

辛かったのは、担当のケアマネにこれまでの経緯を相談したときだ。ケアマネは、幸子に同情を示しつつも、「でもこれだけは覚えておいてください。お母さん、娘さんが自慢なんですよ」とにべもなく返してきた。そして、母が要求している新しいパジャマを贈るように促してきた。

社会通念や模範的な娘像を押しつける世間、それが当たり前で回っている社会――幸子にとっては何よりも辛かったものの一つだ。

ある日、施設から届いた書類の中にインフルエンザの予防接種の請求書が入っていた。

このまま母がインフルに罹《かか》って、死んでくれたらいいのに――、そう願っている自分がいた。

母が亡くなったら、まずホッと胸を撫でおろすはず、幸子はそう感じている。最後までわかり合えなくて残念だったと思うかもしれない。でも、それだけだ。今この瞬間もグループホームで手厚い介護を受けている。しかし、母親は、毎月来る母からの手紙や今後に悩み苦しむ幸子に心の底から寄り添う人はいない。ぽっかりと空いた空虚な穴は、ただただ深まるばかりだ。だから、苦しい。

家族っていったいなんなんだろう

転機となったのは、職場の施設で、ある事件が起きたことがきっかけだった。

幸子が勤務する施設には、いつもニコニコと笑顔で接してくれる心の優しい車いすの80代の男性がいた。男性は、息子夫婦の家にお正月に一時帰宅することをずっと心待ちにしていた。

しかし、お正月の帰宅期間が終わっても、男性は帰ってこなかった。いざ息子のもとに帰宅すると、男性は家族にその存在を完全に放置されていたらしい。男性は施設で常用していた薬を家族に飲ませてもらえず病状が悪化し、命を落としてしまったのだ。

幸子は男性の最後の後ろ姿を思い出し、胸にキリキリと突き刺さるような痛みを感じた。男性は息子の家に帰らなければ助かっていたかもしれない。家族っていったいなんなんだろう——。

よく見渡すと幸子の職場では、「今日は孫の面倒を見るんだよ」「家に帰って、子供のためにご飯を作らなきゃ」と嬉《うれ》しそうに語る利用者もいる。その一方で家族からお荷物扱いされたり、身寄りがない高齢者もいる。男性の死は、親とは何かということを考えるきっかけを与えてくれた。

家族の形は人それぞれだ。他人のような家族もいるし、家族がいても孤独な人もいる。家族とは決して一枚岩ではない。そして、その関わり方に正解なんて、ない。正解を求めたり、常識に縛られるから、辛い。家族にはコインのように裏と表があって、自分だけでなく、みんなどこかしら歪《ゆが》んでいる。そんな当たり前の事実に気がついた時に、ふっと肩の力が抜けた。

数日前、母の入居する施設の職員から電話があった。母親が施設でトラブルを起こし、ここから出たいと言っている——。またか、と思った。しかし、かつての自分のように動揺することはなかった。

「好きにさせてあげてください。母は母の人生だから」

気がつくと、そう返答している自分がいた。親は親の人生だ。だから、好きにすればいい。母に自分が振り回されることはない。そんな自分を受け入れた時に、途端に気持ちが楽になった。母親としてではなく、一人の人間、違う命として客観的に見ること——。母親という呪縛を何よりも自分の心の中から、消し去るということ。母を他者として切り離して俯瞰《ふかん》で見ると、そこには生きづらそうにしている一人の高齢の女性がただ、立ちすくんでいただけだった。

「これからの時代、私みたいに親と関わりたくないという考え方の人が増えてくると思う。だけど現実問題として、親子の縁はなかなか切れない。でもやりたくないことは親子でも、やらないほうがいい。無理なんだもん。鬼とか酷《ひど》いとか言われても、自分の気持ちに正直なほうがいい。母は母の人生で私の人生ではないから」

そう思うようになってから、母のことを一歩引いた目線で見られるようになった。擦り切れるほどにボロボロだった精神の安定も、少しずつ取り戻している。

「私の家族は何かが欠落していたと思うの。母親のことを見るのは子供の私しかいない。だけど会わなくて済むなら、二度と会わなくていい。それで私は後悔しないと思う。母が亡くなったら、最低限のことはやる。

だけど、やっと逝ってくれたかと思って死んでも泣かないと思うね。何もしてあげられなくてごめんね。でも、近づくと傷つくから近づけなかったんだよ。すごく傷つくから嫌で近寄りたくなかったけど、今は感謝してるよ。この世に出してくれてありがとねって」

ヤマアラシのジレンマという寓話《ぐうわ》がある。鋭い針を持ったヤマアラシは、たがいに寄り添おうとすると自分の針毛で相手を傷つけてしまうため、近づけない。だから離れていなければならない。近づくと傷つくなら、自分なりの距離の取り方を見つければいい。世間の常識に縛られて、これまではそれが難しかった。だけど、今はそうじゃない。

幸子は、長年ヤマアラシのジレンマに苛《さいな》まれながら、ようやくその適切な距離を見つけたのだった。幸子は、これまで押し殺してきた本音を今は大切にすることにしている。そして何より自分の人生を最優先に置くことで、一人の人間として、一人の老いた大人として、母親と向き合うことにしたのだった。

第二章　捨てられた家族の行方

ゴミ屋敷の中で餓死寸前の42歳女性

社会という泥沼に足を取られている。足を必死にバタつかせるが、その水は漆黒で底がなく、恐ろしいほどに深い。手や足を使って泳げど泳げど、決して岸にたどり着くことはない。そのうち疲れ果てて、足をバタつかせることすら困難になる。そして、徐々に溺《おぼ》れていく自分を俯瞰《ふかん》で見るしかなくなる。一度足をすくわれると、二度と戻ることはできない——。それは私がこれまでの取材で感じたセルフネグレクトの正体だ。

セルフネグレクトとは、部屋がとてつもないゴミ屋敷だったり、世話ができないほどの大量の犬や猫を飼っていたり、アルコール依存や偏った食生活を送る行為のことを指す。

このセルフネグレクトの末の孤独死が近年、急増している。セルフネグレクト（自己放任）とは、緩やかな自殺だ。

そして、より深刻なのは高齢者ではなく介護保険や地域の見守りなどから外れた65歳未満の現役世代だ。今、この社会で何が起こっているのか。

2019年の7月下旬——、私は、そんなセルフネグレクトに陥ってしまった女性に会うべく、成田発長崎行きの飛行機に乗っていた。

この日の東京の天候は晴天だった。上空ではふわふわとした、綿あめのような雲がブルーグリーンの空に切れ目なく浮かんでいる。そんな雲に目をやりながら、これから会う「彼女」に思いをふと馳《は》せた。

思えば彼女から連絡が来たのは、２０１９年の春のことだった。その女性、佐藤美緒《さとうみお》（仮名・42歳）は、私が書いたセルフネグレクトの記事を見て、Twitter のダイレクトメッセージから連絡をしてきたのである。そこには自分も部屋がゴミ屋敷であり、そして孤独死するのではないかという不安がつづられていた。

彼女のメールの文面は、最初のころは自己紹介から始まり、自分の生い立ちやかつての職場のことなどがとめどなく書かれていた。以前は正社員として、サービス関連の会社で働いていたが、精神的に病んでしまい、現在傷病手当金をもらっていること。猫と暮らしていて、部屋を片付けたいと思っていること。

しかし、夏が近くなり数カ月が経ったころ、彼女の文面に徐々に余裕がなくなってきた。

今月は傷病手当金を受け取る手続きに行く体力さえなくお金が尽きてしまい、この夏の暑さをしのげるか不安だということ。そしてついには、先日「もう三日間、何も食べていないんです」と命の危機を訴えるようになってきた。その後、彼女と電話で話したが、ゴミ屋敷の中に迫りくる暑さと飢えという二重苦で、「命」に関わる切実な事態だということが伝わってきた。彼女は、自分がそんな危機的な状況なのに、「私の体ってもしかしたら、臭うかもしれない。それでも大丈夫ですか。会ってもらえますか」と、私のことを心配しているのがやけに印象に残った。

彼女からのSOSを感じた私は、第一章でも取り上げた終活サポート団体、LMNの遠藤《えんどう》に声をかけた。遠藤なら、生活支援のNPO団体や行政機関とのネットワークもあり、彼女の助けになることができるかもしれない、そう感じたからだ。遠藤は、ちょうど仕事で長崎に向かう用事もあり、すぐに快諾してくれた。

私と遠藤は、数日後、成田からの飛行機で長崎空港に降り立った。空港に着いた途端、肌を突き刺すような暴力的な太陽の洗礼を受けた。肌から無数の汗が噴き出すのがわかる。

長崎県は、広島と並ぶ被ばく県である。その爆心地は現在整備されて巨大な公園に姿を変え、生まれ変わっている。そんな悲しい歴史を持つ長崎県の某所に、彼女の住むアパートがあった。近くのファミレスで待ち合わせると、黒い帽子を深くかぶった美緒と思《おぼ》しき女性が現れた。

美緒はロングヘアーで口にはマスクをして、帽子を深くかぶり、顔を隠している。その体は、服の上からもわかるほど、骨ばっている。まるで骸骨《がいこつ》のような美緒の姿に、私も遠藤も息を呑《の》んだ。しかし、その緊張を悟られないように私は必死に表情を取り繕った。美緒はそんな私の様子を気に掛けることもない様子だった。

「本当にうちの中は汚いんですけど、隠しても仕方ないので、それでも良かったら家にきてください」

美緒は、少し諦《あきら》めたかのような笑みを浮かべて、アパートへと案内してくれた。

コンビニの冷凍ペットボトルが生命線

薄暗いアパートの角部屋――。そこが美緒の住まいだった。錆《さ》びた鉄製のドアを開けると、すぐに見えたのは、２メートルほどもあるゴミの山だった。ビニール袋に入った色とりどりのゴミは、六畳の居室の壁をまるで城壁のように覆っていた。

「この前は、お金が尽きて、三日間ご飯を食べれなかったんです。スポーツドリンクとか麦茶があったので、何とか我慢しようと思ってた。でも三日目はやばかったんです。頭に血が上らなくて、変な頭痛がガンガンして、熱中症みたいになった。コンビニに歩いていくだけでもフーフーと息切れしたんです。それでも生きようと思った。

今のまんまやったら、ただでさえ色んな人に迷惑かかるし、部屋は汚いし。でも、何とか復活しました。毎日本当に暑いんです。角部屋なので日光が暑くてあぁもうだめだと。でも頑張ろうと思ったんです」

すえたカビとも生ゴミともつかない腐敗臭が、ドアの向こうからむわっとした熱気とともに、凄《すさ》まじい勢いで押し寄せてくる。思わず吐き気をもよおしてむせてしまう。とてつもない臭気であった。室内は40度を下らないだろう。その場にわずか30秒立っていただけで、滝のような汗が毛穴という毛穴から噴き出てくるのがわかった。

その奥で、キジトラの猫が目を大きくして、「にゃー」とゴミの上から顔を出した。

「まるちゃん、帰ってきたよ」

美緒が声をかける。まるちゃんは、私の姿を見ると初めて見る他人の姿におびえたのだろう、奥のゴミの中に姿をサッと隠した。

廊下は、60センチほどのペットボトルの層が積み重なっていて、もはや土間との境目はわからなくなっている。私がたじろいでいると、美緒は慣れた様子で土足でそのゴミの山を文字通り、登っていく。手前には小さな土間があり、1メートルほどの廊下の右手に小さなキッチンのシンクが見えた。そして左手にはユニットバス、奥には六畳の畳という一般的なワンルームの間取りだ。キッチンの真横には、何年も開けていないであろうどす黒く変色した冷蔵庫が置かれている。

しかし、シンクや冷蔵庫の上も、幾層ものペットボトルで埋もれていて、蛇口を捻《ひね》ることすら不可能なのがわかった。なぜ、こんなに大量にペットボトルがあるのか、美緒に尋ねると、すぐに答えが返ってきた。

「夏場は暑いからこれで体を冷やすんですよ。近所のコンビニで冷凍のペットボトルは毎日三本買うんです。これがないと部屋に暑くて入れないから。一本150円くらいかな。毎日お弁当を一個と、おにぎり二個を買うんです」

確かに、この室温ではまともに部屋にいることはできない。ペットボトルの山は、美緒にとって命を繋《つな》いだ証《あかし》そのものだった。

左手のユニットバスのドアに目をやると、美緒が教えてくれた。

「お風呂場《ふろば》は使えないから、ウエットティッシュで体を拭《ふ》くんです。正直、いつもこの部屋に帰ったら全身血の気が引くんです。だけど、辛《つら》いけどここで生活するしかない。全部、自分でやったことだから。ペットボトルは氷が溶けて冷たくなったら買いに行くんです。

そうしないと、汗かいて起きちゃう。体を冷やすために一日三回くらいコンビニに行ってる。暑くなって耐えられなかったら、一本買う。体の前と後ろを冷やすんです。じゃないと、体が火照るから」

美緒は、どこか困ったような全てを突き放したような表情で私に笑いかけた。もうここで死んでも仕方ないのかもしれない——彼女は全てを手放そうとしているように、私には見えた。

ゴミに埋もれたスーツが物語る心の闇

一歩、また一歩と慎重に歩みを進める度に、丸形のペットボトルが押しつぶされてキューキューという窮屈な音を立てる。私は彼女に促されるままに、慎重に歩みを進めていく。たった六畳一間のワンルームが、一歩足を踏み外せば、骨折しかねないほどに危険なジャングルのような様相を呈していた。ペットボトルはどれも５００ミリのもので、その多くは近くのコンビニで買ったどこにでもある麦茶や緑茶だった。麦茶の茶色のパッケージと緑茶の緑色の色彩が目につく。これらは、確かに美緒が夏場に日々の命を繋ぐためのものだ。

しかし、ペットボトルが部屋に積み重なれば、ゴミは熱を持ちさらにそれが美緒の体力をいやおうなしに奪っていく。そして、結果的に美緒の命は危機にさらされることになる。そんな悪循環を思うと、思わず私は胸が締めつけられる思いがした。

奥は、さらにとてつもない生臭さと熱と湿り気を帯びて、過酷な環境だった。居室に進むにつれて、コンビニのゴミ袋が山のように積まれているのに気がついた。中身はお弁当の空のプラスチックだ。ゴミの層は、徐々に居室に近づくほど分厚くなり、2メートル以上ある部屋の壁の上部スレスレまでゴミの山で溢《あふ》れている。ゴミの山はその中心にくぼみがあり、なだらかな傾斜を描いていた。

中央のすり鉢状に丸くくぼんだ部分に、青色の毛布が敷いてあり、美緒とまるちゃんはそこで毎日寝起きしていると教えてくれた。まるちゃんがいつでも餌を食べられるように、カリカリが毛布の横にアルミのボウルに入って、置かれていた。

とてつもない灼熱《しやくねつ》地獄の中で、ゴミに囲まれ、胎児のように丸まって、美緒と1匹の猫は一日一日命を繋いでいた。

よく目をこらすと、美緒が働いていた時代を髣髴《ほうふつ》とさせるものがあった。ホコリを被《かぶ》った窓のカーテンレールには、黒やグレー、チェックのスーツが十着ほど無造作にハンガーで吊《つ》るされていた。しかし、そのスーツたちをも、ゴミの山が今にも侵食しようとしていた。黒ずんだ蛍光灯に照らされた2メートルをも超えるゴミの山は、今にも美緒の命を奪おうとする雪崩のようだった。ゴミに埋もれて窓を開けることができないため、暑さと凄まじい湿気で思わず眩暈《めまい》がしそうになる。どんな熱帯よりも過酷な環境で、美緒はたった一人ただ寝起きし、一日一日を命がけで生きているのだった。上部にはエアコンが見えるが、真っ黒で壊れているように見えた。エアコンのことに触れると、美緒はこれまでに抱えていた思いの丈を吐き出すかのようにしゃべりだした。

「去年はエアコンなくても、生きていけるかなと思っていたけど、ギリギリでした。あぁ死んでしまうと思った瞬間もある。ここは、刑務所みたいなものです。下りっぱなしのジェットコースターに乗ってるみたいで部屋にいても、ずっと緊張しているんです。部屋を見ると落ち込んでよく泣くんです。

ただ、何とか生きてるので生かされてることに感謝しています。よく考えたら私って今まで人に頼ったことないんですよ。親にも頼ったことなくて、なんでも一人でしてきたので、今回も一人でできると思ったらできなくてパンクしたんです」

美緒が一瞬瞳《ひとみ》を潤ませた気がした。

今にも崩れ落ちそうな美緒が、最後の最後に私に助けを求めてくれたことが、何よりも私は嬉《うれ》しかった。

借金苦に拍車をかけた妹の孤独死

美緒はどんな人生を送ってきたのだろうか。ここまでのゴミ屋敷、セルフネグレクトに陥るまでに、美緒の人生にはいったいどんなことが待ち受けていたのだろう。

美緒は、大工の父親と清掃員の母親の間に二人姉妹の長女として生まれた。しかし、父親の仕事が減り借金が増え、両親は美緒が小学三年生の時に離婚。美緒と妹は母親に引き取られ、母子家庭となった。美緒は、長崎市内の高校を卒業すると、地元のサービス関係の企業に正社員として勤めるようになる。入社した理由は寮があったからだ。家にいる母親とは折り合いが悪く、一人暮らしがしたかった。それが現在の会社だ。

入社後、配属になったのは接客部門で、そこは12年ほど勤めた。その後、営業職に異動になった。朝9時から夜11時まで、３６５日休みなく働いていた。

ある日、母親から電話があった。妹が孤独死していたということだった。妹は亡くなる当日の朝、母親に助けを求めていた。「お金がないから、送って欲しい」

母親が2万円送金したが、時すでに遅かった。妹の部屋は、電気も水道も止められていて、胃の中が空っぽだった。外傷はなかったため、妹は餓死したのだろうと美緒は感じた。

妹の死がきっかけとなり、母親は次第におかしくなっていった。

「妹が死んだのはお前のせいだ！　死んでしまえ！　なんで私がこんなに苦労せんといけんとね！」

母親は、美緒を罵倒《ばとう》するようになり、美緒を責め立てた。

そのうち母親は美緒の職場にも電話をかけてくるようになった。職場で母親の番号は着信拒否したものの、何をするかわからないため、自分が母親のサンドバッグになるしかなかった。そんな母親の言葉は、ジワジワと美緒を追い詰め自らをもむしばんでいく。

なぜ、妹は孤独死してしまったのだろう。妹の死因は何なのだろう。私にも、ちょっとできることがあったかもしれない。もっと話しておけば良かったな。助けてあげられなくてごめんね――。

美緒は妹の死をきっかけに、自分の将来についても漠然とした不安を抱えるようになった。独身で、結婚もしていない。私の将来はいったいどうなるのだろう――。そんなあてのない疑問の答えを求めるように、ネットで探した占い師に電話をかけるようになったのは、５年ほど前のことだ。同時期に部署の異動があり、３６５日出勤から一転、週休二日となり、ハードワークから解放されることになった。しかし美緒はその時間を持て余し、そのあいた時間が重く伸《の》し掛かってくるようになる。

課金制の占いは、そんな見たくない現実からの唯一の逃避方法だった。

給料は多いときは額面で月35万円ほどあったが、そのほとんどが占いで消えていくようになる。寂しい心を、ただ誰かに聞いて欲しかった。

「占いにハマったのは、暇で寂しかったから。妹のことも知りたかった。暇な時間は、本当に辛かった。だけど占いの先生には、家に帰ってから夜中とか寝る前に話を聞いてもらえる。それが大きかった。ただそれだけ。占い師は、悪いことは言わないし、妹のことも、自分が気にすることはないよと言ってくれた。

ハマった理由は、誰かに話したかったからだと思う。これまで誰も私の話を聞いてくれる人がいなかったから。占いが当たるからというわけじゃない。ただ聞いて欲しかった。自分はこれからどうなるのか。どんな人生を送るのか。人に相談や悩みを聞いてもらったことがなかったので、手っ取り早く話を聞いてもらえて嬉しかったんだと思う」

一回1時間4万円近くが占いで消えていった。占い師は、毎回担当が変わってその度に自分の話を一から聞いてもらえる。美緒にとって占いは、心の隙間を埋めるために必要な日常となった。土日は、寝ているか、パチンコか、占いか。その三択しかない。

カードローンでまとまったお金を借りて、そして、また手持無沙汰《ぶさた》な時間ができると、占いに電話する。その悪循環から抜け出すことができなかった。そうでもしないと、時間という重圧が重く伸し掛かってくるのだった。最初は、食費などの生活費をギリギリまで削って、給料の大部分を占いに回していた。しかし、それだけでは空虚な時間を埋めることはできなかった。しまいには、消費者金融やカードローンに次々に手を出し多重債務が雪だるま式に増えていく。

気がつくと、借金は300万近くまで膨れ上がっていた。

全ては、寂しい、そして、誰かとつながりたい、誰かに自分の話を聞いて欲しい——という寂寥感《せきりょうかん》、そしてどこにも行き場のない、ぶつけようもない感情から来たものだった。

それでも働いているうちはまだ良かった。しかし、ある日職場でも大きな壁にぶつかってしまう。

美緒は心優しい性格だった。パワハラを受けた新入社員の相談を受けて、会社のホットラインに通報したが、それがあだとなり報復人事で経理に左遷。営業畑の美緒にとって経理の仕事は全く勝手がわからず、心が折れてしまう。そして、次第に会社から足が遠のいていった。

それから傷病手当金をもらって生活するようになるが、あっという間に一年間が経過していた。借金と、ゴミ屋敷だけが、美緒に残った。

美緒がマスクや帽子で顔を隠すようになったのは、会社に行かなくなってしばらくしてからだ。一度、道端で同僚とすれ違った時に、涙が止まらなかった。

みじめで、自分に対しての悔しさが溢れてきた――。

そこからは自室にひきこもるようになり、昼間は寝て、誰とも会わない夜に活動するようになった。いつか出そうと思ったゴミも出す気力が失われていく。そして、今の惨状になってしまった。しかし、そんな生活から抜け出したいと思っているのも事実なのだ。

親との確執とゴミ屋敷

翌日の早朝。美緒と私と遠藤はこれからのことを考えるために、美緒の近所のファミレスで会うことになっていた。遠藤は、かつては自らも生活保護を受けていた経験があり、様々な支援を行うネットワークに通じている。そして、心優しく経験豊富な遠藤は、美緒にきっと寄り添ってくれるはずだ。私は何とか遠藤が今の美緒の状況を改善する道筋を作ってくれるのではないかと期待していた。

7月の長崎は灼熱地獄だ。エアコンの壊れた窓の開かない、刑務所よりも過酷な部屋の中で、冷凍ペットボトルの麦茶三本だけが命をただ繋ぐ生命線となっている。そんな今の状況を少しでも改善するにはどうすればいいのだろうか。

朝のファミレスは人影がない。美緒が時間通りにやってきたので、私たちは、それぞれウエイトレスに朝食の注文をした。遠藤は美緒に向き合って、こう切り出した。

「私たちは主に高齢者のサポートをやっている民間団体なんですよ。ただ美緒さんのように、若くて困っていたり悩みを抱えている人のサポートもできるので、力になれればと思うのです」

美緒は遠藤の言葉に静かに耳を傾けている。そしてゆっくりとこう返した。

「私、今この瞬間にも生きてるのが、自分でも不思議なんです。三日間、何も食べなかったときは辛かった。食べなくても大丈夫かなと思ってたんです。スポーツドリンクとか麦茶があったので、何とか我慢しようと思ってた。

だけど、三日目からやばくなってきた。頭に血が上らなくなって、変な頭痛がガンガンして、すごく重くなったんです。時たま、もう死ぬかもしれないと思うんですよね。冷静にやばい、このままだと死ぬって」

　私は前日訪れた、美緒が住むゴミ屋敷を思い浮かべた。40度以上あるであろう灼熱地獄の中、一瞬で、立ち眩《くら》みがしそうになった。あんな環境では食欲だけでなく生きる気力さえも奪われて当然だった。美緒は、やや高揚した様子で言葉を続けた。

「死にそうになった時、コンビニで、何とかアイスクリームとデカビタCを買ったんです。とりあえず飲んどこうと思った。元々消化は弱いけんが。そしたら、体のきつさが取れたんです。なんか冷たいものを食べたくなってコンビニで冷麺《れいめん》を買って、何とか今生きてます」

　美緒にとっては、今命があることが奇跡なのだ。遠藤はそんな美緒のペースに合わせながら、時たま頷《うなず》き、美緒の願いを聞き出していく。

「これまでとても大変でしたね。美緒さんが今一番やりたいことはなんですか」

　やりたいことは、一つだ。美緒の心は決まっていたようだ。

「お片付けです。部屋を片付けて、家でご飯を炊いて食べたいです。贅沢《ぜいたく》はいらない。自炊して、そして、借金の支払いも滞っているところに電話してどうにかしたいんです」

　ウエイトレスが次々に湯気の立った朝食を運んできた。すると美緒はフォークとナイフを握り、凄まじい勢いで、ホットケーキを食べ、飲み物を飲んだ。まるで、それはアフリカの骨ばった子供が、手づかみで栄養を補給しようとするような命に関わる性急さだった。私は、こんな食べ方をする人を今までの人生で初めて見た。そして、心がぎゅっと縮み上がり、締めつけられるのを感じた。必死に細い命の灯火《ともしび》を灯し続けてきた、体力の失われた彼女の体は、今切実にカロリーを必要としていた。これだけものが溢れる社会で、餓死寸前の女性がいることを目の当たりにして、私は息を呑んだ。

遠藤は、そんな彼女の様子に気を配りながら、話を進めていく。

「今は働くことよりも美緒さんの生活が大事なときです。まずは、ご飯を食べること。一番は生きていくこと。それを優先にしましょう」

「そうですね。お部屋を片付けて、ご飯を食べて、体重を増やしたい」

「お部屋を片付けた後のことも考えてみましょう。冷蔵庫は使える？」

「使えない。ゴミがたまり始めたのは、冷蔵庫が壊れてからなんですよ。冷蔵庫が壊れて冷えなくなって。あれ？　と。買い替えるのはめんどくさいなと思って。それで外食が増えたんです」

「冷蔵庫がないと自炊ができないから、また同じになっちゃうかもしれない。あと、洗濯

美緒の居室。この六畳の中央がささやかな寝床となっている。梅雨から夏にかけて、室内の暑さは凄まじく、常に死の危険と隣り合わせだった。

機は使えそう？」

「大丈夫です。でも使える状態じゃないかも。外にあるのでわからない。あと、エアコンは壊れてる」

遠藤は彼女の様子に気を配りながら、さらに優しく話を進めていく。

「じゃあ、エアコンと冷蔵庫をどうにかしないとね。お片付けの件は、力になれると思います。今は働くよりも体を休める時期だと思うんです。会社を辞めるなら、社労士か弁護士を立てて間に入ってもらって一度身辺を整理したほうがいい。お片付けをして、生活保護を受けたほうがいいでしょう。

美緒さんの現状を見ていると、働くのはまだその後です。他の地域に移って心機一転するのもいいと思いますよ。私の知り合いの神奈川県のＮＰＯ団体がシェルターを持っているから、協力してもらうこともできるし、思い切って長崎から出てみるのはどうですか？」

「環境を変えるのは、少し自分でも考えたんです。特にこの地域に未練もないですし。部屋が片付いたらそれも考えたいですね」

美緒は遠藤の提案に嬉しそうに眼を輝かせた。

「そういえば私こんなにいっぱい人と話すの、久しぶりなんですよ」

氷のように冷え切っていた美緒の心が徐々に遠藤によって溶かされていくのがわかった。

美緒はたった一人で、母親や妹に対する苦しみを抱え、ゴミ屋敷の中で命尽きようとしていた。美緒がこれまで一人で抱えてきた孤独を感じると、私はいたたまれなくなった。

だけど、人は一人では生きていけない。

命の灯が消えそうでも踏ん張っていた理由

そんな美緒の支えになるのは、親や親族ではないのかもしれない。もしかしたら、それは遠藤のような同じ痛みを抱えた経験のある他者の存在かもしれないのだ。美緒は、遠藤に自らの葛藤《かっとう》する胸の内を打ち明けた。

「これまでの人生で、時間の使い方を間違えたなと思うんです。そのせいで、色んな人に迷惑かけてしまったという罪悪感が強くある。一番は会社ですね。ゴミ屋敷になって、迷惑をかけている人の範囲がどんどん増えてる。だけど、切羽詰まって自分ではどうにもならなくなっていた」

美緒はこれまでの自分を悔いていた。仕事を休んで半年ほど経ってから、右腕が上がらなくなっていった。寝ていても目が覚めるほどに痛くて、90度以上は上に上げることができない。そのため、上に置いたゴミを取ることができなくなり、一人での片付けは日に日に難しくなっている。

傷病手当金の申請に行く体力がなくなり、食べるものがなくなった。44キロあった体重は33キロまで落ちた。ギリギリのところで何とか踏ん張っている。月20万ほどの傷病手当金は、家賃と借金の返済で消えていく。水道と電気は振込で支払っているものの、ガスは止められたままだ。それでもまだ働ける、私はまだやれる、そんな思いが美緒を追い詰めていた。そんな凝り固まった美緒の心を遠藤がほぐしていく。

「美緒さんは、性格が真面目だからね。だけど無理しなくていい」

「無理しなくてもいいですか。私、ハローワークに電話しましたもん。自分ではまだやれるんじゃないかと思っているんです。職場復帰したいという願望はあるけど、そこから進まない。きついですね。この状況から逃げたい逃げたいと思う。孤独死するのかなと思ったら、怖いなと思った。ただもう戻れない、もう働くのは無理ということが、どっかでわかってる自分もいるんです」

ゴミに埋もれて、このまま死んでしまうのではないか。そんな不安は、常に美緒の頭から離れなかった。だけど、まだやれる、というギリギリのプライドにしがみついていた。そうでないと、社会から必要とされていないような気がして怖かった。だけど、どこかでもう無理だと体が悲鳴を上げていた。遠藤はそんな美緒に、もう頑張る必要はないと諭す。

「美緒さんは真面目だから。これ以上、頑張っちゃダメだよ」

「一人で頑張ろうと思ってた」

「もう、頑張らなくていい。頑張る必要はないよ」

「そう、ですか。ひきこもるようになって、1年以上を無駄にしたなと思うんです。一日一袋だけでもゴミを出せていたら、どんなに減ってただろうと考えたりもする。いろんな人に迷惑をかけることもなかったし、命にかかわるようなことにもならなかった。毎日それればっかりなんですよ。後悔ばっかり」

遠藤はそんな葛藤を口にする美緒に粘り強く畳みかけていく。

「後悔なんてしなくていい。でもこのままいったらもっと人に迷惑がかかる。管理会社も今のお部屋で美緒さんが亡くなったら貸せなくなっちゃう。それを考えたら今こうやって自分のことをさらけ出したってことは素晴らしいこと。後悔することでもなんでもないよ」

遠藤は、美緒のような境遇の人をサポートしてくれるＮＰＯ団体があること、今すぐにでもそこで生活を立て直すことも可能であること、そして、借金やこれからのことを相談できる弁護士や社労士もいるということなどを優しく諭すように説明する。

遠藤の知られざる過去と恩送り

実は遠藤も美緒と同じような体験をしたことがある。遠藤は、32歳の時に広告代理店を起こしたものの、事業に失敗し、自己破産したのだ。従業員に給料を払えなくなり、闇金から金を借りたこともあった。危機的な状況に陥っていたにもかかわらず、そんな現実から目を背けて、一口２００円の「ロト６」に、全財産を賭《か》けた日々もあった。

しかし、そんな生活から遠藤を救い出したのも、また人であった。行政に紹介されたＮＰＯ団体の人間が遠藤が陥っている状況を客観的に分析したことで、吹っ切れた。そして、自己破産を選択し、生活保護を受ける決意ができた。

遠藤は、現在は保護から抜けて、困った人をサポートする側に回っている。だから、何とか一人でその状況を立て直そうともがく美緒の気持ちが痛いほどにわかった。人は人を頼らないと立ち行かないときもある。

恩送り――、という言葉がある。人から人へ恩を紡いでいくこと。その循環の中で今生かされていることを遠藤は知っていたのだった。遠藤はかつての自分の過去を包み隠さず、美緒に話して聞かせた。美緒はそんな遠藤の言葉に真剣に耳を傾けていた。

「私も同じような体験をしているから、美緒さんの気持ちはわかる。現実にはこういう人はいっぱいいるんですよ。でもほとんどの人がSOSは出さない。それで美緒さんみたいに、病気になって雪崩方式で働けなくなる。そういうときは遠慮せず、誰かに頼っていい」

「助けを求めるのが、遅かったですね」

「遅い早いではなくてタイミングなんだと思う。助けを求めたことで前に進むから、それでいい。決してプラスではないけど、ゼロから進む。ゼロでいい。今はゼロよりも悪い環境だから、そこからは抜け出さないとね」

「そうですね。自分でどうにかせんばいかんけど、どうにもできない自分がおった。本当にこんなになるとは思ってなかった。いつかは大丈夫だろうって。本当はきれいなお布団で寝たいし、きちんと自炊もしたい……」

美緒は腹の底からふり絞るような声で自分の本心を伝えた。この状態が良いと思っているわけじゃない。だけど、自分ではどうしようもできない、だから、助けて欲しい。美緒は遠藤に救いを求めた。そんな美緒に対して、遠藤はかつての自分の幻影を見たのか、目を細めて穏やかな目線を送った。

「大丈夫。今こうやって自分のことをさらけ出したことは後悔することでもなんでもない。美緒さんはすごく真面目だから、全部自分一人で抱え込もうとするんだと思う。もっと人に頼ってもいい。人を頼ることで何とかなることも多いから、きっと大丈夫。自分で抱え込むより、元気になったときに、あのときみんなが助けてくれたと思いかえすことのほうが大事だよ」

「そうですね。今までもう疲れた、このまま死んでもいいかなと思っていた。仕事でも助けてくださいといったことはないんです。今回の件で初めて人を頼ったんです」

人生のどん底を垣間《かいま》見てきた男の言葉は重みがある。そして、そんな遠藤の言葉に美緒は、安心した表情を見せた。少しずつ、そして確実に美緒は遠藤に信頼を寄せつつあった。

「今の状態からでもやり直せるのかな。今でもまだ間に合うとやろうか？　私まだやり直せますか？」

遠藤は美緒の目を見て、力強く頷く。美緒の顔に初めて笑みが浮かび、表情が明るくなる。誰もいなかったファミレスはお昼時となり、いつしか人が溢れている。美緒は、他者の手を借りて、少しずつこの状況から前へ前へと歩みを進めようとしていた。

ゴミ屋敷の中で命をつなぐ日々

それにしてもこれだけ豊かになった日本で、古ぼけたアパートの小さな一室の中、今にも命を落としかけていた女性がいる。そんなことを、誰が想像するだろうか――。私は長崎からの帰り道、ぼんやりとそんなことを考えていた。

別れの際に、美緒が語ってくれた夢がある。

「いつかこういう状況から抜け出したらボランティアをしたい。罪滅ぼしじゃないけど、誰かに恩返ししたいな。自分の問題でこれだけ人に迷惑をかけて、何かしないと落ち着かないんです。自分への罪滅ぼしだと思う」

私はそんな美緒の姿が素直に嬉しかった。いつか、美緒も遠藤のように、困った誰かを助ける側になるかもしれない。

美緒の部屋は3週間後に、掃除業者が入った。そして、7月のうちに部屋にあった全てのゴミを撤去。ゴミの量は二トントラック四台分となった。美緒はその後も遠藤と連絡を取り続けている。現在は遠藤の勧め通り、生活保護を受けて生活している。そして、まるちゃんとともに、平穏な生活を取り戻しつつある。

美緒は外部に助けを求めたことで、遠藤とつながり、命をつなぐことができた。しかし、それは稀有《けう》なケースに過ぎない。セルフネグレクトの多くが孤独死という結末を迎えているからだ。誰にも助けを求めることができずに、孤独死してしまう人たちがこの国には今この瞬間もいる。２０１９年、江東区《こうとう》で、高齢の兄弟が食べ物もなくなり、困窮死したとＮＨＫが報じた。行政は、その存在さえも把握していなかった。この兄弟のような人たちは日本中に無数にいて、今この瞬間も、生きるか死ぬかの瀬戸際に立たされている。

セルフネグレクトに陥ったときに、周囲に助けを求めることの大切さを美緒は、身をもって教えてくれたのだった。

セルフネグレクトで死にかけた男性

セルフネグレクトから孤独死という道を辿《たど》るのは圧倒的に男性が多い。現に男性は孤独死の８割を占める。

なぜ、男性は女性と違って、窮地に陥ってもなかなか助けを求められないのだろうか。

孤独死の取材をしていると、その属性が見えてくる。その半数近くに、配偶者との離婚や死別の経験があるからだ。男性は配偶者との別れによって、その孤独感からアルコールに走ったり、食生活が不摂生になるなどして、身を持ち崩してしまう。そして、定年退職したり、ケガや病気などに陥ると、社会との接点を失い、一気に孤立化しやすい。家族に遺棄された男性は、セルフネグレクトからの孤独死という道を辿ってしまうわけだ。

「セルフネグレクトになったときに、このまま死んじゃうのは怖くないんじゃないかと思ったの。死ぬか生きるかは通常は大きな壁があるような気がするじゃない。でも、実際になってみると、地続きで境はなかった。死ぬのは簡単で、このままベッドに寝ていて、何もしなかったら、命は終わっちゃうんだなって初めて思ったの」

そう語るのは、埼玉県で内装業を営む佐野聡《さのさとし》（仮名・67歳）である。聡は、セルフネグレクト状態から命からがら復活したたぐいまれな男性の一人である。

いわゆる一般的な60代の男性である聡の身に何が起こったのか、その経験を振り返ってもらった。

聡は50代の頃、性格の不一致から妻と離婚した。離婚後、聡は実家で母親と二人で暮らすようになった。しかし、その母親も2年前に特別養護老人ホームに入所、一人暮らしが始まった。息子が一人いるが、すでに独立している。

異変が起きたのは1年前だ。きっかけはふとした体調の変化だった。昔から便秘体質で腸が弱かったが、突然、昼も夜も関係なく、大便を漏らすという状態が続いた。肛門《こうもん》科を三軒回ったが、薬を飲んでも改善しない。

聡はこれは、何とかしなくては——と焦るようになる。内装業なので、出先での仕事もあるし、そこで漏らすわけにはいかない。

「赤ちゃんのおしりふきとか、おねしょシーツとか買ったの。だけどそのうち、ベッドから立ち上がるのも力が入らなくて無理になってきた。自分でわかるの。やっちゃった、と。奥さんがいれば良かったなとあの時は思ったね」

しかし、体調の変化はそれだけではなかった。そのうち、食べ物を見るだけでも吐き気がするようになっていったのだ。80キロあった体重は55キロまで瘦《や》せて、見る見るうちに頰がこけていくのがわかった。

精神的なストレスなのかもしれないと感じて、心療内科にも相談に行った。医師からはノイローゼだと診断されて、抗うつ剤を処方された。しかし、症状が改善するどころか、薬のせいか意識を失うように夜眠りこけるようになり、怖くなって二回ほど行っただけですぐに行くのをやめた。

そのうち、栄養失調からか幻覚を見るようになる。ベッドで寝ているはずなのに、京浜東北線のアナウンスが聞こえる。なぜだろう——と思った。そのうち、郵便を出しに20 0メートル先のポストに歩くことさえ苦しく、息が切れて難しくなる。

「例えばサラリーマンは病気とかで会社に行けなくなると、社会からはじかれて孤立するしかない。俺は自営業だったけど、まさにそれと一緒。さらに一人暮らしだと、誰か訪ねてきてくれる人がいないと、孤立しちゃう。孤独死と紙一重だからね。本当はこんなに便にまみれるんじゃなくて、きれいに生きたいと頭では思っているの。しっかりしろよと自分でいってるけど、無理だった」

さすがに大便の垂れ流しはまずいと思って、近所のドラッグストアに、大人用のおむつを買いに行った。ヨロヨロとふらつく自分を不憫《ふびん》に思ったのか、店員が車までおむつを運んでくれた。いつから、自分はこんなに弱くなったのだろう——と感じた。

60代でおむつをしている自分は、とにかく屈辱的だった。70歳や80歳のじいさんじゃあるまいし——、そんな男としての沽券《こけん》、プライドが益々聡を追い詰めていった。

屈辱的だったおむつ装着と近隣の目

近隣の目も気になった。あそこの家の男性は、ゴミにおむつを大量に出している——。透明のビニール袋を見た近所の住民にそう言われることを考えると、恥ずかしくてゴミを出すことができなくなった。そのため、家の中は、廊下に便にまみれた使用済みおむつが積み重なり、凄まじい臭いを放つようになっていく。

「まず、医者を信用してないんだよね。行ってもどうせ治らないと思っていた。体重が減って、気力がなくなる。医者に電話すると診察に来てくれと言われるけど、行っても治るわけない。外来に行くパワーがないんだよね。そうするともう生きるという意思がなくなっていくの。

自分で医者に行くことはできないし、携帯で電話することもなかった。電話する気力もなくて、声も小さくなる。生きることを徐々に諦めるんだと思う。おむつしていたり、垂れ流しの生活が続くと、やっぱりどんどん生気が失われていったの」

もしこの世に神様仏様がいたとして、ふと見限られると自分の命は終わっちゃうかもしれない。だけど、もうそれでもいいや、と諦めるようになっていった。

朝から晩までベッドで寝て過ごした。コンビニやドラッグストアで買ってきた缶詰やレトルトカレーを食べて、何とか毎日過ごした。

聡は昔から仕事仲間には恵まれていた。内装作業は、同業の仲間たちでチームを組み、手分けして仕事することも多い。聡は、仕事の依頼があると仕事仲間に現場を肩代わりしてもらって、何とか在宅でできる事務仕事だけ続けていた。パソコンに座って、見積書を書いたり事務作業を行う。しかし、栄養不足で頭は回らないため、度々金額の間違いをして取引先から不審がられた。

体は日に日に汚れるので風呂に入らなくてはと思うが、倒れたらどうしようと億劫《おっくう》になり次第に風呂に入る頻度が減っていく。そして、ついに風呂に入るのは3カ月に一回のみになっていった。下半身がかぶれて、想像を絶するような痛さと痒《かゆ》さが時たま襲ってくる。気がつくとストレスのせいか、ふさふさだった頭の毛がすっかりなくなっていた。それでも外見は取り繕いたいと、ネットでかつらを三つ買った。

そんな状況から立ち直るようになったのは、ある日漠然と「生きたいな」と思ったからだった。よく考えたら、まだまだやり残したことがある。旅行もしたいし、正直、女性とも付き合えるかもしれない。おむつをしていたら、何もできない。そう思ったら、生きる気力が不思議と湧いてきた。それから数週間で体力が戻り、排便もコントロールできるようになった。

しかし、聡がセルフネグレクトから復帰できたのは、自らの気力だけではない。そこには、サポートしてくれる人たちの存在が何よりも大きかった。聡には、自分を慕ってくれる仕事仲間もいるし、子供や妹もいた。聡は、自分の状況を隠しても仕方ないと感じて、限界が近づくと、妹や息子たちに自分の窮状を伝えていた。

妹は心配してウォーキングを勧めてくれたし、息子も父を案じてくれた。聡は離婚後一人となったが、周りには支えてくれる人たちがいる。そして自らの状況を隠さずさらけ出すことで、手を差し伸べてくれる人が現れたのだ。そして、それはとても恵まれたことなのだと実感している。自分をさらけ出すことは、聡が今最も大事にしていることの一つだ。

しかし、そんな人間関係に恵まれない人たちが、世の中には大勢いると感じている。

「この体験を通じても感じたのは、人に自分の状況を言えないと助けてもらえないということだよね。だけど、セルフネグレクトになっても、自分みたいに頼れる人がいない人が世の中にはいっぱいいる。でもそれなら、死んじゃっていいよという今の社会じゃダメなの。

行政はそういう人をサポートする部署を作って欲しいと思う。ご飯も食べれなくて、このままだとダメになるかもしれないという不安を相談できるところを作って欲しい。もし役所に窓口があったら自分もそこに電話していたはず。そうしないと、こういう人が何十万人も出て、死んじゃうんだと思う」

セルフネグレクトに陥ってしまっても、どこに相談すればいいのかわからない。聡もかつてはそうだった。だからこそ、行政の支援の窓口の必要性を聡は訴える。聡はその後、独身の仕事仲間とＬＩＮＥで安否確認を行うようになった。体重も戻り、内装の現場仕事にも復帰している。聡は、嬉しそうに仲間たちのＬＩＮＥの画面を見せてくれた。

離婚後の男性は女性と違って地域社会や友人関係といった仕事以外の人間関係が希薄で、社会から孤立しがちだ。現に仲間内では離婚後、仕事以外の関係性から孤立してしまう男性も多い。だからこそ高齢になっても意識的につながり、支え合って生きていくことを聡は今、何よりも大切にしている。

この章でご紹介した美緒や聡は、外部とつながることで、セルフネグレクトから何とか立ち直り、社会復帰できた人たちだ。しかし実際には誰にも頼れない人たちが、この国の中には数多くいて、その多くは亡くなって長期間発見されない孤独死という運命をたどっている。第三章では、孤独死の現場から見えてきた日本の問題点について探りたい。

第三章　孤独死の現場から

特殊清掃、略して〝特掃〟——。遺体発見が遅れたせいで腐敗が進んでダメージを受けた部屋や、殺人事件や死亡事故、あるいは自殺などが発生した凄惨《せいさん》な現場の原状回復を手がける業務全般のことをいう。そして、この特殊清掃のほとんどを占めるのは孤独死だ。私が孤独死という日本に大きく横たわる社会現象と向き合って、6年以上になる。元々は、私は事故物件と呼ばれる不動産の取材を行っていた。そこで知ったことは、事故物件のほとんどを占めるのが孤独死という衝撃の事実だった。そして、お部屋を取材すると、そのほとんどが前章でも取り上げたセルフネグレクト（自己放任）の状態に陥っていた。

そして、そこにはセルフネグレクトに陥っても、誰にも相談できないという社会的孤立の問題が横たわっている。ニッセイ基礎研究所の調査では、わが国では、年約3万人が孤立死（孤独死）し、同研究所の調査を基にした私の試算では1000万人が、孤立状態にある。

この章では、そんな孤独死の現場から見える現代社会の在り方に迫る。

尿入りペットボトルが物語る悲しき警備員の死

「孤独死が起こると、昔はその事実を僕たち業者にも伝えてもらえなかった。親族が必死になって隠そうとしていた。だけどここ数年で、がらりと変わった。親族に死因を尋ねると『孤独死です。ここで亡くなったんです』と特に何の感情もなく場所を指さして教えてくれる人ばかりになったんだよね」

まだジメジメとした暑さが残る２０１９年6月末——。

特殊清掃業者である日本遺品整理協会の上東丙唆祥《じょうとうひさよし》は、現場に向かうトラックの中でそうつぶやいた。上東は、遺品整理と特殊清掃業を営んで30年のベテランである。上東が仕事を始めた頃、孤独死が起きることは、一家の恥だった。しかし、今の日本において「恥」の概念が急速に薄らいでいるのを上東は、肌感覚として感じ取っている。特に梅雨のシーズンから夏にかけては、孤独死が多く発生する。人間にとって湿度は温度以上に、体を弱らせる強敵となる。今この瞬間も日本各地では特殊清掃業者は、休みなく働いているだろう。私のもとには「今年は例年以上に孤独死の件数が多い」との声が、知り合いの業者たちから続々と寄せられていた。

壁一枚隔てた隣の部屋で、床をうじがはい回り、緩やかな自殺と呼ばれるセルフネグレクトに陥り、日に日に衰えていく体と向き合いながら命を繋《つな》いでいる隣人がいる。それが、無縁社会が叫ばれる私たちの生きている社会の現実だ。

私は長年日本が抱える孤独死という現象を追い続けているが、その数は減ることはなく、益々増えていると感じる一方だ。

「セルフネグレクトに陥ってから、心臓が止まるまでの時間は、そう長くはないの。現役世代が抱えやすいストレスフルな社会は生きながら毎日人を死に追いやってしまう。僕は、亡くなった人の部屋を片付ける以上、どんな人で、何が原因で孤独死したかを知っておきたい。そして、僕は今、生きている人たちにその現実をメッセージとして伝えたい」

上東は、トラックの中でそうつぶやいた。

この日も上東は、いつものように孤独死現場に足を踏み入れようとしていた。

マンションの上層階にある六畳ほどのワンルーム。この部屋で亡くなったのは50代後半の鈴木《すずき》哲《てつ》（仮名）で、死後1カ月以上が経過していた。発見したのは管理人である。

玄関には、杖《つえ》が一本ポツンと掛けられていて、部屋のドアを開けるとユニットバスの床は、黄色い尿入りのペットボトルで埋め尽くされていた。ツンとした臭いが鼻をつく。

空っぽのシャンプーやリンスのボトルが無造作に放置されている。小さなキッチンには電気コンロがあり、冷蔵庫はワンドアタイプで中は空っぽだった。

ベッドはなく、読まれていない大量の新聞が腰のあたりまで占拠していた。36インチのテレビは、段ボール箱で支えられている。簡易式の洋服掛けには、警備会社の制服や制帽が掛けられていた。

鈴木の仕事は警備員だったらしい。居室の入り口近くには体液がまだら模様に広がり、凄《すさ》まじい異臭を放っている。鈴木が新聞などの紙ゴミに埋もれた形で死を迎えたのは明らかだった。

上東ら特殊清掃人は、まず部屋に入ると、慣れた手つきで体液のたっぷりとしみ込んだ紙ゴミをビニール袋に詰めていく。その下には、数百匹もの大量のうじがうごめいていた。その様子を見て、おそらく衰弱死、もしくは突然死だと上東は推測した。

地方に住む両親からは、手紙や野菜、米などが定期的に送られてきていたが、そのままの状態で放置されていたようだ。炊飯器は何年も使用した形跡はなく、ホコリをかぶっていて、食事は外食に頼りきりだったということが窺《うかが》える。

「スーツと革靴の数の多さを見ると警備が主な仕事で、激務だったんだろうね。性格は、本来は神経質か几帳面《きちょうめん》で、人とのコミュニケーションは不器用か苦手なタイプ。責任感が強く、関わる人たちに迷惑は絶対にかけたくないという思いがあったんだと思う」

上東は、現場に入ると、すぐに故人の性格を言い当てていく。

新聞は読まれた形跡はなく、部屋中のいたるところに大量に積まれている。きっと心優しい性格で、営業を断り切れずに取り始めたのだろう。その新聞は激務に追われてゴミ出しすることもなく、次第に命を脅かすほどの体積に膨れ上がっていく。

布団はぺしゃんこになっていたが、なぜか二つ折りで畳まれたまま、何年も使用していないようだった。その理由がわからずにいると、上東が教えてくれた。

「彼は、右か、左半身が病気になっていたんだと思うよ。だからこの布団は使えなかった。晩年はゴミに寄りかかりながら寝ていたんだと思う。ほら、入り口に杖があったでしょ」

確かに半身を悪くしていれば、床に敷いた布団に寝て立ち上がることは困難だ。だから、鈴木はどんなに寝心地が悪くても傾斜のある紙ゴミの山に寄りかかって寝るしかなかったのだ。上東は部屋の中に、掃除機や雑巾《ぞうきん》、ホウキなどの掃除用具が全くないことを指摘する。

長年、警備員として働いていた鈴木の身に異変が起こったのは、ここ数年のことだろう。鈴木は、おそらく右足を負傷してから、杖を使うようになったはずだ。杖なくしては立てなくなり、仕事も辞めて、徐々に家にひきこもるようになっていく。

足は日に日に悪くなり、自分の身体を呪う生活が続いたに違いない。そして、セルフネグレクトになっていく。半身が悪化する前後に、トイレに行くのも辛《つら》くなり、きっとペットボトルに小便をためて、用を足すようになっていったのだろう。大便は近くのコンビニで済ませ、そのときに飲み物や食べ物を買うという生活を送っていたと上東は推測する。傘は持てないため、雨の日はカッパで外出するようになる。次第に生きる気力はなくなり、無気力になっていく。私は鈴木のそんな生活を想像して苦しい気持ちになった。今の窮地を相談する相手は、いない。警備会社は流動的で人の出入りも激しいため、友人も作れなかったのだろう。地方に住む両親にも心配をかけられなかったのか。心身は衰弱し、食べる気力もなくなって自暴自棄になっていく。

遺品を丁寧に片付けながら、上東は、そんな故人の逡巡《しゅんじゅん》する思いをゆっくりとたどっていく。

尿の入ったペットボトルは、男性の孤独死の部屋ではよく見つかる。たいてい、焼酎《しょうちゅう》のペットボトルを尿瓶《しびん》代わりにして、尿をため込む。しかし鈴木の部屋からは、500ミリのペットボトルしか、見当たらなかった。

時たまもよおす尿をゴミに寄りかかりながら小さなペットボトルに移すという不便な日々が続いていたはずだと上東は指摘する。

そう思うと、私も胸が締めつけられた。鈴木は、２リットルの水を買って自宅に運ぶことすらできないほど、体力が衰えていたのだ。

ふと、窓の外から、キャッキャキャッキャと子供たちの声が聞こえる。このマンションは、有名な桜の咲く公園の近くだった。自宅から、花見客の賑《にぎ》やかな笑い声を聞きながら、鈴木は何を思っただろうか。

鈴木の部屋は薄暗く、日があまり入らない。冬は寒さもこたえたはずだ。電気代はわずかだったため、暖房もつけずに、毎日をしのいでいたのだろう。冬は凍えるような寒さが、じわじわと体力を無残にも奪っていく。

そして最期を迎える。極度に衰弱した鈴木は、ひっそりとゴミの中で息絶えてしまった。鈴木と、そんな息子の窮状を何も知らず残された両親のことを思うと胸がキリキリと痛む。

「ご遺族は息子さんの死を引きずり続けると思うの。『なぜ一言話してくれなかったんだ』と。鈴木さんが最期を迎える前に、両親に何らかのメッセージを残し、それを読んでいることを願いますね。それさえできないほど彼が社会から追い込まれていたなら、この世の中や社会が腐っているのかもしれないね」

上東は物憂げな表情で、そう言った。孤独死の現場から見えるのは、社会から一度孤立すると、誰にも助けを求められずに崩れ落ち、命を落としてしまう現役世代たちの最期の姿だ。

政府は、最新となる令和元年版の『高齢社会白書』を6月18日に閣議決定した。

この中にわずかだが、孤独死についてのデータがある。

東京23区内における一人暮らしで65歳以上の人の自宅での死亡者数は、平成29（２０１７）年に３３３３人。この数が、前年の３１７９人を上回り、過去最多を記録したのだ。

この白書からは、つまり高齢者に限っても、統計上、孤独死が増え続けていることが明らかになる。現に同白書によると、平成15（２００３）年の１４５１人からほぼ右肩上がりで上昇を続け、現在は2倍以上に増加している。

また、同白書では、孤立死（誰にも看取られることなく亡くなった後に発見される死）を身近な問題だと感じる人が一人暮らし世帯では50・8％と5割を超えている。

もはや、孤独死は誰にとっても他人事《ひとごと》ではない。長年現場を取材している立場からすると、高齢者の孤独死は発見が早いという特徴がある。それに比べて、明らかに現役世代は長期間発見されず、悲惨な状態で見つかるケースが多いのだ。

明らかに孤独死は高齢者だけの問題ではない。政府が現役世代まで対象を広げて統計を取れば、きっと恐るべき数字がたたき出されるはずである。国が現役世代の孤独死の統計を取り、その実態が公にされることで、鈴木のような死を迎える人が少しでも減ることを望んでやまない。

犬に体を食べられた独身派遣ＯＬの最期

孤独死の要因として挙げられるのが働き方だ。

それは、ある年の夏も終わる9月の末のこと。上東は、ある女性から連絡を受けた。姉が孤独死したので、マンションの部屋を片付けてほしいという。

「くれぐれも部屋の中を見て驚かないでください」と女性は動揺した表情を浮かべながら、思いつめたように上東に告げた。

孤独死は通常、激しい死臭が周囲に漂っているケースが多い。近隣住民からの苦情などの場合、部屋のドアや換気扇の隙間から漏れ出た、強烈な臭いがマンションのフロア全体に充満していることがほとんどだ。しかし、この物件の場合はそんな臭いとは違って、獣のような臭いが、ドアの隙間から漂ってきた。妹によると、亡くなったのは、42歳の女性で派遣の事務職をしていたという。姉と生活をともにしたのは幼少期だけで、その後はずっと疎遠になっていた。

長期の海外旅行中に犬をその女性に預かってもらっていた近所の人が、帰宅後、女性に電話をしてもつながらないことから、警察に通報。

警察官が部屋に入ると、女性の遺体はすでに一部が白骨化していた。夏場は特に遺体の腐敗の進行が速い。女性の妹によると、部屋の中では犬が3匹、遺体の傍らを走り回っていたという。中でも、女性の愛犬だった大型犬だけはやせ衰えて、亡くなった飼い主のそばにピッタリと寄り添い、餓死寸前だったという。警察によると、痛ましいことに遺体の一部を犬に食べられた痕跡《こんせき》もあったらしい。

ドアを開けると、上東の予想どおり糞《ふん》や尿などの凄まじいアンモニア臭が部屋中に充満し、床には犬たちのものと思われる、乾いて水分を失った大量の糞がコロコロと転がっていた。

女性が亡くなっていたのはベッドだったが、死臭はほとんどなく、体液もわからなかった。あまりに遺体が長期間放置されすぎて、体液も乾いてしまっていたからだ。そのため、死因は不明だった。

このケースでは、奇跡的に犬は生存していたが、飼い主がペットとともに孤独死しているという例は決して少なくない。たいていは、ペットも飼い主亡き後、飢えと苦しみの中で壮絶な死を遂げる。また、食べ物がなくなってしまって、ペロペロと顔をなめているうちに、ガブリと食いついてしまうこともある。なんとも悲しい現実だ。

上東は語る。

「犬たちは亡くなった飼い主が起き上がり、いつもの日常が戻ることを待っていたと思うの。自分が着る洋服よりも愛犬に愛情を注いでいたのがわかる。人は寂しさの行き場を探し求めるものなの。きっと、それがこの女性にとってはペットだったんだろうね」

それを表すかのように、妹によると、見つかったガラケーには、犬の預け先や仕事場以外の人とのつながりを示す連絡先や写真は、一切なかった。

よそ行きの洋服は仕事用と思われるスーツだけ。唯一、犬の散歩用のラフな洋服がハンガーにかかっていた。遺影になりそうな写真が全く見つからないため、上東は、書き損じた履歴書に貼ってあった証明写真をかろうじて妹に手渡した。

女性の仕事は、数カ月ごとに派遣先が変わる事務職だ。家族とも疎遠だったこともあり、会社が休みであるお盆の期間は、毎年一人で過ごしていたらしい。ただでさえ入れ替わりが激しい職場で、お盆明けに職場に出勤しなくても、女性の部屋を訪ねてくる人はいなかった。

上東は女性についてこう語る。

「数カ月単位で職場は変わるし、たとえ職場の同僚と仲よくなっても、また別れが来るよね。だから、あまり職場の人とも深入りしない付き合いをしていたんじゃないかな。ただ唯一、犬の散歩をしていれば近所の人と仲よくなることもある。たわいのないコミュニケーションでほほ笑み、一日が終わる。この女性はきっと心の優しい素敵な女性だったと想像するよ」

女性は就職氷河期の真っただ中で、派遣社員という働き方を選択せざるをえなかった可能性もある。ニッセイ基礎研究所は、「長寿時代の孤立予防に関する総合研究～孤立死3万人時代を迎えて～」という研究結果から、【社会的孤立者の特徴（傾向）】を割り出している。その中に、働き方として、「割り切り」「仕事優先」志向の人が挙げられている。

この女性のように数カ月ごとに派遣先が変わる流動的な職場だと、人間関係が希薄になり、その場その場での割り切った人間関係になりやすく、濃密な関係を築くのは困難になるのだ。

また、ストレスを一人で抱え込んでしまい、一度心が雪崩のごとく崩壊すると、家の掃除をしなくなり、部屋の中を徐々にゴミが占拠していく。中には、衣類を天井ほどまでため込んだ女性もいた。

部屋が汚くなると、人を招き入れなくなるという悪循環が起こる。特に現役世代は、健康を害してしまうと誰にも気づかれず、セルフネグレクトに陥り、命が脅かされるようになる。身内との縁が切れていたり、近隣住民からも孤立しているという特徴もあり、行政も捕捉《ほそく》が難しいのが現状だ。

度重なる遺族や現場の取材から、男性はパワハラや失業などいわば、社会との軋轢《あつれき》から、セルフネグレクトに陥るケースが多いと感じた。しかし、女性の場合は、失恋や離婚の喪失感、病気など、プライベートな出来事をきっかけに、一気にセルフネグレクトに陥りがちだ。また、責任感の強さから、誰にも頼れずゴミ屋敷などのセルフネグレクトになり、孤立してしまう。

女性が一度、世間から孤立すると他人が見てもわかりづらい。まだ自分は大丈夫だと仮面をかぶるからだ。しかし実際は、雨が降ると外に出たくなくなり、体がだるいと動きたくないという狭間で、そのギャップに苦しむ。そんな自分に嫌悪感を覚えて自己否定が始まり、最後に精神が崩壊する。女性の孤立は、男性の孤立より、見抜きづらくなる。

女性の孤独死の現場を目の当たりにすると、私自身、同じ女性としていたたまれない思いを抱いてしまう。それは、孤独死は私個人とも無関係ではなく、むしろ、誰の身に起こってもおかしくないという思いを強くするからだ。

長年、孤独死の取材を行っているが、ご遺族の方にご本人の人生を聞かせていただくと、対人関係や仕事でつまずいた経験があるなど、何らかの「生きづらさ」を抱えていた人も多い。

私自身、元ひきこもり当事者であり、今も人間関係では、打たれ弱い面があり、「生きづらさ」を抱えている。亡くなった方とは趣味や性格や生い立ちなど、私と共通点が多く、共感することが多々ある。ご遺族も、そんな生前の故人の「生きづらさ」や「社会の抱える矛盾」を知ってほしいと取材に応じてくださることもある。

現在、社会問題になっている８０５０問題に代表されるような中高年のひきこもりが孤独死という結末を迎える日も遠くないし、実際にもう現場では起こっているという実感がある。かつてのひきこもりだった自分も同じ結末を迎えていたかもしれないと思うと、切ない気持ちになる。

誰もが人生の些細《ささい》なつまずきをきっかけとして、孤独死という結末を迎えてしまう。そして、孤独死は決して他人事ではないということを私たちに突きつけてくる。

ブラック企業でむしばまれる体

社会問題となって久しいブラック企業や、過度なハードワークも孤独死の大きなリスクとなる。特に現役世代の孤独死は、その過度な働き方によって、徐々に体がむしばまれていくというケースが後を絶たない。そんな社会の歪《ひず》みの犠牲者は、若年者の孤独死という最も痛ましい形で表れるのだ。

ある日、上東のなじみの不動産会社の営業マンに電話がかかってきた。

「賃貸マンションの住民から『隣の部屋が臭い』という苦情が入っている。何とかしてほしい」

死亡していたのは働き盛りの30代の男性。すぐに不動産会社から通報を受けたレスキュー隊が入ったが、時すでに遅しで、死後1カ月が経過していた。

玄関の扉を開けると、強烈な異臭が鼻をついた。警察やレスキュー隊がやむをえず、窓を割って入ったため、部屋の床には砕け散ったガラスの破片が散乱していた。

部屋はワンルームだったが、足の踏み場がないほどにモノがあふれていて、床にはゲームソフトやアイドルのCDなどが散乱している。デスクトップパソコンが5台も無造作に床に置かれていた。

どうやら男性はベッドで亡くなったらしい。大量の体液がベッドから床下まで到達していた。不動産会社によると、男性はITエンジニアとして働いていたらしい。

不動産会社は、消防検査や、避難ばしごの点検などの連絡で、時たま男性に通知書などを差し入れていた。しかし、男性からは全く応答がなかったという。昼や夜に何度部屋を訪ねていっても留守で、会社に電話しても仕事で家にいないという返事がきていた。そのため、男性の仕事は、かなりの激務だったのだろうと語った。

しかし、そんなに懸命に尽くした会社の人間が彼の安否を心配して訪ねてくることはなかった。

「ブラック企業は、働く人の出入りが多いでしょ。だから、会社の人は、第一発見者になりにくいの。『アイツ会社辞めたんだろ』と言って、出社しない人にあまり興味を持たないよね。

靴のサイズや服を見るに、明らかに肥満体型だったと思う。仕事が終われば外食して、牛丼とかジャンクフードですませる日々だっただろうね。そうなると自分の部屋が、寝るだけのビジネスホテルに近い生活になる。だけど、自室はホテルとは違って、ルームクリーニングはないので部屋の掃除や片付けをすることもできずに、ゴミとかモノが増えていく一方になるんだ。そして、どんどん不摂生になる」

キッチンは、全く使われた形跡はなく、ホコリを被《かぶ》っていて、冷蔵庫も飲み物しか入っていなかった。

「この男性は仕事と生活習慣のバランスが崩れた日々を過ごし続けたんだと思うの。でも、体に負荷がかかったり、調子が悪かったりしても会社を休むことはなかった。そうすると、次第に脳や心臓、体に限界がくる。そして最終的に若くして孤独死してしまったんだと思う。

若ければ、そんな張り詰めた生活も踏ん張りがきくのかもしれない。だけどそれは10代、20代だよね。30代の半ばも過ぎたあたりからは、自分の体と心のバランスは無理がくる。きっと最後は自分が何を優先させて生きなきゃいけないのか、わからなくなっていたんじゃないかな」

ブラック企業で体を壊し、孤独死するというケースは少なくない。特に就職氷河期世代は、凄まじい就職戦線の中で生き残るために、頑張りすぎて、燃え尽きる傾向にあると感じる。この二人の孤独死は、決して「自己責任」とは言えないだろう。働き方によって、誰もが「社会的孤立」に陥ってしまうという私たちの社会が抱える普遍的な問題を突きつけているからだ。

現役世代の孤独死から見えてくるもの

数々の孤独死事例を取材したが、最も衝撃を受けたのは、30代、40代も含む現役世代の孤独死がより深刻だということだ。孤独死現場の遺品などを見て感じるのは、何らかの事情で人生の歯車が狂い、その場に崩れ落ちてしまった現役世代の姿である。

原状回復工事に携わって、10年以上のキャリアを持つ塩田《しおた》卓也《たくや》も上東と同じく、現役世代の孤独死現場と日々向き合い葛藤《かっとう》している特殊清掃業者の一人だ。塩田は、特殊清掃業者、武蔵《むさし》シンクタンクの代表を務め、日々清掃作業に明け暮れている。

「うちにやってくる孤独死の特殊清掃の8割以上は65歳以下なんです。65歳以上は地域の見守りがなされていて、たとえ孤独死したとしても早く見つかるケースが多い。孤独死が深刻なのは、働き盛りの現役世代なんですよ」

塩田はそう言って、少しでもそんな現状を知って欲しいと、私を数々の現場に案内してくれた。

ある日、塩田が管理会社の依頼を受けて、東京都某市のマンションの一室のドアを開けると、廊下に突然、ジャングルジムのようなメタルラックの仕切りが現れた。その上にサーバー機が何十台と並べられ、HDDと配線、その熱を放出するためのファンとサーキュレーターが、ひしめき合うように圧縮陳列され、張り巡らされていた。その隙間にも、キーボードやマウスが足の踏み場もないほどに置かれている。

この部屋に住んでいた40代の男性は、東北地方から上京し、ウェブ関係の専門学校に進学。卒業後、都内のウェブ制作会社に就職したが、一度も無断欠勤をしたことはなかったという。GWが明けた後に、なかなか出勤しないことを心配した同僚がマンションを訪ねると、そこにはすでに事切れた彼の姿があったのだという。死因は急性心筋梗塞《しんきんこうそく》だった。

この部屋の特殊清掃は難航を極めた。サーバー機に阻まれ、奥に進むことさえできなかったからだ。その隙間には、インスタントラーメンの食べかすや、空のコンビニ弁当、飲みかけのコーヒー牛乳などが溢《あふ》れ返って、いくつもの層を作っており、蠅が集まっていた。10年以上原状回復工事に携わっている塩田でさえも、たじろぐほどの異臭であった。

男性は欠勤することなく会社に通勤しつつも、何十年にもわたって不衛生な環境で、不摂生な食生活を送っていたと塩田は、すぐに察知した。

黒い染みの様子から、男性はサーバー機のわずかな隙間に埋もれるようにして亡くなっていたという。

「しょこたん」（中川翔子《なかがわしょうこ》さん）や水樹奈々《みずきなな》さんのファンだったようで、初回限定版のCD・DVDや写真集、漫画本などが見つかり、そのほとんどが未開封で、アニメのポスターと一緒に棚に積まれていた。

数日間かけて、ようやく無数に張り巡らされている配線とサーバー機を外したが、室温はゆうに40度を超えており、一歩間違えば火災の危険があったという。

「急性心筋梗塞による孤独死は、働き盛りの30代、40代の男性に圧倒的に多いんです。その生活ぶりを見ていると、仕事には真面目で実直な人ばかりなんです。その分、趣味などで自分の世界にこもりがちで、世間との軋轢も多くて、普通の人よりもストレスを抱えやすいのだと思います。若年者の孤独死について感じるのは、生前、彼らが社会において孤立していたということです。慢性的な孤立状態が寿命を縮めてしまうというのは、特殊清掃現場に携わっていて毎回ひしひしと感じることです」

塩田は、若年者の孤独死について、こう警鐘を鳴らす。

特に、団塊ジュニア、ゆとり世代は、社会的孤立に陥りやすく、孤独死しても長期間遺体が見つからないという痛ましいケースが多い。孤独死はもはや高齢者に限った問題ではない。その日本社会の暗部と日々向き合っているのが、塩田や上東のような特殊清掃人だ。

真面目な人がセルフネグレクトに陥るという現実

メタルラックに掛かっていた布をめくると突然、小さな仏壇が出てきた。その奥には、二つの位牌《いはい》と写真数枚が置かれていた。それは、男性の母親と妹の写真らしかった。写真をめくると、原形が判別できないほどに潰《つぶ》れた車の写真があった。男性は若い頃に、交通事故で母と妹を同時に亡くしていたことがわかった。肉親を同時に2人も失ったことは、男性にとってとてつもない大きな悲しみだったのではないかと、塩田は声を詰まらせた。

「現役世代の特殊清掃の現場で思うのは、なぜ普通の人よりも真面目にやってきた人が、若くして亡くなって、何日も発見されないんだろうということです。世の中には、仕事もそこそこにこなして、毎日楽しく、楽に生きている人もたくさんいるはず。

それなのに、仕事に一生懸命打ち込んできた故人様のような方が、セルフネグレクトに陥ってしまい、孤独死するケースが多い。切ないですよね。特殊清掃を仕事にしている僕が言うのもおかしいと思われるでしょうが、孤独死は減ったほうがいいと思うんです」

塩田は全ての作業が終わると、「いつか生まれ変わったら、亡くなったお母さん、妹さんと故人様が、笑顔で再会できますように」と心の中で祈り、涙ながらに深く手を合わせた。

生涯未婚率の増加などによって、単身世帯は年々増加の一途をたどっている。2015年には、三世帯に一世帯が単身世帯になった。そして、この数は今後も増え続けていくとみられる。単身世帯が右肩上がりで増え続ける現在、孤独死は誰もが当事者となりえる。特に、地域の見守りなどが充実している高齢者と違って、現役世代のセルフネグレクトや社会的孤立は、完全に見過ごされているといっていい。特殊清掃の現場は、それを私たちに伝えている。

預金残高1000万のノマド女性の孤立

見てきたように、現役世代の孤独死の特徴として、彼らは、生前、長期間家にひきこもっていたというケースばかりではない。現役で働いていたり、少なくとも、数年前までは勤めていた形跡があったり、かつては社会とかかわりを持っていた形跡を感じることが多い。

そして、ふとしたきっかけで、つまずき、孤独死してしまうのだ。

2019年2月、塩田は、横浜市にある2DKの分譲マンションの一室に足を踏み入れようとしていた。200匹はくだらない数の蠅が、塩田の顔面に容赦なく、突進してくる。隣のマンションの住民の子供が、毎日同じ部屋の電気がついていることを不審に思い、親に相談。管理会社に通報があり、女性の孤独死が発覚した。

この部屋で亡くなっていたのは、40代の女性で、死後1カ月が経過していた。女性は、自営業のノマドワーカーで、在宅でネット販売の仕事をしていた。居間には、仕事用のネット販売の顧客リストや郵送用の販促物などが山のように積んであった。

その周囲は、異様な数のブランド物の洋服や、バッグ、キャリーバッグなどで固められていて、いわゆるモノ屋敷だった。女性は、買い物依存に陥っていたのだろうと、塩田はピンときた。

女性の仕事の業績は順調だったらしく、通帳の預金残高も1000万円近くあり、金銭的には不自由した様子はなかった。しかし、仕事以外の人とのつながりを示すものは何も見つからなかった。男性関係を示すものはおろか、友人や親族など、人間関係を完全に遮断していたようだ。

「この女性は、いわば仕事と結婚したようなもので、まさに仕事に生きていた女性だったのでしょう。化粧品も全くなかったですし、社会との接点は、本当に仕事だけ。もちろん、このような状態の部屋に人を招き入れることはなかったはずです。

ただ、毎日の仕事だけが彼女の生きがいだったのかもしれません。しかし、そんな仕事だけの人生が、逆に彼女を孤立させて、心身をむしばんでいったのだと思いました」

冷蔵庫の中は空っぽで、大量のカップラーメンが段ボールに入っており、一部は残り汁がそのままに、机の上に放置されていた。女性は、明らかに栄養面では偏り、不摂生な食生活を送っており、孤独死へとジワジワと追い打ちをかけていたことが見てとれる。

マンションの配管を伝って体液が流れ出す

女性は、いわゆるワーカホリックで仕事に邁進《まいしん》し、身の回りのことに手がつかなくなっていたようだ。お風呂場《ふろば》で亡くなったらしく、強烈な臭いを放つ浴室は、水が抜けていて空っぽだった。

ちなみに浴槽で亡くなった場合は、警察が水の張っている風呂の中から、遺体を引き上げる際に、栓を抜いてしまうことが多い。つまり、腐敗した体液が、排水溝にそのまま流れてしまうというわけだ。これが、のちに大問題を引き起こす。

マンションの1階ならまだしも、上層階の浴槽で孤独死が起こった場合、下層階まで排水管を伝ってその臭いが下の階に漏れ出てしまうのだ。下手をすると、マンション1棟を巻き込むほどの、大騒動が勃発《ぼっぱつ》する。

人の腐敗した体液は、えもいわれぬ強烈な悪臭で、それを取るには高度な専門知識が必要になる。統計上の死因で、交通事故よりも多いヒートショック死だが、現実問題として、孤独死は近隣住民にも、多大なダメージを被らせてしまうことが多いのである。この女性のようなヒートショック死は、実は孤独死の類型として、決して珍しいものではない。冬場は、寒暖差による突然死が多く発生するからだ。

死因は、急性心筋梗塞――。しかし、それ以前の偏った食生活や、不衛生な部屋の状態が女性の寿命を縮めてしまったのだろう。しかし、孤独死現場に日々取材で向き合う私自身も含めて、仕事に没頭するあまり、このような状態へと落ち込んでしまうことは、ありえることなのだ。

特に現役世代はワーカホリックで、仕事に追われるあまり、セルフネグレクトに陥り、食生活がなおざりになり、孤独死するケースも多い。部屋も仕事上のモノで溢れ、衛生状態が悪いというケースが後を絶たない。塩田はその現状をつぶさに見てきた。

「在宅だけで完結するノマドワーカーやIT関係の方など、人と密に関わらなくても済んでしまう仕事をしている人も、実は孤独死を招きやすいのです。特に今は、パソコンやスマホで仕事が完結してしまう。亡くなった女性は、かなりの仕事人間で、日常生活は仕事に追われていた。しかし、喜怒哀楽をともにする友人や親族はほとんどなく、社会的に孤立していたのではないでしょうか」

遺族である母親は、すでに80代で認知症を患っており、女性も仕事以外の人間関係が全くなかったため、女性の遺品のほとんどはゴミとして処理された。

これが日々我々の社会で起こっている孤独死のリアルなのである。長年、孤独死の取材をしていると、その現場からは私たちの社会が抱える現状と大きな課題が浮き彫りになる。それは、声なき悲鳴として、特殊清掃人や私に訴えかけている。

圧倒的に多い離婚後の孤独死

これまでは、働き方などによって、孤独死に至るケースを紹介してきた。その他の要素として、孤独死に至る道でかなり大きなファクターを占めるのが、離婚である。離婚後のショックが大きく、酒に溺《おぼ》れたり、ひきこもったりすることで孤独死につながるケースは近年非常に多い。

ここからは、再び上東の現場に戻り、そんな離婚後の孤独死について取り上げてみたい。

上東はある日、60代の女性から依頼の電話を受けた。

「部屋のモノを全て処分してほしい」

関東某所のアパートの一室で、娘である30代の女性が孤独死したので片付けてほしいのだという。上東が現場に向かうと、そこは昭和時代に建てられた古びたアパートだった。女性は3カ月前から一人暮らしを始めていたらしい。

玄関を開けるなり目についたのは、大手引っ越し会社の段ボール箱の山だった。六畳のわずかなスペースは、段ボール箱でそのほとんどが埋まっていて、まるで倉庫のようで生活感がなかった。一つしかない窓は雨戸でピッタリと閉め切られているため、部屋の電気をつけても、中は薄暗かった。上東が部屋の雨戸を開けると、日の光が入ってきて、一気に部屋の輪郭が浮き上がっていく。

しばらく段ボール箱に阻まれていたが、右横の押し入れの下段から、強烈な臭いがすることがわかった。どうやら女性が亡くなったのは押し入れらしい。段ボールを避けて、押し入れに歩みを進めると、下段には、シングルの布団が敷かれていて、そこには黒い体液が染みついていた。枕の横には、目覚まし時計とティッシュボックスが置かれている。

段ボール箱を開けると、子供のおもちゃや絵本などが次々に出てきた。

「女性は、離婚後、この部屋に引っ越してきてわずか3カ月で亡くなったみたいだね。仕事を探さなくてはと思っていたとは思うけれど、そんな気持ちにはなれずに結局、部屋にひきこもったんだと思う。子供との別れは本当に切ないよね」

女性は、離婚後に、何らかの理由で親権が夫に渡り、かつて暮らした家を出ていかざるをえなくなり、一人暮らしを余儀なくされることになった。

段ボール箱を開ける気力もなかったのだろう。まるで、かつての家庭生活の思い出を封印するかのように、段ボールはそのままに、押し入れの中を寝床として生活していた。

自らの衣類を詰めた段ボール箱でさえも開けられた形跡はなく、ただ、押し入れに閉じこもった生活を送っていたようだった。離婚後、子供と引き離されたことが大きな精神的ショックとなり、女性をむしばんでいったと容易に推測される。

孤独死の取材をしていると、この女性のように段ボール箱が山積みになった部屋と遭遇することが多い。そして、その段ボール箱からは、家族写真や子供の写真が次から次に出てくる。離婚をきっかけに、セルフネグレクトに陥り、若くして孤独死というパターンは決して少なくないのだ。

料理や家事をしていた形跡はなく、女性はただひたすら押し入れの中にこもっている生活をしていたはずだ、と上東は話す。

前述のニッセイ基礎研究所の研究結果でこういった社会的孤立者の特徴（傾向）も割り出している。

社会的孤立リスクに関する特徴を見ると、性別では女性に比べて男性が多く、男性の中では未婚、離別、団塊世代の男性では死別でも孤立リスクが高い。

一方、前述した女性のケースのように、女性でも、未婚、離別は孤立リスクが高い。しかし、女性は総じて男性よりも孤立リスクが低くなっている。

そして、「夫婦の意思を重視する」志向の人（夫婦間での依存性が高く、離死別後の影響が懸念）と、人付き合いは「他人に干渉されることを好まない」、また「非対面（ネット）のつきあいを好む」志向の人（ただし、後者については団塊ジュニア世代のみ）が孤立リスクが高いという結果になっている。

この研究結果は、孤独死現場で私が見てきた、離婚や、ブラック企業など働き方によって、一気に社会から孤立し、孤独死してしまうというケースとそっくりそのまま重なる。

孤独死は、核家族化、単身世帯の増加、生涯未婚率の増加、労働環境など、複合的な要因が重なり合って起きるため、一つの要因を特定することは困難だ。

しかし、現状として孤独死に関して国が行っているのは高齢者の調査ばかりで、若年者が置き去りにされているのは、前述の亡くなった方々と同世代の30代である私としては、嘆かわしく、なんとも切ない気持ちにさせられる。

「人の命」に関わる事柄である以上、若年者の孤独死について国家予算をかけて大規模な調査と実態把握を行う必要があるのは言うまでもない。そこで初めて、有効な対策に乗り出せるのではないか。孤独死の現場と向き合っていると、もう一刻の猶予もないと感じずにはいられないのである。

20年近くひきこもりだった40代男性の死

80代の親が50代のひきこもりの子供を支える「8050問題」が、社会問題となっている。年間約3万人と言われる孤独死も、この問題と決して無関係ではない。

8050問題に代表されるひきこもりの末の孤独死は、残念ながらもうすでに現場では毎日のように起こっているのが現状だ。その一例をご紹介したい。

突き刺さるような寒さの冬のある日、上東は、特殊清掃現場である某所の団地に向かっていた。ほどなくして、老齢の女性が現場に現れた。

女性によると、この団地でひきこもりの末の孤独死があり、その清掃をお願いしたのだという。亡くなったのは姉の息子、つまり女性の甥《おい》っ子にあたる男性、高橋《たかはし》（仮名）だ。高橋は、40代前半という若さで、この団地で孤独死していた——。

近所の住民が部屋の前から異様な臭いが発生していることに気がつき、管理人室に駆け込んだ。その後、通報を受けた警察がすぐに部屋に入ったが、時すでに遅く、奥のこたつのある部屋で息絶えていたという。死因は不明だが、警察によると死後1カ月が経過していた。

高橋の叔母《おば》によると、この団地では、かつて姉夫婦と息子である高橋が暮らしていたが、父親が他界した後、ほどなくして母親も他界した。

高橋は、母親が亡くなる前から少なくとも20年近くひきこもっていた。そのため、母親が亡くなった後は、遠方に住む叔母が仕送りをする形で、面倒を見ていたらしい。高橋の母親は、自ら亡き後の息子の行く末を案じていたに違いない。息子のためにわずかな遺産を、亡くなる直前に高橋の叔母である妹に託していた。高橋は叔母から月々仕送りされるお金を引き出しながら、親が亡くなった後もひきこもりの生活を続けていた。鉄製のドアを開けて上東が、部屋に足を踏み入れると、廊下は、コンビニの袋やプラスチックの弁当箱、ジャンクフードの紙袋などで埋め尽くされていた。

洗面台とトイレは、長年のカビやヘドロがこびりついていて、真っ黒だった。孤独死する人の部屋は、風呂や洗面台、トイレがこのような状態になっている人が少なくない。自分で自分の世話ができなくなるセルフネグレクトに陥ってしまい、掃除する気力や体力さえもなくなってしまうからだ。

奥の部屋には、背の高さまで隙間がないほどに鉄製のラックが並べられていた。その上にはテレビやパソコン、ゲーム機が配線されたままホコリをかぶっている。

テレビ画面の正面にこたつがあり、こたつに入りながら寝たり、食べたり、ゲームやテレビ鑑賞ができるように、衣食住のスペースが1カ所に集められていた。高橋は、食料を調達するために外出するとき以外はほとんど、この部屋から動かなかったのだろうと上東は予想した。

キッチンはホコリをかぶっていて、少なくとも数年間は使われた形跡はなく、自炊を全くしていなかったことが見て取れた。

「彼の1日の生活範囲は、こたつに座って手が届く範囲だったと思う。たまにトイレに立ち、気が向けば風呂に入る。食料の調達は近くのスーパーに惣菜や弁当を買いにいくぐらいだね。それ以外の物は、アマゾンでネット購入するけど、ゴミはなかなか出せないから、箱は玄関脇の部屋に無造作に投げ捨てていたんだろうね」

高橋がひきこもった原因は定かではないが、両親が亡くなった後は、いちばん広い部屋を居住スペースにしていたらしい。

「母親が亡くなった後、高橋さんは、食料の調達を自分でするようになったんだと思う。お金があれば、生活費に困ることはないし、欲しいモノも贅沢《ぜいたく》をしなければ、ネットから手には入る。帽子をかぶりマスクをすれば、近くのスーパーにはいける。勇気を出せば、マクドナルドにもいける。でも近所の目もあって、ゴミを出すことができず、掃除もしないから、室内は徐々に不衛生になっていく。

外出もほとんどしないから体力が衰えて、何よりも食がどんどんと偏る。お母さんが亡くなる前までは、ちゃんとしたモノを食べていたんだろうけど、一人になって味の濃いジャンクフードやお菓子という暴飲暴食の食生活が、徐々に彼の身体をむしばんでいったんだ」

買いだめしたカップ麺《めん》や、加工食品のゴミの山がそれを物語っていた。

私自身、高橋の生活スタイルが痛いほどに理解できた。ひきこもりが続くと、室内でできることは限られるので、昼夜逆転してゲームとパソコンでネットサーフィンばかりしていた。

わずかな居場所である部屋の中という小世界では、それぐらいしかできることがないからだ。内閣府は、広義のひきこもりとして、自室からほとんど出ない状態だけでなく、趣味の用事や近所のコンビニ以外には外出しない状態が6カ月以上続く場合と定義している。

ひきこもりというと、家にこもって外出すら困難だと思われがちだが、近所への食料の調達など、没コミュニケーションの外出ならできるものだ。

しかし時間が経てば経つほど、焦りは強くなる。

親亡き後のひきこもりが抱える不安

親も老いて、いつかは死ぬ。だからといって「そのとき」に、外部に助けを求めることは難しいだろう。親が亡くなった後、金銭面で苦しくなり最悪、餓死というケースも考えられるが、ひきこもりの支援を行っている関係者によると、親の遺産として500万円以上の現金を所有しながら、セルフネグレクトとなり若くして孤独死したひきこもりの人の例もあった。

私がひきこもりの時は、決して現状でいいと思っているわけではなかった。自分は、このままでいいのか、これから自分はどうなってしまうのか、未来を憂えて焦りばかり募る。なんでこんなことになってしまったのかという、怒りや悲しみ、どうしようもない焦燥感に襲われる。

社会に置いていかれていると感じる日々は、生きながらにして死んでいるような地獄である。そんな孤立した生活は、益々セルフネグレクトを深めて、不摂生な生活へ向かい、知らず知らずのうちに自らを追い込んでいく。

いつか、叔母からの仕送りが止まるかもしれない、そのとき自分はどうなってしまうのだろう——。そんな不安が、高橋の頭の片隅にあったのではないだろうか。

内閣府は２０１９年4月に初めて、自宅に半年以上閉じこもっている「広義のひきこもり」の40～64歳が、全国で推計61万３０００人いるとの調査結果を出した。

今後政府が抜本的な対策を打たない限り、８０５０問題に代表されるように、長期化する中高年のひきこもりが親亡き後に、孤独死や餓死といった最期を迎えるケースも、増えるだろう。

ひきこもりの当事者や家族をはじめ、生きづらさを抱えている人たちが安心して暮らしていける社会を目指して活動する、一般社団法人「ＯＳＤ（親が死んだらどうしよう）よりそいネットワーク」（東京都豊島《とし》区）の代表理事、馬場《ばば》佳子《けいこ》さんも、ひきこもる人にとって家族の存在がカギになると訴える。

「ご家族にはまず、本人の今の状態を心の底から受け入れていただきたい。親御さんからの相談で一番多いのは『本人に働いてほしい』ということですが、その前にはいろいろなハードルがあります。まずは、本人が置かれている状態まで下りてきていただきたい。人と会うこと自体が怖い人も多いため、本人がまずどういう状態か、心の底から理解してあげることが大切です。

共感してくれたり、信頼してくれたりする人がいると、本人から少しずつ歩み寄っていけます。本人は、『安全なのは自分の周りだけで外の世界は怖い、危険だ』と感じていることも多いのです。そのため、近くにいる親御さんが安全な存在になることが大きな一歩になります」

日本少額短期保険協会が発表した第4回孤独死現状レポートによると、孤独死の平均年齢は61歳で、高齢者に満たない年齢での孤独死の割合は5割を超え、60歳未満の現役世代は男女ともに、およそ4割を占めるという。これだけ若くして孤独死してしまう人が多いということだ。

もちろん、孤独死の内訳がひきこもりだけとは限らない。しかし、その中にはかなりの数のひきこもりが含まれており、年々増えているとの実感がある。「命」に関わることであることから、この現状に危機感を感じずにはいられない。政府が重い腰を上げたことで、ようやく中高年のひきこもりの実態が昨年明らかになった。それならば、その最終地点である孤独死の実態把握とその対策も、急いで取り組むべき喫緊の課題といえるだろう。

低体温症で亡くなった50代ひきこもり男性

紺野功《こんのいさお》（60歳）は、そんなひきこもりの弟を孤独死で亡くした遺族の一人だ。

「弟は、孤独そのものだったと思います。親族だからこそ、あいつは孤独だったという印象を持っていますね。あいつの人生をずっと見てきたから。友達もいないし、仕事もほとんどなくなって、ここ数年は家の中にひきこもっている状態でした」

そう言って、紺野はうなだれた。

まだまだ寒さが骨身に染みる2月某日——都内の1LDKのアパートの一室で、システムエンジニアである紺野の弟（51歳）は孤独死していた。

警察によると、死因は低体温症で死後1週間が経過。警察は「数日間は意識のない状態で生存していた可能性がある」と紺野に告げた。

「低体温症って、雪山に行ったときになるイメージがあったんですけど、部屋の中でも室温や体温が影響して起こることがあるみたいなんです。確かに、弟は部屋に暖房設備も付けていなくて、アルコールばかりでろくに食べてもいなかった。それで衰弱したことが突然死に結びついたみたいです」

弟の部屋に足を踏み入れると、どこもかしこもパソコン関連のモノで溢れていた。部屋の奥には、天井まで幾重にも段ボールが積み重なり、今にも崩れ落ちんばかりとなっている。パソコンが38台、モニターが20台以上、ホコリをかぶっていた。

デスクの下には、4リットルのペットボトルの焼酎が二本も置かれていた。弟は仕事が減るにつれてここ2年ほど、お酒を片時も手放さなくなった。大量の新聞紙は片付ける気力すら失ったのか、読んだ形跡もなく、無造作に山となって積み重なっている。

紺野が弟と最後に会ったのは、お正月だった。その日、弟は日に日に増えていく酒量を巡って心配した母親と言い争いになった。それが最後に見た弟の生きている姿だった。

亡くなる数日前にも弟の携帯に電話をしたが、電話口の弟はアルコールのせいか、ろれつが回っていなかった。弟は幼少期から人付き合いが苦手で、内向的で引っ込み思案な性格だった。友達の輪になかなか入ろうとせず、友人の多い紺野とは真逆の性格だった。

大学卒業後、仕事を転々としたが、20代後半から独立。システムエンジニアとしてフリーで仕事を請け負うようになる。事務所兼自宅として使っていたこの物件はその頃に借りたものだった。

一時期は通帳残高が1000万円を超えたときもあったが、内向的な性格と時代の流れもあって、その後仕事は徐々に減り、貯金を食いつぶしながらひきこもりに近い生活を送るようになる。しかし、母親には毎年小遣いを渡す心優しい一面もあった。

紺野が覚えている限り、弟がこれまでに女性とお付き合いした様子はなく、仕事の付き

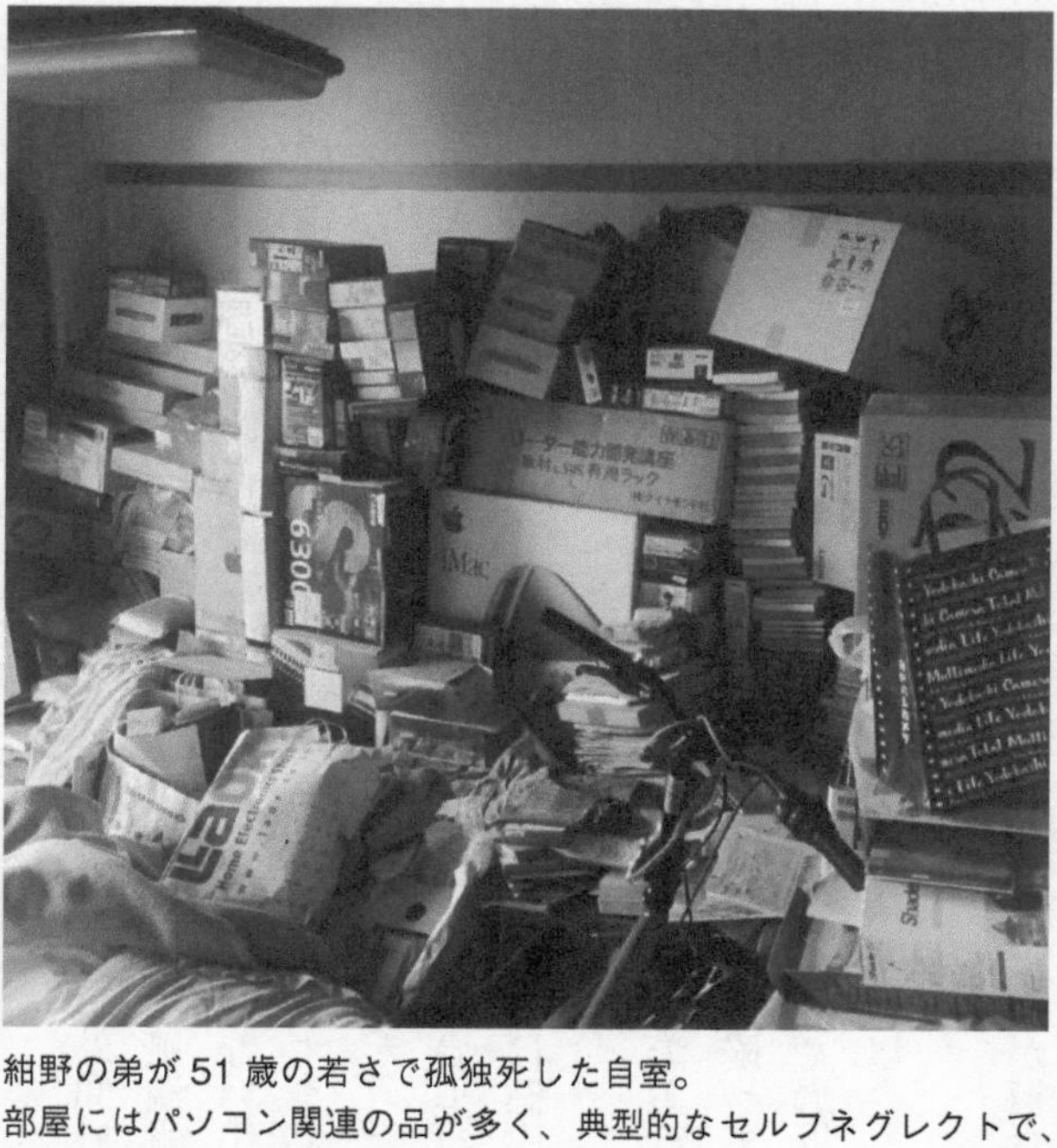

紺野の弟が51歳の若さで孤独死した自室。
部屋にはパソコン関連の品が多く、典型的なセルフネグレクトで、
晩年はひきこもりがちだったという。

合い以外では、友人もいないようだった。

社交的な性格である兄に対して羨望《せんぼう》もあったのだろう。「兄貴は外面いいよな」と、嫉《しっ》妬《と》とも取れる言葉を投げかけられたこともある。家庭持ちで一見順風満帆に見える兄が、羨《うらや》ましかったのかもしれなかった。紺野にとって、今でも忘れられない出来事がある。

弟は数年前から痛風を患い、立っているのも辛い様子で足を引きずっていたという。

「それだけ体が辛いんだったら病院に行ったほうがいいんじゃないか」と紺野は何度も説得した。しかし、「大丈夫だよ」と言って、医療機関の受診に激しい拒否反応を示し、どんなに症状が悪化しても病院を訪れることはなかった。そもそも弟は健康保険証すら持っていなかったのではないか、と紺野は考えている。

孤独死する人の8割に見られるのが、こうしたセルフネグレクトである。部屋がゴミ屋敷化したり、病気にかかったりするなど、どんなに危機的な状況に陥って命を脅かされることがあっても、頑《かたく》なに介入や治療を拒否する。また偏った食生活や過度な飲酒などによる不摂生で、自らを緩やかな自殺に追い込んでしまう。紺野の弟の場合も、医療の拒否が死期を早めてしまった可能性がある。

しかし、セルフネグレクトから救い出すことは難しい。当の本人が拒否していることに対して、無理やり介入することはできないからだ。

「弟はひきこもりからセルフネグレクト、そして孤独死と、まさにこの経過をたどったんです。あいつの人生を振り返ったとき、対人関係で良い思いをしたことがないような気がする。

お金をもらうための仕事はしてたけど、あいつにとって人生の楽しみってなんだったんだろう、と考えてしまうんです。ずっと心の中は孤独で、ひきこもりになって、自分自身の人生を放棄するみたいにお酒に溺れていったんじゃないかな」

友人もいないため、葬儀は母親と紺野の2人のみ立ち会う家族葬となった。幸いにも冬場だったため、遺体の腐敗はなく、棺に納められた弟の顔を見ることができた。

しかし母親は、弟を一目見ると「これは別人だ」とショックを受けた。生前の面影とは似ても似つかないほど、変貌《へんぼう》していたのだ。

「弟の顔は、まだ51歳なのに70代に見えたんです。私も最初に遺体を見た時、こんなに白髪があったの？　と驚きました。最後に会ったお正月の時とは比べ物にならないくらい、おじいさんに見えました。衝撃を受けているおふくろを横で見ていて、本当にかわいそうだった。

こんな亡くなり方をさせてしまったことに対して、兄としてもっとやれることがあったんじゃないか、と思ったんです。おふくろは、親より先に子供が亡くなるのが一番の親不孝だ、と嘆いていました。おふくろのことを思うと、とにかく不憫《ふびん》でした」

先にも述べたが、孤独死は高齢者の問題だと思われがちだが、実は働き盛りの現役世代のほうがセーフティーネットにかかりづらいということが、筆者の長年の取材からも明らかになっている。

弟の死によって立ち上げたLINEの見守りサービス

紺野はその後、弟の孤独死を教訓として、現役世代の孤独死に着目するようになった。弟が孤独死した3年後の2018年9月には「エンリッチ」というNPO法人を設立、「LINEを使った見守りサービス」を無料で提供している。LINEに友だち追加して登録するだけで、1～3日に一度、設定された時間に安否確認のメッセージが届く。OKをタップすれば、安否確認が終了。24時間応答がなければ再送し、それでも応答がない場合はNPO職員が直接本人の携帯に電話し、本人と連絡がつかなければ、あらかじめ登録した近親者などに電話で知らせるという仕組みだ。寄付は受け付けているが、命にかかわることなので、無料で運営している。

「弟のことを見て、孤独死の多くは人付き合いがうまくなかったり、社交的ではないことに起因してるんだろうなと思うんです。そのこと自体は不幸だと思わないし、そういう生き方なんだからしょうがない。無理やり引っ張ってきて、人とつながりなさいと言うつもりはない」

ただ、兄弟として気づけなかったのはかわいそうだった、なにかできることはなかったのか、という思いはある。

「もっと早く見つけられたら良かったし、もしそのまま時間が経ってしまっていたら、より不幸な状態になっていたと思うんです。孤独死の遺族としては、現役世代にも孤独死が起こりえるということ、そして、本人が抱えていた生きづらさや辛さを社会にわかって欲しい」

孤独死はたいてい、家賃の支払いが滞ったり、郵便物が溜《た》まっていることにオーナーが気づいたり、近隣住民からの異臭や郵便物の滞留の報告によって発覚するのである。つまり、親族や友人などが本人を心配して発見するよりも、赤の他人が孤独死を発見するケースのほうが多いということだ。

この背景には、「社会的孤立」の問題がある。私が取材してきた事例では、現役世代で孤独死する人の多くが、紺野の弟のように社会とうまく折り合いをつけられずに、孤立し、生きづらさを抱えていた形跡を感じることがある。

紺野の弟はかろうじて家族とつながっていたが、過去の取材の現場では、誰にも救いを求められずに崩れ落ちてしまう現役世代の姿も数多く見てきた。今後、先にも述べた「8050問題」の結末が孤独死になる例も増えると思われる。

孤独死した方のご遺族から本人の生い立ちを聞くと、自分と重なる部分が多く胸が痛くなる。孤独死は働き方との関連も深い。流動的な働き方を選択せざるをえず、人間関係が形成できず、金銭的にも苦難を強いられた就職氷河期世代の年齢が上がるにつれ、孤独死のリスクは増える一方だろう。

一人で亡くなることが悪いわけではない。社会とのつながりを失うことで、人生の歯車が狂ってしまい、不本意な境遇から這《は》い上がろうにも這い上がれなくなることが問題なのだ。

これまで見落とされてきた「現役世代の孤独死」に、国も私たちも、もっと目を向けるべきではないだろうか。

高齢者の孤独死から見える心の孤立

これまで現役世代の孤独死の事例を取り上げてきたが、取材を重ねていると、数は少ないものの、高齢者の孤独死の事例と遭遇することもある。

現役世代の孤独死との違いは、高齢者の場合は民生委員などが地域の見守りを行っていることもあり、比較的発見が早いということ。生前に人とのつながりを感じられるケースも多いということだ。

そこで、高齢者の孤独死についても取り上げてみたい。

上東のもとに、なじみの不動産会社の社長から、管理するアパートの入居者が孤独死したので掃除してほしいという連絡が入ったので、同行することにした。

築50年は下らない、さびれた風呂なし木造アパートの2階。薄いベニヤの扉を開けると思わずウッと鼻をつくような臭いがした。部屋には玄関や土間のようなものはなく、すぐに四畳半の和室が広がっている。タンスの前にシングルの布団が敷いてあり、その布団の上には、人形にべっとりと赤茶色の染みがついていた。

この部屋に住む80代の女性は、孤独死して死後2週間もの間、見つからなかった。死因は不明だが、おそらく心筋梗塞、または脳梗塞だった。
腰ほどの高さの古びたタンスの上には、今は珍しいダイヤル式黒電話が置かれているのが印象的だった。部屋の奥に一畳のキッチンがあり、その隣には、申し訳程度の和式トイレがある。

遺体を見つけたのは、この物件の管理会社の社長である。数週間前、社長のもとに女性の部屋の隣人から連絡があった。隣の部屋の住民の生活音がしないので、心配なので見に来てほしいという。社長の頭に「孤独死」という三文字が浮かんだ。

社長がアパートを訪ねてノックしたが、反応がない。慌てて警察に通報すると、やってきた警察官はすぐさま物件に突入。布団の上で女性は息絶えていたという。

社長は女性のことを思い出していた。女性がこの物件に入居したのは30年以上前だった。家賃は毎月、現金手渡しで、近所なので道端ですれ違えば挨拶《あいさつ》もする仲だった。

生前、この女性は元気がよくお節介な性格だった。お節介がいきすぎて、近所の住民から迷惑がられ、クレームを受けたこともあった。それでも社長は女性が毎年、物件の庭の草むしりをしてくれるので助かっていた。しかし今年は珍しく店舗にやってきて、もう無理だと訴えたという。

「体が動きづらいから、草むしりは業者さんにお願いしてね」

女性はいつもと違って気弱に社長にそう言った。家賃を手渡しに訪れる女性が何だか元気がないようで、数カ月前から気にかかっていた。上東は熱気と腐臭の中、黙々と部屋の片付けをしていく。なぜだか、この古びた部屋とちぐはぐな最新型のエアコンに目が行った。

「設定温度は25度だったから、取りつけた当時の初期設定のままだったはずだよ」

と上東は語る。

2018年の夏は、凄まじい暑さだった。女性は生活保護を受給していた。その一環で行政関係者に相談し、エアコンを取りつけたらしい。しかし、電気代は自腹なので、エアコンはほとんど使っていないようだった。女性のように、エアコンがあっても、電気代を気にして使用していなかったという孤独死者は多い。高齢になると暑さ・寒さを感じる能力が低下するという。少しぐらい暑くても我慢しようとする心理が、命に関わることもあるのだ。

孤独死は圧倒的に夏場に多いが、その多くがエアコンのない家か、あっても壊れているか使われていない家でだ。異常とも言える猛暑が、体力の弱い高齢者や、体力を温存できる快適な環境設備が整えられない人の命を、孤独死という形で容赦なく奪っていく。私はそれを毎年のように取材で見せつけられている。もし、エアコンを日常的に使っていたら、女性は助かったかもしれないと感じた。

２０１９年の夏はそれほどの暑さではなかったものの、雨の日が多く、エアコンがない室内だと、ジメジメとしてサウナのような状態だったのだろう。救急車が来て近所を騒がせたら申し訳ないと思い、多少、体調が悪くても遠慮して救急車を呼ぶことをためらう高齢者も多いのである。女性もそう考えたのかもしれない。だから何かあったときのために、かろうじて電話の近くに布団を敷いたのだろうと、上東は考えた。上東が、布団を片付けながら、こういった築年数の古い風呂なしアパートの住人について解説してくれた。

「この手のアパートには、おおかた二種類の人が住んでいるんだ。高齢者か外国人だね。この隣人もやはり台湾の人だった。今の高齢者のおひとり様は、築年数が新しくて日当たりのいい部屋にはなかなか入居できない現実があるんだ。

家賃の問題や保証人の問題、家主が高齢者に部屋を貸すには、不安のほうが大きくなるんだよ。家主自身も年をとっていくはずなのに、物件を貸すのはビジネスだから、住人の高齢化にだけは敏感になってしまうんだよね」

物件を貸す側としては、部屋で死なれたら事故物件になってしまうし、改装費用も自腹となるケースもある。リスクの高い高齢者には貸したくないというわけだ。

この女性は子供もいないため、親族といえるのは姪《めい》っ子だけだったが、すでに他界していた。

「女性は人とのコミュニケーションが苦手だったんじゃないかな。人からお節介と避けられていたということは、もしかしたら承認欲求が満たされず、自分の存在に劣等感を持っていた可能性がある。だけど、他者からの愛を感じたかったかもしれない。相手を思いやる優しさが過剰になると、それを受けた相手は疲れてしまうよね」

孤独死する人は、生前から何らかの理由があって親族と疎遠だったケースが多い。この女性の場合も同様で、遺体を引き取る親族は誰も現れなかった。そのため、かろうじて接点のあった心優しい不動産会社の社長が引き取ることとなり、女性は荼毘《だび》に付されたという。

女性の死はまさに、無縁社会を体現した一例である。しかし、毎日のように日本で起こっている一つのリアルな現実でもある。

また、孤独死の後始末を行う「事件現場特殊清掃士」などの特殊清掃業者の数も増加していることから、孤独死も年々増え続けていると予測される。

間違えてはいけないのは、家で一人で死ぬことが問題なわけではないということだ。病室でも風呂場でも旅先でも、一人で死ぬ可能性はいくらでもある。「一人で死んだ末に長期間、誰にも発見されない」という事実の背後に浮かび上がる、一度崩れ落ちたら立ち上がれず、孤立や貧困を強いるような社会の歪《いびつ》さこそが問題だ。

誰もがみな、社会から脱落せずに生きていけるわけではない。国を挙げて、そして私たちの社会の一人一人の問題として、孤立、そして孤独死について向き合うときが来ているのではないだろうか。

第四章　家族遺棄社会はどこからきたのか

これまでに私が追ってきた孤独死や、セルフネグレクト、そして、中高年のひきこもりを巡る８０５０問題――、我々の社会を取り巻く孤立の状況は混沌《こんとん》としていて、時が経つに従って益々拍車がかかっているという実感がある。なぜ、そして、いつから、日本の社会は家族遺棄社会へと変貌《へんぼう》を遂げたのだろうか。２人の識者がそれぞれ見つめてきた日本社会の変遷について迫る。

終活オヤジ記者が見た葬送の大変容

「直葬って言葉は文字通り、直接葬るって書くでしょ。でも昔は警察用語で、『路上で倒れた人を葬儀もせずに、そのまま火葬場に送る』という意味だった。葬送用具の商売をずっとやってきた古老から聞きました。この直葬が２０００年以降ぐっと増えた。死んだら終わりだ。おカネもないし、それでいいじゃんという考え方ね」

毎日新聞専門編集委員の滝野《たきの》隆浩《たかひろ》記者はそう言って身を乗り出した。滝野記者は長年にわたり、終活というこのジャンルに腰を据えて、取材を行っている。いわば終活の第一人者で、時代の生き証人でもある。そんな滝野記者に、「死」を巡る時代の変遷について聞いてみた。

率直に言うと、滝野は平成期30年を「葬送大激変の時代」だという。そのあまりの変化に驚いていた。

約30年前、年号が昭和から平成に代わる89年当時、地方支局から東京・社会部に上がってきたばかりだった滝野は警察回り、業界用語でいう「サツ回り」記者だった。警視庁管内の警察署を回る一方、街ダネや季節ネタを書くという、新人記者におきまりの地道な日々を送っていた。

そんなとき「街ダネ」として取材したのが、通称、永代供養墓である。正確には、合葬式集合墓という。1980年代末から90年代初頭にかけて、東京・巣鴨《すがも》と新潟・巻町《まき》（現・新潟市）に相次いで、それまでの「○○家」の墓ではない、合葬墓ができたのだった。

「当時は、シングル女性を救う運動だと思って取材していた。でも、それは大間違いでした」

当時、都立霊園などでは、墓は、承継者、つまり結婚して子がいないと手に入れられなかった。家《イエ》制度の名残といっていい。結婚せずにシングルのままを通す人はそれなりにいた。その人たちは東京で墓を持とうにも比較的安価な公立霊園にはそういう事情で入れない。かといって、地方に帰って実家の墓に入る気持ちもない。だから、滝野は永代供養墓の創設は、「かわいそうな」シングルの人たちを救うための運動だと、勘違いしていた。ところが、時代は静かに、しかし確実に動いていたのだった。永代供養墓を求めていたのは、シングルだけではなかった。

例えば、「夫と一緒の墓には入りたくない」という妻の本音も大っぴらに語られ始めた。当たり前と思われていた墓石に「○○家の墓」などと家名が刻まれた「家墓《イエ》」の存在は揺らぎ始めていく。考えてみれば、「日本の伝統」だと考えられていた「家墓《イエ》」だが、江戸時代はほとんどが土葬であり、明治以降のつまり150年ほどの歴史しかないのである。

家族のカタチも大きく変わってきた。先祖代々の土地や家、墓を守り続ける名家は少数派で、大多数は子供も少なく、いても1人。しかも女子だったら養子をもらわない限り、墓を守る人はいなくなっていくのだ。家制度とともに、墓も衰退する運命にあることは必然だったのだろう。

そうして、日本の墓は大変容を始めていく。

30年前、できたばかりの永代供養・合葬墓では、自ら入ることを決めていたシングル女性の遺骨を、親族が「イヌやネコじゃあるまいし、冗談じゃない！」と言い捨てて奪い取っていったというエピソードまで残っている。それが、あっという間に世の中に認知され、今では新聞の折り込みチラシにまで登場している。「○○家」の墓がなくなることは今のところないが、「絆《きずな》」「夢」「ありがとう」などと夫婦の気に入った文字を刻む墓も珍しくなくなった。

OECDで社会的孤立がトップの日本

日本社会の特徴として「少子・高齢・多死」社会とよくいわれる。1人の女性が産む子供の数の指標となる2019年の出生率は1・36となり、4年連続で前の年を下回っている。

少子化に歯止めがかからない一方、逆に平均寿命は延びている。2018年の日本人の平均寿命は、女性が87歳、男性が81歳で、ともに過去最高を更新した。

サラリーマンは定年退職してから20年、いや30年は生きることとなる。そして多死社会。1990年代は年間80万~90万人亡くなったのが、今は約137万人、国立社会保障・人口問題研究所の推計では2030年には年間160万人というから、わずか数十年で倍増である。「死」は数字的には身近にあるはずなのに、まだまだ日本人にはタブーとなっているのだ。

ただ、葬送大変容との関係で言えば、もう一つ、「単身化」という特徴が関係していると終活を専門テーマにするオヤジ記者の滝野は言うのである。

「右肩上がりの高度成長期には、お父さんお母さん、そして子供2人が標準的家族像だったよね。でも、バブルが弾《はじ》けて、そのあと失われた20年とかリーマンショックをへて、日本はずっと右肩下がりで過ごしてきた。そのとき家族はというと、単身世帯が一番多くなった。夫婦2人世帯も実は『単身予備軍』だから、単身化はさらに進む。

しかも、今はまだ経済的には比較的余裕があるが、これからは余裕のない一人暮らしが急増してくるの。実はそのことは葬送の変容にも影響していて、これまでかろうじて世間体を気にして保ってきた葬儀や墓というものを気にしなくなる、というより、気にできなくなっていくの。つまり、『カネとテマ』の話になった途端に、日本の葬送は一気に、安く規模は小さめで短期間にという『安・縮・短』傾向が進んでいったの」

日本の単身世帯率は今1841万7922世帯で、全体の34・6%を占めている（施設等の世帯を除く）が、年々増加し、国立社会保障・人口問題研究所の推計では2040年には39・3%になるという。実に4割が一人暮らしということになる。

高齢者を対象とした内閣府の「第8回高齢者の生活と意識に関する国際比較調査結果」

によると、単独世帯の高齢者で、他者との会話が「ほとんどない」と回答した人の割合は7・0％であり、これは諸外国の単独世帯（アメリカ：1・6％、ドイツ：3・7％、スウェーデン：1・7％）と比較しても、とても高い水準となっている。

また、平成30年版の『高齢社会白書』によると、二人以上の世帯では、9割以上の者が「ほとんど毎日」会話をすると回答したが、単身世帯で「ほとんど毎日」会話をすると回答した者は54・3％にとどまっていることがわかっている。

つまり、日本において単独世帯が増えるということは、必然的に頼りにできる存在が身近におらず、社会的に孤立してしまう人も同時に増えるということにつながってしまうのだ。

私自身も孤独死を取材していて実感することだが、滝野と意見が一致したのは、より深刻なのは男性の孤立だという点である。

同調査の単身世帯を男女別で見ると、女性単身世帯で「ほとんど会話をしない」とした者は2・2％にとどまったのに対し、男性単身世帯では11・7％に上る。

また、「生活と支え合いに関する調査」（国立社会保障・人口問題研究所、2012年調査）によると、65歳以上の一人暮らしの人に、普段の会話の頻度を聞いたところ、「2週間に1回以下」は、女性3・9％に対し、男性はなんと、16・7％と高かった。

この結果からも、単身世帯の中でも、高齢男性の孤立が進んでいるということがわかる。日本の社会的孤立の状況は、OECDの他国に比べても最も高い。2005年の世界価値観調査によると、友達や同僚たちと過ごすことが「まれ」あるいは「ない」と答えた人の割合は、オランダ2・0、米国3・1、韓国7・5に対して、日本は15・3％と加盟国の中で群を抜いてのワーストワンとなっている。

だから、滝野は、「墓や葬儀の変容を見ていると、日本社会がいかに急激に変わっていったのかがよくわかる」と訴えるのだ。

最も顕著なのは、引き取り手のない遺骨の問題だ。孤独死が見つかった時、警察や行政が親族を探す。しかし、それが見つかっても、遺骨の引き取りを拒否するケースが最近急増しているのだ。

引き取り手のない遺体は、最終的に地方自治体が火葬、納骨することになっている。これが、実は地方自治体にとって財政的な負担になっているのだ。例えば大阪市の場合、年間2、3億円がこうした無縁者の埋葬費用に充てられているのでは、と推測する行政関係者もいる。

「一度、横須賀《よこすか》で、亡くなった身寄りのない男性の葬儀に立ち会いました。市役所の人と後見人の行政書士さんと数人だけ。でも、葬儀社と火葬場職員だけの直葬よりはましかなって、そのとき、手を合わせながら思っていたな」

既成概念が大きく揺らぎ始め、孤立化が「むき出し」になった90年代——。２０００年代になると、その動きはさらに露骨になり、加速していく。

そして、２０２５年には、第一次ベビーブームの時に生まれた、いわゆる団塊の世代が後期高齢者となることになる。そして、国民の四人に一人が後期高齢者という、いまだかつてない超高齢社会が到来する。それによって、医療費や社会保障費の逼迫《ひっぱく》が懸念されている。

また、生涯未婚率の上昇や長寿化によって、単身世帯も年々増え続けている。

２０１９年4月19日付の日本経済新聞によると、国立社会保障・人口問題研究所が19日に発表した将来推計では、40年には世帯主が65歳以上の「高齢世帯」のうち40％が一人暮らしとなる。東京都で45％超となるのを筆頭に、全ての都道府県で30％を超える見込みだ。同紙は、高齢者の生活を支えるしくみの再構築が欠かせないと伝えている。

死後の話はもちろん深刻だが、その手前の問題も横たわっている。

今後は、一番弱っている時期に、多くの人が一人暮らしということになる。死に向かう手前、誰が彼らを支えるかというと、孤立が進んだ社会では、「誰もいない」という暗澹《あんたん》たる現実が浮かび上がる。

滝野は、戦後、日本が経済復興を果たすときに地域のしがらみから抜け出し、村落共同体を捨てておいたことに原点があると感じている。しかし、今更そんな古き良き日本を回顧してもどうしようもない——。我々は否《いや》が応でも新たな社会の在り方と向き合わなければならない。滝野はふっと視線を落とす。

「周死期というのが今の自分のテーマ。あまり知られていないけど、人が生まれるときは、誰かが支えなくちゃいけないでしょ。周産期は、赤ちゃんもお母さんも、出産の前と後を通して支える人が必要。じゃあ、死ぬときもそうなんじゃないかと思うのね。

生きてるときは医者や看護師が病院で病気をみてくれる。そのあと、普通は介護の施設、そして緩和ケアとかホスピスとか。今は在宅がはやりだけど、そう簡単にはいかない。そして亡くなったら葬儀社のスタッフがきて初めて会うお坊さんが遺族と話し、火葬場に連れていかれる。みんなそれぞれバラバラ。誰かが、通して支えてあげられればなあと。いや、全て一人で見てくれることは無理だから、仲間がいて、それぞれの場面でできる範囲で支えてくれるとかね」

確かに、滝野が言うように人は最後に何らかの病気を患い、介護を受け、看取られる。もしくは癌などになると緩和ケアという道を辿《たど》り、最終的には死に辿り着く。人は一人では死ねない。だからこそ、それを遂行してもらえる人と人との関係性を事前に作っておくことが必要だと感じているという。

「今後は、自治体ももっと個人の最期に関係しなくてはいけないと感じているよ。だけど、死ぬ前の話は、行政任せだけではだめだと思う。今後は、家族がいない人も増えるから、家族じゃなくても、この人なら任せられるという人を自分からも積極的に作っておかなきゃいけない。

でも一番これは面倒くさいところなの。時間がかかるし、お互い様じゃないとありえない。その関係を続けるための努力をしなくちゃいけない。かつての集団主義ではなくて、これからは新しいつながり、ゆるい仕組みがいるよね。買い物ならあの人、ちょっと病院に送ってくれるならあの人という感じにね。パートタイム的にね！」

激動期の人の終末を見続けてきた滝野の鋭い視線が私をとらえた。前時代にはない、全く新しいつながりを作ること――、滝野は、人と人とが限りなくゆるやかなつながりを持ち続けることで、来《きた》るべき超高齢社会、そして、超孤立社会への対処が可能なのではないかと語った。

私は、弱い紐帯《ちゅうたい》という言葉を思い出した。アメリカの社会学者であるマーク・グラノヴェッターは、「弱い紐帯の強み」理論を1973年に発表した。家族や職場の仲間のような強いネットワーク（強い紐帯）よりも、知り合いや知人の知り合いといった弱いネットワーク（弱い紐帯）が重要だという理論だ。

孤立せずお互いを支え合いながら生きていくために、家族だけにはとどまらない、人と人とのつながりをいかに持てるかが重要になってくる。一人が全てを背負うのではなく、その役割を分担すること。「お互い様」の関係性を作っておくこと。しかし、その相手を作ることが益々困難な時代へと突入しているのは確かだ。それでも、やはり、強固ではないにしても、ゆるいつながりは必要なのだ。

これまで大きな時代の変遷を見つめてきた一人のオヤジ記者は、これからの時代との向き合い方の一つとして、そんな答えにたどり着いていた。

家族遺棄社会とは、家族孤立社会

『不寛容という不安』などの著書がある評論家の真鍋厚《まなべあつし》氏は、ヘイトスピーチやネット炎上などの社会現象について分析し、我々の不寛容な社会の在り様について、数々のウェブ媒体で日々情報発信している若手論客の一人だ。真鍋は、新興宗教の家庭に生まれ育ったことから、物心ついた時からそれが受け入れられず、苦しんできた経験をきっかけに、信仰と共同体の問題を考えるようになったという。

「宗教団体も特殊なように見えても一つの社会、共同体ですから、当然良い面と悪い面があるんです。昔はアレルギーというか反発ばかりしていましたが、今は冷静に両方の視点で見られるようになりました」と笑う。

そんな真鍋が最近特に憂えているのは、孤立と分断が進んだ日本社会である。真鍋は、ITメディアビジネスオンラインの誌上で、「『おひとり様』礼賛ビジネスの巧妙な罠《わな》――〝幻想の安心〟を買った先の破滅とは」という興味深い記事を発表している。

記事の中で、真鍋は、近年トレンドとなりつつある、おひとり様経済について、「コミュニケーション強者」と「コミュニケーション弱者」の問題が顕在化したとしている。

前者は、自ら様々な人とつながり、容易に関係性を築けるため、「積極的な孤独」とのバランスをうまく取れるが、後者は、常に「消極的な孤独」に甘んじているために、そのような現実をなるべく直視せずに済む生活習慣を身に付けようとする。心理的な防衛機制で、「おひとり様」「一人客」向けビジネスの充実は、「強者」にとっては実利的な選択肢が増えるが、「弱者」にとっては格好の隠れみのとして機能してしまう可能性があるという。

確かに、これまでの取材では、コミュニケーション弱者とも思える人たちが、ことごとく、孤独死やセルフネグレクトに陥っていた。その度になぜ我々の社会は誰も手を差し伸べられなかったのか、というやるせない思いを抱かずにはいられなくなった。

そんな現代社会に危機感を抱く真鍋氏に、家族遺棄社会の歴史的な成り立ちについて尋ねてみた。

「家族遺棄社会は、家族が同じ家族を〝見捨てる〟というだけでなく、そもそも社会の側もコミュニティの最小単位である家族をある意味で放棄している面があるんですよ。つまり、社会という集合体から家族そのものが切り離され、どこにもつながりがないという、いわば家族孤立社会でもあるのです。こういった社会になったのは、日本の歴史的な必然なのですよ」

と真鍋は、ゆっくりと答えた。

家族遺棄社会は、家族孤立社会——、そうか、なるほど。確かに遺棄と孤立は同義語かもしれないと納得させられる。では、歴史的な必然とは何なのか。

真鍋はその大きな日本の変化として、二つの事象を挙げた。それは、職場や家族、地域社会といった社会関係資本（ソーシャルキャピタル）が近年急速に崩壊していったということ、そして、世界的な潮流として個人の生活スタイルや価値観を尊重するという個人主義が急速に進んだことだ。

滝野が前述したように、日本は戦前から農業が盛んでそこにはコミュニティとしての村落共同体があった。しかし、集団就職などでその共同体は、大都市圏に移っていく。会社は、企業城下町という言葉に代表されるように、本人だけでなく家族の人生をコミュニティとして支えていた。いわば、家族ぐるみの付き合いというやつだ。

しかし、その人的資本を支える経済力が、企業から急速に失われていく。そして、企業がもはや共同体的な役割を担えなくなった。

「一番わかりやすいきっかけはバブル崩壊でしょう。昔は経済的な安定性とともに社宅や社内運動会などといった共同体的な安定性も提供していました。けれども、低成長時代に突入してしまうと、企業は経済的な安定性を担えなくなるだけでなく、共同体的な安定性を担うという機能も衰えていったのです」

金の切れ目が縁の切れ目

元々日本は欧米ほど、地域コミュニティが盛んなほうではない。会社組織が共同体的役割を担えなくなると、一気に社会的孤立が進行する可能性が高かった。企業に支えられていた人たちは、それによって自らの家族の安定も支えられていたが、会社共同体の衰退に引きずられて家族も、経済的にも社会的にも不安定なものとなっていく。

地域からも職場からも切り離された「孤立」した個人や家族が日本中に点在しているというのが今の我々の置かれている状況だ。そこでは、誰にも頼れないがゆえに、孤独死や餓死などが頻繁に起こる。真鍋は、日本は高度経済成長期あたりから高福祉国家モデルではなく、右肩上がりの所得や企業年金などで全てを賄う、自助努力国家モデルとなっているという。だから企業に利益が回らなくなると、途端に家族の生活もソーシャルキャピタルも成り立たなくなる。要は、儲《もう》かった企業が個人の面倒を見るという仕組みになっており、国が零《こぼ》れ落ちた人の面倒を見ることを重視してはいなかったからだ。

「だから、日本が家族遺棄社会になったのは、当然の結果ともいえます。職場が共同体の基盤ではなくなった結果、そこで人間関係を作ることができなくなり、退職後も続く人間関係のベースでもなくなった。みんなそこに乗っかって色んな人間関係を享受していた。そのシステムがほぼ崩壊したから社会的な孤立が進むのは当たり前なんですよ」

真鍋によると、そもそも、日本人は一から人間関係を築くという教育を受けていない。人間関係は、自らが動かないと築くことはできない。不安定雇用になった現代ならなおさらだが、そのスキルを習得する機会もない。

日本の場合、社会参加の手段は、ほとんどが仕事である。職場がコミュニケーションの場としての役割を果たしている。しかし、仕事がなく、社会的孤立の状態が続くと、健康状態も悪くなりやすい。私の取材では、生活保護を受けている単身世帯の孤独死に遭遇することも多いが、納得である。皮肉な話だが、現金給付を受けると仕事をする動機付けが生じにくく、究極的にはコミュニケーションが失われるケースが多い。だから、貧困とは別に孤立の問題は考えないといけない。

かつて日本の農村は、疑似家族的な集団を作ってともに働くことで、その共同体としての在り方を維持してきた。労働をベースとした人間関係では、使用人も養子縁組した子供も共同体の一員としてみなされる。しかし、その農村に起源を持つコミュニティは「職域」に根差したものであり、「職域」が機能しなくなれば消えてしまう。

真鍋は、残念ながら――と、やや、うつむきながら言葉を続ける。

「現状は、金の切れ目が縁の切れ目になっています。親族の関係性や安定も会社ベースのコミュニティに乗っかっていたわけで、お互いが不安定になったら、疎遠になる。金回りの悪い人たちと付き合わない。金回りが良い前提で顔色を窺《うかが》っていたわけです」

中間層はバブルの崩壊とともに、とっくに没落。しかし、「恥」の概念が先行して、いまだに自分が、実は悲惨な階層にいるという事実を認めたくない。自分たちが弱者であることを認めることが困難なのだという。だから、いくら悲惨な境遇になっても、助けを求めることができない。

確かに私が取材した孤独死は8割が男性で、その多くが自分の命が極限状況で危機にさらされても周囲に助けを求めた形跡はなかった。その度に、私はなぜこんな状況になってても、SOSを出さなかったのだろう、という暗澹たる思いを抱かずにはいられなかった。

自分たちがどの階層にいるのか、見つめること

真鍋に助けを求められない人の心境を尋ねてみると、すぐに、明確な答えが返ってきた。

「ＳＯＳを求めることは、ある意味、自分が終わってることを認めることなんです。しかも『自助努力モデル』が刷り込まれていて最後まで自力で何とかしようとします。だから、多くの人は認めたくない。それは年長世代だけではない。若い世代も同じで、孤立の問題を抱えています。共同体を持つ必要性がよくわからないし、そもそもそういうものが支えになった経験が乏しいからわからない。

情報通信技術がそれを推進しているという面もあります。孤独死はその典型例でしょう。たとえフェイスブックに友達が千人いても、自分がいざ自宅で亡くなっても誰も訪ねてきてはくれない。もうすでに日本は、そんな社会になっていますね」

確かに、孤独死現場では、多くの人が痛々しいほどに、たった一人で命の危機と向き合っていた。そして、最後まで肉体的にも精神的にも、苦しみの中で、亡くなっていた。

かつて、つながっていた会社や家族という人間関係が、病気や失業などふとしたきっかけで失われる。それによって、放り出されたあまりにか弱い個が、無防備なまままむき出しになる。そして、自らをサンドバッグのように痛めつけ、それは命さえも奪っていく。

また、働き方が流動的になると、家族全員が非正規雇用という家庭もあるし、自営業でも地域の人々に密着したものばかりではなく、いつ切られるかわからない大企業の孫請けなどで収入も人間関係も不安定となる。地域からも、会社からも見放された人々は、ただ孤立するしかない。それは、家族でも個人でも同じことだ。

我々の社会はとっくに、家族も個人も簡単に遺棄される構造を持った社会だったのだ。その行き着く先は、虐待やＤＶや共倒れして家族が餓死、大量の孤独死などの暗澹たる未来だ。いや、未来ではなく、もう、とっくにたどり着いているのかもしれない。

真鍋は日本で人々の孤立化が進む要素は、まだあるという。

「もう一つ、重要な点は日本は実は血縁社会ではないということです。日本は、いわば疑似血縁社会なんです。本物の血縁社会は血がつながっていたら、会ったことがなくてもその人を助けたりする。そこに疑問が入り込む余地はない。

だけど日本はそうではないですよね。地縁社会的で、自分に近い親しい者を助ける。しかし、行政は血縁社会のような制度作りをしているので、親族の負担が重くなり、感覚的に齟齬《そご》が生じてしまう」

確かに、介護や葬儀など法的な仕組みはいまだに血縁社会を前提にしているが、元々そういうカルチャーを我々は持っていない。真鍋は、その溝が深くなると今後家族遺棄社会は、益々加速すると懸念している。血縁というだけで、その最後を押しつけられることに困る人が増えるからだ。そのため、家族代理ビジネスは増えるだろう。齟齬を埋める受け皿は益々必要になってくるが、今のところ、ほとんど見当たらず、限りなく脆弱《ぜいじゃく》だ。当然ながら行政だけでは賄いきれない。

コロナ後の世界で深刻化する孤立

世界中を大きな危機に陥れた新型コロナウイルスは、私たちの生活様式を一変させた。就労環境においてはテレワークが加速、またオンライン診療が解禁となり、Zoom などのオンライン飲み会が話題となった。

しかし、人と人との距離、ソーシャルディスタンスが必要になるコロナ禍において、より一層、人々の孤立化が進むのではないかと真鍋は考えている。

「現役世代の場合、テレワークなどに移行して、在宅で仕事ができること自体は悪くないと思います。ただ、これまで脇に追いやってきた孤立の問題がコロナ禍において顕在化しています。Zoom 飲み会は盛んになりましたが、そもそも飲み会をする相手がいない、ちょっとした愚痴を言う相手すらいないことに愕然《がくぜん》とした人々が大勢現れました。

普段職場や街の中にいれば、表面的な付き合いや会話といったもので中和されていた孤独感がいよいよ誤魔化せなくなってきたわけです。感染リスクを顧みず直接会ってくれる人がいるというのは親しさの指標といっていいと思います。そのため、今後も益々関係格差は強く意識せざるをえないのではないでしょうか」

高齢者の孤立も、コロナ後はより深刻化している。例えば、孤独死を取り巻く現場は、コロナ禍によって、さらに危機的な状況へとシフトしたのだ。これまで可能だった民生委員などの地域の見守り活動が困難になり、高齢者が長期間にわたって、家の中で亡くなっていても遺体が発見されないという事例が相次いでいる。

「高齢者は、スマホやタブレットなどを持っていなかったり、持っていてもうまく使えていなかったりと、若い世代と比べてデジタル格差があるので、直接接触の機会が制限されてしまうと、益々、社会的孤立が進行してしまうかもしれません。

感染リスクを避ける生活習慣が世の中に定着することは良いことなんですが、それによってこれまであった誰かからの訪問や見守りが途絶えたり、少なくなってしまうことが懸念されます。デジタル機器を駆使したコミュニケーションなどを周囲が支援していくことが必要になると思われます」

では、そんな孤立化が進んだ社会を生きていくためには、私たちはどうしたらいいのか。

そこに処方箋《しょほうせん》はあるのだろうか。その問いに、真鍋は、「これは非常に、難しい問題なんですよね」と少し頭を抱えるしぐさを見せた。

しかし、すぐにしっかりと私の目を見据えて、言葉を続けた。

「ただ、私たち個人個人にできることとしては、まずは、自分がどういう社会階層や社会関係にいるか、客観的な視点を持つということが大切です。自分が相対的に低い不利な立場にいることを自覚するということ。外から自分を客観的に見ることができたときに初めて何をすべきかが明確になるからです。そして、同じ問題意識を持った仲間を増やし、連帯するということ。

まだまだ自分たちが社会的弱者であることを認めたくない人のほうが多い。だけど、それを続けると、困窮した時に、誰も助けてくれる人が周りにはいなくなるということにつながるんです」

また真鍋は、企業などが共同体的役割を担えなくなった以上、若いうちから人間関係の構築方法を学ぶ必要があるという。それには、初等教育の段階から授業に組み込んだり、NPOなどが自治体と共同で人とつながれる場を設けることが有効だと教えてくれた。

自分の置かれている状況を客観的に見つめ、そして、仲間とつながること。しかし、自分の状況を見つめるのは、とてつもない痛みが伴うという現実がある。皆、小さいながらも自分のプライドにしがみつくことでアイデンティティを必死に保って生きている。だから助けを求められない。しかしそれは、徐々に自分を追い込み、がんじがらめとなって最終的に次第に息ができないほどになる。アップアップして苦しみ、最後は酸欠状態となる。

それが、今日本社会を覆っている膜の正体なのかもしれない。

ある福祉関係者は、孤独死について、「苦しかったら周りに助けを求める勇気を持って。声を上げてくれないと、その存在すらも見つけられない」と、私に切実に訴えた。勇気を持ってそんな殻を突き破り一歩を踏み出すこと、そして、つながれる仲間を探すこと、それが結果的に自分を苦しめる状況から抜け出すことにつながる、私は真鍋の言葉にそんな思いを強くした。

第五章　家族遺棄社会と戦う人々

家族を遺棄する人がいれば、その一方で、押し寄せる無縁化の波と人知れず向き合い、葛藤《かっとう》している人がいる。私たちと彼らは同じ日本という国に住みながら、カードの表と裏のように見える風景が180度違う。私たちの日々の生活において、そんな人たちの姿はフィルターにかかって閉ざされ、見えることはない。
人の最終地点である「葬送」を生業《なりわい》とする彼らは、無縁社会にどんな思いを抱き、どう向き合っているのか。ヴェールに閉ざされた「死」にまつわる彼らの仕事を通じて現代社会の手触りを追った。

事故物件専門「お祓い」の神主が向き合う無縁社会

神奈川県相模原《さがみはら》市――。エメラルドグリーンに光り輝く津久井《つくい》湖の近く、深き藍《あい》色の森の中に、真っ赤な鳥居が浮かんでくる。そう、この辺鄙《へんぴ》な山の中の高台にその神社はひっそりと社殿を構えている。ここはいわゆる、普通の神社ではない。
日本随一の事故物件を専門に扱う名物宮司がいる神社なのだ。その名を金子《かねこ》雄貴《ゆうき》という。金子がこれまでに手掛けてきた事故物件の数は、ゆうに1000件を超える。自殺、殺人などがあったラブホテルやマンション、風俗店など手掛けたお祓《はら》いは、多岐に渡る。金子は神主生活38年のベテラン宮司で、お祓いなど神事の依頼があればどんな場所でも「断らない」ことをポリシーとしている。

近年その数を増しているのが孤独死の事故物件だ。

金子に約束のモノを見せてもらう。金子がお祓いに持ち運ぶ、簡易型の祭壇である。

「これが数多くの死体現場に置かれた祭壇だよ」

金子はそう言いながら、1メートル×30センチの長方形の黄色いビニール製の分厚い覆いを開け始めた。事件現場は、体液などで湿っていることが多い。そのため、床などの接地面が濡《ぬ》れていても水分をはじくように、表面はツルツルの防水性になっている。

その中には、様々な形の木材がバラバラになって整然と詰め込まれていた。金子は、まず足の部分をはめ込んで土台を組み立てると、今度は、祭壇の台となる部分をその上に積み上げていく。すると5分もしないうちに、畳半畳分ほどの大きさの祭壇が完成した。

台の上に榊《さかき》を入れて、供え物をして、あっという間に「孤独死キット」と呼ばれる祭壇の完成だ。事故物件のお祓いの一連の流れは、通常と同じだ。玉串《たまぐし》とお神酒を台において、供える。そして、祝詞《のりと》を上げてお祓いして、供養という一連の流れとなる。ただし、その時間は短い。所要時間はわずか20分だ。現場では、凄《すさ》まじい臭いだし、作業を急ぐ管理会社の人もいるので、なるべく手早く終わるようにしている。

金子に事故物件のお祓いを依頼するのは、その9割を物件の管理会社が占める。次の入居者に対して、お祓いをしたという安心感が欲しい。それだけだ。そのため、希望すれば「お祓い証明書」も発行している。部屋の中にはとてもではないが、長時間滞在できないほどに、死臭が立ち込めている現場もある。金子のお祓いに立ち会う者はいない。気のいい不動産業者がたまに参列する程度だという。孤独死現場では、極端に狭い階段だったり、小さいエレベーターしかない物件もある。

そのため、いかにマンションのエレベーターをクリアするかということにこだわり、祭壇の大きさも、極力小さくした。また、足の踏み場もないようなゴミ屋敷でのお祓いもあるため、祭壇は限界まで床との接地面を小さくするなど随所に工夫を凝らしている。

うずたかく積もったゴミの山や人形の染みがベッタリと残る孤独死現場が、金子宮司のいつもの仕事場だ。特に夏場は臭いがきつく、思わずその場で嘔吐《おうと》することもある。しかし、神主の意地として、どんなに死臭がきつい現場でもマスクなどを着用することはない。

金子が事故物件のお祓いを始めたのは、２００９年だ。たまたま所有の物件で孤独死があり、どこの神社でもお祓いを断られたという不動産会社から連絡があり、金子はその仕

「孤独死キット」と呼ばれる持ち運び型の祭壇を
組み立ててみせる金子雄貴宮司。

事を引き受けることとなる。そこは都内のワンルームマンションだった。初めての事故物件の洗礼は、強烈だった。

「3階のフロアのエレベーターの扉が開いた途端、とてつもない臭いが充満していたの。うわー、この臭い。生まれて初めてだよ。なんだこれ！　と思った。警察がドロドログショグショになった遺体を運び出した直後だったの。体液で、敷かれた布団もぐちょぐちょになっていて、床もビショビショで、くぉぉぉ！　と思ったの」

祭壇や着物など、臭いがついてしまい、全て捨てざるをえなかった。しかし、自分がお祓いをすると、現場の空気感がハラリと変わるのがわかった。これは自分に課された使命だとすぐに感じた。

金子は、事故物件について調べることにした。他の神社のホームページには、自殺物件のお祓いはお断りと書いているところもある。また、知り合いの不動産業者の話では、事故物件の依頼だと知ると、神主が「無理っす」といって踵《きびす》を返して帰ってしまったケースもあるのだと知った。しかし、そんな現実を知ってから、金子はむしろ、『お祓い屋』である神社こそ、現代社会に向き合わなくてはいけないという思いを強くした。

お祓いの9割は孤独死物件

それから『自殺、孤独死現場の供養、お祓い』というホームページを立ち上げた。すると、すぐに関東一円からお祓いの依頼が殺到するようになった。リーマン・ショックの時は、自殺の依頼が多かった。しかし、徐々にその数は孤独死が逆転していくようになる。そして、現在事故物件のお祓いの依頼の9割が孤独死となっている。

「孤独死って、一人で誰にも看取られないで死ぬことなんだけど、最高に苦しい死に方なのよね。病気になって、病院に行って投薬や治療を受けないで死んでいった人ばかりなんですよ。孤独死で、安らかに死んでる人ってあんまり見たことないんだよ。血を吐いたのか、壁にしぶきが上がって、ものすごく苦しんだ跡がある。

助けを求めようにも、お金もないし、知り合いもいないし、ただ病気の痛み、苦しみに耐えて死ぬって、こんなに苦しいことはない死に方だよな。そう思うよ」

孤独死の多くが出口のほうを向いて、もがいた跡がある。誰かに助けを求めようとして行き倒れたのだ。金子によると、お祓いをしていて一番きついのは、風呂場《ふろば》での孤独死だという。風呂場では、遺体の残骸《ざんがい》、いわゆる警察の『落とし物』が残っている確率が高いからだ。

「風呂場で死ぬと脂が溶けてドロドロになっちゃう。警察も事件性がないから、遺体の全部は持ってかないんだよな。これは、眼球、爪かなというものが転がってる。臭いも布団の上で亡くなった時とは、違う異様な臭いなの。死臭を嗅《か》いでいると、目がしょぼしょぼして、鼻の穴に指突っ込まれる感じになる。息できないもん。昔はよく吐いていたよ」

宮司といえども一人の人間だ。事故物件のお祓いを始めた頃は、精神的に追い詰められたこともよくあった。夜中にうなされて大声を出してしまう。そして、朝になると、体中汗びっしょりとなっている。とてつもなく大きな化け物が夢に出てきて、大声で叫んだこともある。しかし、数々の事故物件を手掛けるうちに、故人の生きざまを知ることによって、次第にそんなことも少なくなった。

そんな金子だが、近年の時代の流れの深刻さを感じるようになったのは、やはりバブル崩壊後だという。

「高度経済成長があって核家族化したことが一因だと思う。それがさらに加速する形で、日本人は孤立していったんだと思う。昔は同じ町に住んでいるというだけで、疑似血縁集団的な町の風景があったんだよ。その疑似血縁集団がバブル崩壊頃から薄れてきた。やっぱり非正規雇用が増えているということよ。社会の組織に属さない、属せない人がいる。

精神的、経済的にもね。そういう人が増えてきているんだろうな。

それが加速すると、本当に悲惨だよね。そういう人のおうちは、足の踏み場がないんだもん。雑誌とか、食べかすとか、キッチンとかめちゃめちゃになってる。きれいなおうちで亡くなっていることなんてめったにないの」

現代日本で疎まれる存在の神主

もちろん、会社に勤めている普通のサラリーマンが、高血圧や心筋梗塞《しんきんこうそく》やクモ膜下出血などの突然死で亡くなることもありうる。しかし、金子の訪れる現場では、お金がなくて病院に行けなかったり、周囲の人間関係から孤立していたと感じるケースが多い。また、お金はあっても健康に関心がなくて、糖尿病で酒に溺《おぼ》れて死んでいく人もかなりの数に上るのだと言う。現場を訪れる度に、焼酎《しょうちゅう》とかチューハイの缶がゴロゴロしている床の状態に遭遇するからだ。

「たとえ不摂生な生き方をしていたとしても、そんな生活を止める人も誰もいない。そういう人は気が向いたときにしか仕事もまともにいっていないし、生活保護だったりして、そもそも全く社会との接点がないんだよね。人間は一人で生きていくことはできないよね。

だけど、今はコンビニもあるし、ネットショッピングもあるから、一人で生きていけると最後まで思ってるんだよ。生活がおかしくなった時点で、本当はもう全てが崩れていっている。だけど、そうなった時に、頼る人がいないの」

本当は人は一人では生きていけないんだよ――。金子はそうつぶやく。私も確かに、そうだと思う。孤独は人をむしばむ。そして、自らの体をこれでもかと、痛めつける。

金子は、いわゆる生活保護受給者を受け入れるアパートのお祓いに呼ばれることが頻繁にある。たいていは同じアパートで頻繁に孤独死が起きているため、何度もお祓いに呼ばれる。大体60代の単身男性が多い。私も、いわゆる生活保護アパートに取材に行ったことがあるが、大家は毎年のように孤独死が起きていると言っていた。

「大家さんは生活保護だと家賃のとりっぱぐれがないから、どんどん店子を入れる。みんな、孤独死しそうな人ばかりなの。そのアパートの住人を見てると、足を引きずった人が酎ハイの入ったコンビニのビニール袋をぶら下げて帰ってくる。だから、またこいつも逝くんだろうな、と感じるの。そういう人が死ぬんだろうな。

雰囲気でわかるよね。最初はサラリーマンだったんだけど、離婚して、奥さん出て行ったりして、だんだん崩れちゃったんだと思う。だから孤独死って誰にでも起こりうるのよ」

孤独死の場合、お祓いの現場に親族が現れることは3年に一回くらいで、ほぼ皆無だ。室内に仏壇や位牌《いはい》が放置されていると、管理会社から「気持ち悪いので、持って帰ってくれ」と言われることも増えた。もはや現代社会にとって宗教は疎まれるもので、その役割を果たしていない。

本人が、親族だけでなく社会からも隔絶していたと感じる。実は本人に元妻や子供はいるが、出てこない。離婚などで親族と疎遠になり、友人関係からも隔絶して、最終的に孤独死してしまう。

「孤独死現場では親族はほとんど出てこないからね。死に至るまで、親戚《しんせき》縁者に嫌われたり疎遠だったりして、一人になっていったんだよな。借金や失業で、起死回生しようとしてギャンブルにハマったとか多いね。元は妻も子供もいたけど、お父ちゃんと関わりたくないというところに堕《お》ちていった。この社会は、そういう本人が抱える個人的な理由と、無関心さが相まって孤独死という現象が起きていると思うの。複合的な要因なんだ。親族からも離れて、社会からも脱落して、その先が孤独死という結末になるの」

——悪いけどさぁ、ポストに鍵《かぎ》入れとくから、お祓いやって写真とっといて。

管理会社には、そんな投げやりな言い方をされることは日常茶飯事で、露骨に嫌な態度を取られることもある。金子は、ポストに入った鍵を受け取り、たった一人物件の中に入る。そんな社会と毎日のように対峙《たいじ》しなければならず、時たまやりきれない気持ちになることもある。

俺が最後の砦

金子は孤独死現場でお祓いが終わると、真っ先にスーパー銭湯に寄って帰る。腐臭の漂う孤独死現場にいると、最初は喉《のど》の奥から吐き気が襲ってくる。しかし、すぐに鼻は慣れてバカになってしまい、何も感じなくなる。だから、いち早く体についた死臭を落とさなければならない。

金子は、ここ30年ほどで日本が大きく変わってしまったことを実感している。

「こういう現場に長く携わってると、無縁社会の到来を肌身で感じるよね。これだけ孤独死が増えてるってことは、日本の崩壊の予兆ということじゃないの。だって人が死んでて、腐っててもわかんねぇんだから。これだけ人口が集中している都市で、50センチ先にも通勤のサラリーマンがダラダラ歩いている。それで知られないということはもう孤立社会で、崩壊に向かっている兆しだよね」

無縁社会を実感するのは、親族が現れないときだけではない。その宗教観の変化も、無縁社会を加速する引き金になっていると金子は感じている。オウム事件以降、宗教者に対する社会の見方が180度変わった。金子が現場に現れると、依頼をしたにもかかわらず大家や近隣住民などに露骨に嫌悪感を示されることが増えてきたからだ。

大家は「あんたみたいな恰好した人がうちの持っているマンションやアパートをウロウロすると、迷惑なんだよ」と睨《にら》みを利かせて、仁王立ちになるし、あからさまにその恰好が気持ち悪いと言われることも多くなった。

横浜の億ションといわれるある高層マンションの一室で孤独死が起きたときのこと。コンシェルジェの女性に、「なんですかあなた！　そんなことするんだったら、管理組合に許可を取ってください！　そんな恰好でウロウロして」と罵倒《ばとう》されたこともあった。

「俺は別に悪いことしに来たんじゃないんだよ。供養に来たんだよ。そんな恰好でウロウロするなって言われても、裸になれってのかよ。下半身出して歩いてたら犯罪だけど、これ正装してるんだからよ」

金子は女性にそう反論したが、依頼主の立場も考えてぐっと言葉を飲み込むときもある。金子の姿を見ると、隣人などが警察に通報して、警察がやってくることも日常茶飯事だ。

しかし、そんな社会も一概に責めることはできないと金子は言う。

「今は血縁集団の儀式がないから、俺たちの仕事は嫌われているのも当たり前だよね。オウム以降、宗教は特定思想集団として一般市民に忌み嫌われるようになっちゃった。それは神主でも一緒なの。宗教は、私たちの日常生活から完全に離れているよね。

でも人の道徳観って何かと問われると、ほとんどの国は宗教なの。それが今は取り払われた。今の家には仏壇も神棚もない。死者を弔うとか供養するという気持ちがないよね。だから、人＝モノなんですよ。今は、不動産会社はホテルのフロントみたいなもの。我々は、不動産会社と契約して町に住んでいるけど、それはただのホテルでしかないから人のつながりなんて生まれないの」

ホテルは、お客に部屋を貸すだけの存在で、そこにつながりが生まれる余地はない。

日本はなげぇことないな

しかし金子が幼い頃の町の原風景は違った。共同体として神社のお祭りが盛んで、そこには、つながりや心の交流があった。しかし、現在は人々は、神社の氏子やお寺の檀家《だんか》から外れて、個になってしまった。だから、孤独死が増える。金子は私にそう言うと、その穏やかな視線を斜め下に落とした。数々の事故物件に向き合ってきた男が見せたわずかだが憂いの視線――。私は、その視線に思わず言葉を失ってしまう。

「こういう現場に長く携わっていると、日本はなげぇことないなと思うよ。日本人には、最低限の人間の尊厳がないんだよ。生命の尊さはない。生命って本当はとてつもなく重いじゃない、それがないの。日本の国はお金だけなんだよ、尊厳が与えられるのは、ごく一部の裕福な人たちだけなんだ。

日本は経済的には復興したけど、精神的には疲弊しちゃったんだと思うよ。『うちのアパートで店子さんが亡くなってかわいそうだったね』と、その発想がないの。起こったことが嫌で迷惑なだけなの。そういうモノの考え方しか、今の日本人はできない。昔は大家さんとはうっとうしいほど人間的な付き合いがあったわけだよ。今は、ただ家賃だけ払えばいいという考え方でそれがない。本当に日本人は冷たくなったよ」

そう語る金子の背中は少し寂しそうだった。しかし、数々の現場と向き合ってきた金子の歯に衣《きぬ》着せぬ言葉は、ズシズシと私の心に突き刺さり何よりも重かった。

誰もが忌避する人の最期――、そんな日本社会の現実と向き合う男の葛藤が、まさにそこにあった。しかし、どんなに現場で吐き気がしても、周囲の人に心ない言葉を投げつけられても、それでも、金子宮司はこの仕事が好きだという。その原動力とはなんなのだろうか。金子にそれを尋ねると、少し照れたような笑いを浮かべながら、即答した。

「だって亡くなった人にとっては、俺が最後の砦《とりで》なんだもの。自分で言うのもおかしいけどね。その人に、『これまでの人生、大変だったね』と言えるのは俺しかいない。だからどんな嫌なことにも耐えられる。現場に行った時に式典が始まると、汚いという感覚とか、臭いとか拝み始めると一気に消えるの。こういう亡くなり方をする人は葬式もやらないことも多い。だから自分だけは『お疲れさま』と言って死者と初めて、対話をする。

儀式をすることによって、神社として世の中の役に立つ新しい形を確立したと俺は思っているの。事故物件であっても、一応、神主というのがきてお祓いをしたんだ。それで、この物件に入ろうかなと思う人がいる。そんな宗教者としての役割が社会にあるなら、俺としてはそれでいいんだ」

そこには故人を思う金子の優しさがあった。そして、神主として少しでも世の中に貢献したいという使命感もある。それはどんな形であってもいい——金子はそう考えている。

事故物件が忌避されるのは確かだ。不動産会社はお祓いしたという安心が欲しい。増え続ける孤独死のお祓い需要は、お飾りの神事というアリバイ作りと化しているのが偽らざる現実だ。神社も確かに経済原理の中に組み込まれている。しかし、たとえそうであっても、宗教者として社会に必要とされるなら、それはそれでいい。そして、金子にはそんな社会と真摯《しんし》に向き合おうとする懐の深さがあった。無縁社会から目を背けずに向き合うそんな宗教者の姿こそが、希望なのかもしれないと思った。金子がふと視線を外に向けた。

気がつくと、すっかり外は日が落ちてしまっていた。

神社の鳥居が夕日に照らされて赤く、まぶしく怪しい光を帯びている。金子はどこまでも人懐っこいまなざしで、バス停まで歩く私を見送ってくれた。明日も金子は早朝から壮絶な孤独死物件に車を走らせる——。

石材店が抱える墓じまいの葛藤

神奈川県横須賀《よこすか》市——。

2019年8月下旬。シトシトと雨が降りしきる湿っぽい夏の日、私は、ある石材店にいた。

年季の入った二トントラックが石材店の作業場にバックで乗りつけると、ガッチリした体格の男たち二人が、助手席から勢いよく降りてくる。男たちは黒地に白文字で「石職人」と書かれたTシャツに身を包んでいる。

トラックの荷台には、一基の墓石が無造作に横倒しで乗っていた。「○○家ノ墓」と書かれた、幅30センチ、高さは1メートルくらいだろうか。やや小さめな墓石は主人を失い、どことなく心もとなげな佇《たたず》まいのように感じた。そう、これから行われるのは墓じまいの一幕である。

作業場の上部には、かなりの重量の石を移動できるようにクレーンが吊《つ》るされていて、このクレーンで墓石を摑《つか》むと、作業場のどこにでも、自由自在に移動できるようになっている。

墓石は、職人の手によってトラックから降ろされると、この巨大なクレーンゲーム機のクレーン部分に、ガッチリと横っ腹を摑まれた。そして、一度、毛布の上に下ろされ、向きを変えると、巨大な歯のついた切削機の前へ据えられた。これから命が吹き込まれようとするピカピカに磨かれた新しい墓石たちの横をスルスルと通り抜けていくのが、もの悲しかった。

職人は、墓石と切削機の位置を慣れた手つきで調整していく。そして、丸くとがった切削機を墓石の前まで引きずり出し、墓石の後方部分にセットする。

「ガガガガガガガガガガガガガ」

その途端、丸く細やかな刃が凄《すさ》まじい力で高速回転し始めた。あたりは墓石から飛び散った粉塵《ふんじん》に包まれ、そのせいで目の前が曇って視界があっという間に遮られる。切削機の歯が上下する度に墓石に、あっという間に切れ目が入り、いくつもの筋が墓石に刻まれていく。鮮やかな職人芸だとも思わせる技術に、思わず目を見開いてしまった。なんと手際のよいことか。しかし、その一方で、石職人と書かれたTシャツを着たひたむきで技術を持った職人たちが、墓を壊す作業を強いられているという現実を目の当たりにして、少しだけ心が痛んでいる自分がいた。

墓石の看板ともいえる文字の部分は何度か歯を上下する度にくっきりと直線が刻まれていく。そして、再び墓石をクレーンに吊るして、毛布の上に下ろす。そして、社長である大橋《おおはし》がその石に杭《くい》を打ち込んでいく。

「カンカンカンカンカンカンカンカン」

小気味良い音があたりに響く。わずか、3センチほど杭を打ち込んだところで、文字の部分は破片となってあっけなく砕け散っていく。さらに墓石を横にして、戒名が書かれた部分も、丁寧にヒビを入れていく。

これで墓石に刻まれた文字はなくなった。その作業を追っていくと、だんだん墓石という感覚が薄れて、石そのものへと近づいていく気がする。石となった物体に今度は、電動ドリルで、穴を開けていく。

墓石の三カ所に開いた穴に、杭を差し込み、何度も何度もカンカンカンと打ちつける。鉄槌《てっつい》を打ち込まれた直方体の墓石を砕いて、体積を縮小し取り扱いやすくするためだ。

「やってみますか？」と言われたので、私も大橋と一緒に、石頭（大きめなとんかちのようなもの）で墓石を叩《たた》いた。見た目とは違って、石頭だけでもかなりの重さで、熟練した技術が必要だということがわかる。

石を打つ鈍い音だけが響く作業場で、力の加減もわからず、ただ、私は石に杭を打ちつける。何度か叩いているうちに、手の感じが軽くなった気がした。墓石の腹の部分に斜めにヒビが入り、墓石は真っ二つにあっけなく割れてしまった。同じ作業を三回繰り返すと、墓石は見事に30センチ角の立方体の石と化した。

あとは、墓石を産廃施設に持ちこみ、一連の墓じまいの作業は終了となる。大橋によると、この命を失った墓石たちは、私たちが日々生活する道路などへと生まれ変わり、命を取り戻していく。つまり、再利用されるというわけだ。そのため、産廃業者が次の工程で

墓じまい後の墓石は、その体積を減らし、
扱いやすくして再利用される。

処理しやすくするために、小さくする必要があるのだ。

名前が無くなった墓石は、ただの石へと還《かえ》っていった。それが、私たちが生活する上で必要な道路などの路盤材へと再生するのは新鮮な驚きがあった。

お墓があった場所は更地にして、お寺の指示通りの形状にする。完全に土にして返す場合や、土台などのコンクリートは取らなくていいというところもある。また、コンクリートを打って草が生えないようにして欲しいというところもある。

迷惑をかけるものとしてのお墓

こうした、墓じまいはひっそりと増え

ている。「改葬」とは、お墓のお引っ越しのことで、すでに埋葬されている遺骨を永代供養墓や外墓などに移すことを指す。つまりこの改葬が行われていれば、墓じまいが増えていることを表すことになるというわけだ。

厚生労働省が発表している統計データ「衛生行政報告例」には「埋葬及び火葬の死体・死胎数並びに改葬数、都道府県―指定都市―中核市（再掲）別」という項目がある。これが、墓じまいの件数を知る手掛かりとなる。

それを見ると2010年度は7万2180件だった改葬は、徐々に増え始め、2018年度の改葬件数は11万5384件となっている。

大橋によると、「墓じまい」が世間をにぎわせ始めたのは、NHKの朝番組で霊園の開発業者が、「墓じまい」という言葉を使ったのが最初だという。そこから時を待たずして、墓じまいのポータルサイトが活況を呈した。サイトの枕詞《まくらことば》で、「卸値価格の墓じまい」という言葉も現れるようになる。

メディアの墓じまいという言葉にあおられて、年々石材業界は、経営が厳しくなっているという。単純に、新たにお墓を建てる人がいないためだ。2000年代に入ると、迷惑をかけるものとしてのお墓という存在が先鋭化してきた。

そのため大橋は、これまでのような新規のお墓の建設ではなく墓じまいというビジネスに舵《かじ》を切った。現在では、一部の墓じまいを「お墓のみとり」という言葉で商標登録を行っている。

２０１９年に入ってからは新規のお墓の建設よりも、墓じまいの受注件数のほうが多いのだという。特に２０１８年は件数が多かった。

それは、ある寺の本堂の建て替えがあったせいだ。お寺に払うお金の一つとして、寄付がある。お寺は建て替えなどをするときに檀家に寄付を募るが、高額過ぎて不信感を抱く人も多い。これだけお金が必要ならば、この際、檀家を離れたいと考える人が現れるのももっともだ。その結果墓じまいを決意する人たちが現れる。

そのため、大橋のもとには、２０１８年は約30件ほどの墓じまいが発生したのだ。そこには、経済的な問題と檀家制度への不信という、二つの姿が垣間見《かいまみ》える。お寺が寄付を募ると、多いところで1割が檀家を抜けるという。大橋は、その状況はもっともだと実感している。

「現実問題として、迷惑をかけるものとしてのお墓があるんです。墓じまいをしたい人は、これまでお墓に迷惑をかけられている人が多いんですよ。一番多いのは、お寺に寄付が払えないから、檀家を抜けたいというケースですね。お寺さんも無理に引きとめることはできない。だから、墓じまいは構わないけど、あとは更地にして返してくださいねという流れになるんです。

でも、よく考えてみてください。お墓自体は迷惑かけていないんですよ。お墓はただ擬人化されているだけ。檀家さんに迷惑をかけているのは、石屋か寺なんですよ。あはは」

大橋は、そう言って軽快に笑った。確かに石そのものや先祖には何の罪もない。大橋は、石材店の二代目。実直な父親のもとで、職人として長年働いてきた。しかし、これからの時代、現場に立ち続けるだけではダメだと感じている。

檀家制度の不信と家族の変容

無縁社会を感じるのは、墓じまいの際の親族間のトラブルだ。

父方の未婚の兄弟がお墓に納められている状態で、墓じまいを選択したとする。お墓の永代供養の費用が一霊位あたりいくら必要となるとわかると、集まった親族は一気に顔が不機嫌になる。そして、なんで叔父《おじ》さんの遺骨まで埋葬費用がかかるのだ。叔父さんのお骨は無縁仏にしてくれと寺と言い合いになる。そんな場面には、これまでよく遭遇している。お墓の管理者である親族と連絡が取れずにそのままなしのつぶてで、遠い親戚が代理で費用を払い墓じまいをするという、まさに無縁社会を象徴する出来事もある。

人は親族が亡くなってから初めて葬儀社や、お寺と関わることになる。バタバタとして、ただでさえ忙しいのに、そこに突如として現れるのは、目を見張るほどの高額なお布施や戒名代だったりもする。檀家制度に不信感を抱き、次の世代にはこんな負担は押しつけられないとして、墓じまいを選択する人が発生する。亡くなった本人と疎遠ならば、なおさら費用にはシビアとなる。

「あと、お墓まいりする回数って、平均すると、年間で二、三回というデータがある。要するにお坊さんに会ってないし、葬式のときに初めてお坊さんを知ったという人も多い。例えば七十代で初めて親族のお葬式を出すことになる。自分の収入も年金などで決まっている中で、こんなことしていていいの？　という疑問が起こると思うんです。これ、子供に継がしちゃいけないものだよなという感覚になるんです」

もっともだと思う。

墓じまいの費用を聞いてみた。一般的なお墓の場合、その費用は30～40万前後だという。階段があるか、お寺はクレーン車を入れられるかなどで人件費が上下するため、個々の立地条件などによって変動する。地中にもぐっている基礎は、目視ではその厚みはわからない。地中深くに埋まっている基礎を壊すのに三日かかったこともある。

どちらにせよ、お墓は壊す人が増えて、建てる人は圧倒的に減っているという現実がある。

「ある程度高齢になって初めてお墓と関わる。家父長制度の名残で、今までずっとお父さんがお墓の面倒見てきて、子供に見せてなかったんですよ。だからこそ、実際にそれを体験しちゃうと、子供にこれを押しつけるのはすげえ迷惑だろうと思うんです。一周忌、三回忌やりたくないという人すごく多いんですよ。

お坊さんという今まで自分の目の前にいなかった人がいきなり現れて、三回忌まで毎年きっちり集金していく。一周忌、三回忌ときて、七回忌、十三回忌ですから。相談されるんですよ、やんなきゃいけないの？　と。なんでやりたくないの？　と聞くと、お坊さんに金渡さないといけないからやりたくないんだとはっきり言われますからね」

檀家制度への不信感はもちろんだが、墓じまいから見えるのは、日本社会の家族システムの変化だ。生涯未婚率が上がり、一人っ子同士の結婚も増え始めてきた。当然付き合いのない親族も多くなる。貧困層も増え、金銭的にも苦しくなり、お荷物としての墓が突如として浮上してくる。

高度経済成長期には、飛ぶように墓石が売れた。しかし、現在では墓じまいの際、離檀料を巡って、檀家は弁護士や行政書士などをつけて争う、シビアな時代へと突入しつつある。

大橋によると、墓じまいをした後のお骨は、霊園や市営墓地などに移動するというケースが多い。彼らは檀家で苦労したので、同じ思いを子供にはさせたくないとして、お骨を公営の霊園に移動したり、合祀墓《ごうしぼ》に合葬したりする。

骨を取り出すときにも疎遠だった親族関係が露《あらわ》になる。特に墓から追い出される遺骨や、残ってしまう遺骨があるときは、トラブルが起きやすい。施主が故人と疎遠だったり、そもそも良い感情を抱いていないケースが多い。生前に故人が子供たちとも疎遠だったと感じることも増えてきている。

「子供がいるのに墓じまいする方って、お子さんの意見を聞いていないんですよ。自分で情報を取って、テレビで観た情報を正しいと思っている。子供と話す機会も少なくて、コミュニケーションを取っていない。直で話をしないと相手の感情は見えない。だから、まずはちゃんと話すことが大事だと思うんです。家族が疎遠になっているし、亡くなっている人との疎遠を感じるケースも多いんです」

大きな墓に先祖代々入るという文化は、ガラガラと音を立てて壊れつつある。墓じまいはそんな現代社会の行先を先取りしている。現在、大橋は、「お墓のみとり」だけでなく、国内の職人と手を取り合うことで、手元供養に力を入れている。墓じまいするお墓の石を数珠《じゅず》などにリメイクし今まで手を合わせてきたお墓とのつながりを紡いでいくという新たなサービスだ。

「これからのお墓の形は多岐に渡ると思います。全く新しいものになる可能性もある。今が変革の始まりだと思っています。石屋は、大きなものにこだわって、それを支えるだけの家族がまだあると思っている。

だけど、そんな家族はもう幻想です。それは石屋が喜ぶだけ。それこそ、友達同士で入れるお墓も出てきていますし、霊園は自由度があるので、色々な選択肢が少しずつ出てきているんですよ。大きなお墓という形はなくなっても、手を合わせる場所はなくしたくないと僕は考えています」

大橋が言う通り、大きな墓石を支える大きな家族は幻想で、とうに崩れ去った。そして、これまで先祖を祀《まつ》ってきた菩提寺《ぼだいじ》も限りなく「いらない」モノとなりつつある。増え続ける墓じまいから見えてくるのは、墓がそんな大きな潮流の変化の中にあり、待ったなしに過渡期を迎えているという現実なのである。

遺骨を遺棄する社会

前章でも述べたが、遺棄される遺骨が社会問題となっている。2015年には、練馬区《ねりま》に住む夫がスーパーのトイレに妻の遺骨を遺棄、また電車の網棚にわざと遺骨を置いて遺棄する人たちも社会を騒然とさせた。

遺骨は勝手に破棄することはできない。だから、処分に困る。モノとなった遺骨は、捨てるという意思を持った遺族によって、意図的に捨てたり置き去りにされたりしたのだ。

2017年9月9日付の毎日新聞によると、2016年までの3年間で、落とし物として全国の警察に計203件届けられ、8割以上は落とし主が見つかっていないことが独自の調査でわかったという。警察当局は、遺骨処理に困って家族らが捨てたケースが大半だと見ている。引き取り手のない遺骨は、警察から依頼された寺院などで無縁仏として供養されるのだという。

神奈川県川崎《かわさき》市で葬祭業を営む、お葬式のひなた代表の増井《ますい》康高《やすたか》は、引き取り手のない遺骨の問題に直面している。最近では、火葬したあと「これ、持っていかなきゃいけないんですか」と、自分の親の骨壺《こつつぼ》を指す遺族も多いからだ。その度に、増井は「遺骨もご一緒にお帰りいただいてください」と諭さなければならない。もちろん、遺族に悪気はないし、そのくらい血縁関係が希薄になっていることの表れだろうと思っている。

「一つは、遺骨をどうしたらいいかわからないということがあると思うんです。お骨を預かってくれというのもよくありますね。お墓がないけど、合祀墓のように、混ぜられちゃうのは嫌だと。結局預かった遺骨は、そのままになって葬儀社に置きっぱなしになっちゃう。ご遺体をそこらへんに投げて放置する人はいないですが、お骨になってるからいいという発想なんですよ。

日々の生活に埋没していくと、たとえ肉親であっても、その存在さえもどうでもいいと思ってしまう。遺骨を放置するというのは家族が死んで、網棚に家族を乗っけて放置してるのと変わらないというのをわかってもらえない」

増井はそう言って肩を落とす。

もう一点は、死生観の変化だ。火葬してお骨になって出てくると、全く違う形に変化している。我々は死が身近にないから、遺骨が肉体の延長線上だという想像力が欠落しがちだ。人間としての形があればお父さんだが、亡くなればただのモノになる。だから、遺骨は、邪魔なものでしかない。近年、そんな死の感覚の乖離《かいり》を現場で遺族に感じることが多い。

「遺骨は大切な家族の体の一部という感覚がない人は最近増えたと感じますね。骨壺をただの白い壺だと思っている。中は覆い隠されていてわからない。生々しさがない。だから、それはお父さんじゃないと考える人もいっぱいいるんです。死は恐怖で無で、亡くなったら一生会えないという発想だから、遺骨を残されても私のお父さんじゃないとなるのでしょう」

だから、どこに放置しようがどうでもいいし、むしろ骨壺なんて邪魔になる。私は、かつて新宿にある3万円の合祀墓を取材したことがあるが、迷惑な遺骨を押しつけられた親族たちで溢《あふ》れていた。それは我々の死生観の変化と親族との関わりの薄さと密接に結びついている。増井はそんな現状に危機感を抱いている。

「我々がこれまで死を恐怖だとして蓋《ふた》をしてきた結果なんだと思うんです。日本は戦後は、そこから目を背けて元気になろうというところからスタートした。死を遠ざけて、それが好景気を生んだのは事実だと思うんです。でもさすがに死を遠ざけすぎた。在来仏教や新興宗教が台頭できなかった。それによって、死が頭から消されていった結果じゃないかなと思うんです。死んだ後のことを言うのは不謹慎だという風潮もある。死ぬってどんなことか、死をわかっていない。でも、それはこのような仕事をしている私でさえも、同じなんですよ――」

増井は、ため息をつくと、視線を斜め横に落とした。確かに、私たちの身近には死はないことになっている。身近で死体を見る機会なんてないし、家族はそれぞれの生活に追われて日々、忙しい。さらに家族のつながりが薄くなったことが、そんな死生観に拍車をかける。

「私たちは高校や大学を卒業して、ほとんどの時間を家族以外の一般の方と過ごしているんですよ。親や兄弟といった家族と過ごしている時間なんて一生のうちでそんなにない。それなのに、法律は家族、血縁を非常に重要としている。憲法でも、異性同士でないと結婚できず、LGBTの方は同性婚できずに苦しまれている。

それと同じで、我々の社会において家族という単位が法律上は非常に重要なのに、普段の生活では重要ではないんです。姪《めい》っ子の旦那《だんな》さんとは、冠婚葬祭でしか会わない。でも、50年生きてたら、長年の友人は近所の人というケースもある。この人たちは葬儀に呼ばないで、姪っ子の旦那さんは呼ばれる。おかしいですよね」

増井の言う通り、私たちはこの社会の中で生きていて、親族よりも仕事の仲間や友人関係など、血のつながりがない他者のほうが結びつきが深い。しかし、葬儀という人生の集大成で、基本的にその役割は親族が引き受けることになっている。そんな日本の血縁社会の歪《いびつ》さをいまだに引きずっているのが、葬儀なのかもしれない。

ここまで家族の形は変容しているのに、法律や弔いの方法や制度が追いついていない。増井は、日々多くの遺族たちと向き合うことで、そんな死の捉《とら》え方の大きな変化を体感している。町中に遺棄される遺骨は、そんな普遍的な問題を突きつけている。

0葬を遂行する男の奮闘

0葬とは、宗教学者の島田《しまだ》裕巳《ひろみ》氏が提唱した、「火葬場でお骨を持ち帰らない」という葬送法だ。葬儀もなし、墓もなし、遺骨も何も残さずに、遺族はこの世から火葬場で「さようなら」。通夜も葬儀もなし。遺族は、火葬場や病院で最後のお別れをする。

東京都内で葬祭業を営む近藤純一《こんどうじゅんいち》も、0葬を遂行している、数少ない葬儀業者の一人だ。近藤は、『葬儀24ドットコム』というサイトを運営、サイトには、大きく「～新しい葬送のかたち～『０葬』始めました」という文字が躍っている。

親族だけでなく、会社の同僚や取引先の仕事関係者など数百人単位が参列する一般葬、そして親族のみで執り行う家族葬、近年急速に需要を伸ばしつつあるもはや葬儀さえもない直葬と、葬送の歴史は激動の時代を辿《たど》っている。直葬とは、遺体を直接火葬場に持っていくという葬送方法で別名「火葬式」とも呼ばれている。直葬であっても最後、遺骨を引き取り、お墓などに納める流れは一般葬や家族葬と一緒だ。

しかし、遺骨さえも引き取らない究極の葬儀の形、それが０葬なのだ。

「０葬はまだ一般の人に知られていないので、数は少ないんですが、直葬は今、確実に増えていますね。問い合わせの電話を受けたときに、お葬式はない方向でお願いしますという人が多いんです。これからはその先の形である０葬もきっと増えてくると思っています」

近藤は、自信ありげなまなざしで私にそう言った。近藤がそう感じるのには、長年の経験による実感があるからだ。近藤が葬儀業界に関わって、30年以上が経つ。

近藤は、東京都生まれ。定時制の高校に通いながら、昼間は葬儀社のバイトを始めた。そのまま葬儀社の社員になった。その後、友人と葬儀社への人材派遣会社を設立、十年以上にわたって、葬儀社への派遣業務を行ってきた。

近藤に大きな変化が訪れたのはホームページを立ち上げた２００９年だ。ＩＴ化の流れがようやく葬儀業界にも押し寄せようとしていた。友人がホームページで葬儀の集客をすると瞬く間に、問い合わせが殺到したのだ。近藤もこの波に乗らなくては損だと感じて、すぐにネットでの集客に飛びついた。リーマンショックの翌年で、景気がどん底だった時期だ。しかし、その不景気が、近藤にとっては追い風となった。

その頃、巷《ちまた》の週刊誌では高額で不透明なお葬式の在り方が激しいバッシングに遭っていた。これまでタブーとされてきた葬儀費用の比較検討が行われるようになると、明朗会計を売りにするネットを主戦場とする葬儀業者は参入が容易になった。

例えば一般的な家族葬パックだと、祭壇や献花なども全てパックの金額に含まれている。基本パックだと、数十万円で収まるケースがほとんどだ。しかし、病院に詰める業者の言うがままに葬儀を行うと、例えば基本料金に、祭壇などは別料金として上積みされる。そして祭壇には松竹梅とあって、選択によって瞬く間に数百万に膨れ上がっていく。それを考えると、圧倒的にネットのほうが安くてクリーンな料金体系なのだ。

かつて高度経済成長期には、２００万、３００万と葬儀にかけるのは当たり前だった。

しかし、時代は瞬く間に変化し、葬儀の形はその潮流として限りなく簡略化、低料金化しつつある。

その流れを近藤は、むしろ歓迎する。

「病院に常駐する葬儀社のいいなりじゃなくて、ネットの登場によって人々が選択をするようになったんだと思います。私たち葬儀社の立場からすれば、昔と違って値段や利幅は低くなるけど、逆に葬儀の数を増やせば全然大丈夫なんです。病院と契約すると、病院に積むお金や近くのワンルームに詰めて待機するコストなどがかかる。その分、施主に負担がかかるんです」

親族も火葬に来なくなる近未来

近藤がサイトを立ち上げた２００９年は、まだ直葬を選択することを恥とする人が多かった。

直葬を選択した人でも、「本当は葬儀をしたいんですが、時期を見てから」と、ばつが悪そうに言い訳をする人ばかりだった。しかしここ5、6年でその潮流に大きな変化が見られた。

メディアが直葬を積極的に取り上げるようになると、直葬を躊躇《ちゅうちょ》する遺族が大きく減るようになった。そして、2015年頃から、火葬式（直葬）という言葉がメジャーになる。サイト開設当時は、一般葬と直葬の比率は半々だったが、現在は8割近くが直葬を選択している。それは、近藤の死生観とも一致するものだった。

――死後の世界も輪廻転生《りんねてんしょう》もない。死んだら無になるのに、なんでこんなに葬儀はお金がかかって、無駄な祭壇を飾らなければならないのだろう。供養や成仏など、ただ業界の人間が儲《もう》かるだけで、何の意味もない。お通夜がなくたって、火葬に立ち会えばいい。祭壇がないとなんでいけないのか、お坊さんはなんでいなきゃいけないのか。

近藤は、長年葬送業界に関わることで、そんな思いを強くしていた。

そんなジレンマを抱えた時期に、当時の「葬送の自由をすすめる会」の業務担当者から近藤のもとに連絡があった。

会員の中には、形式的な葬儀の指導や支援ではなく、会員の意思に寄り添った「葬儀社」を紹介してほしいという声があった。そこで、近藤に白羽の矢が立ったのだ。

この頃の会長は、『墓は心の中に―日本初の「自然葬」と市民運動』『墓なんかいらない―愛すればこそ自然葬』などの著書のある、ジャーナリストの安田睦彦《やすだむつひこ》氏であった。近藤は、安田氏の唱える墓不要論に大きな感銘を受ける。その後、島田裕巳氏が会長に就任。島田氏の0葬の思想にも深く共鳴した近藤は、自社の『0葬プラン』を創設、その実現と普及に精力的に取り組むようになっていく。

『0葬　あっさり死ぬ』の文中にて、島田氏は、こう書いている。

「直葬を前提とした0葬は遺体処理に近い。儀礼的なものを排除しているからである。骨あげさえ必要ない。ただ、遺骨はゴミとして処理されるわけではない。細かく砕かれ、量はごくごく小さくなり、しかるべき場所で供養されることになる。

今後多くの人が0葬を望むようになれば、それに対応する火葬場も増えてくるだろう。そうなればどこでも0葬が可能になる。0葬がどこでも可能になるならば、死後の不安は解消される。死にゆく者も、生き続ける者も、葬儀や墓にかかる金のことで心配する必要は無くなる。立派な墓を作っても、今の社会状況が続けば、近い将来に無縁墓となる可能性が高い。（中略）遺体は適切に処理し、後に面倒がかからないようにする。それこそが、死にゆく者にとっては自らの『死後の不安』を根本的に解消することにつながり、生きている者の負担を軽減する道なのである」

0葬を行うのは、当然ながら本人が亡くなった後のこととなる。仮に本人に0葬の意思があっても、それを遂行してくれる人の存在が必ず必要だ。近藤は、長年の葬儀業界のキャリアがあるため、その意思を遂行できるノウハウを持ち合わせている。

そのため、近藤は会員たちに重宝された。近藤は生前から会に出入りする会員の希望を熱心に聞き、火葬場の実態調査を行うなどして、0葬を実際に行った。

0葬の流れは大まかにいうと、まずは生前に本人が0葬を希望することを病院や家族に伝えておくことから始まる。当然ながら、本人の死後の話のため、生前に家族と意思の疎通を行っておくことは最も重要なのだ。

そして、本人が亡くなったら、遺族や病院から近藤が連絡を受け、遺体を引き取る。そして喪主や家族に、遺体とともに家に帰るのか、安置施設に預けるのか意思を聞く。ほとんどが安置施設に預けることを選択するので、火葬までの段取りや見積もりを渡す。そして病院の霊安室や病室から遺体を運び出す。翌日か翌々日に火葬の日取りが決まるというわけだ。

家族は希望すれば、火葬場で骨を拾い、そこで遺骨とはお別れとなる。近藤は、火葬場で引き取った本人の遺骨を最後は海に散骨する。

かつての葬儀では、叔父や叔母《おば》、いとこが集まることは当然で、四親等までを親族ととらえていた。しかし、近年、子供や兄弟など二親等までが家族という概念に変化した。火葬場にも二親等までしか来ないし呼ばないことが日常だ。近藤は、親や兄弟など二親等までの関係すら切れている人が多いのではないかと考えている。

近藤が今後想定しているのは、親族が誰一人立ち会わず、業者にその最後を丸投げされるというケースだ。少子高齢化、生涯未婚率の上昇、そして貧富の差など、分断が深まる社会において、葬儀は簡素化し、遺骨は行き場をなくすという事態が起こっている。そして、益々その最後の隙間を埋める「プロの業者」の存在は必要とされている。

0葬は、そんな社会のニーズと見事に合致しているといえる。

「今後は、もう親族も火葬にさえ来なくなる世の中になるかもしれないですね。僕は社会がそうなっていくだろうと思ってるから、この事業を始めたわけなんです。親や親族のお骨を引き取りたくない人は葬儀社に委託する。それが0葬は可能なんです。その人の最後を代行する僕のような業者も、現れるでしょう。

もちろん本来であれば、友人とか親兄弟、知ってる人に頼めばいいんですよ。ただ、それが他人である業者に取って代わると思います。かつては、家を借りるとき、親兄弟や親戚のおじさんに保証人になってもらっていた。でも、今は業者が主流になっている。第三者に委託して、仕事としてやってもらうほうが何かにつけて安全なんですよ。だから、生前から業者に依頼をしておくことは、大事でしょうね」

これまで私は、ほぼ接点のないおじやおばの葬儀を行った甥《おい》や姪たちに話を聞いたことがある。彼らは、血縁というだけで葬儀や納骨まで押しつけられ、戸惑い、途方に暮れていた。また、親族が現れなかったり、引き取りを拒否された無縁者の火葬に立ち会ったこともある。その火葬を行政の依頼によって引き受けるのは葬儀社で、無縁仏となる。

やはり、生前に何らかの意思を伝えておく必要があるのだ。

無縁社会という津波がやってくる

これだけ増え続ける直葬だが、最終的に遺骨は残され、それは基本的に親族が引き取る必要がある。菩提寺に納めるには、お金や手間もかかる。知らない親族のためにそこまではできない。だから、電車の網棚などに放置される遺骨が増える。

その点、0葬は遺骨でさえも0にしてくれる。手元には何も残らないという「楽」さがある。直葬の究極系が0葬だとしたら、遺骨を引き取らないで済む0葬が当たり前になる日も近い。0葬は、実は無縁社会、家族遺棄社会と親和性が高いのだ。

近藤のような0葬を売りにする業者は遠くない将来に台頭してくるだろう。現に近藤は0葬を遂行するために、今日も日本全国を駆け回っている。そして、依頼主からは生前に自分の意思を伝えられて良かった、ありがとうと心から感謝される。近藤は、その最後を委託される人間として信頼されている。その最後を託される近藤と依頼主の関係はある意味、親族以上に同志のような関係性に近いのかもしれない。

近藤のまっすぐなまなざしが私をとらえる。

「だって、みんな日々の生活で忙しいんですよ。葬儀も一緒です。0葬だと、火葬場にすら来なくてもいい。直葬が爆発的に増えたように、『私はいきませんよ』『僕はいかないよ』という親族が増えると、0葬を選択する人の分母が増えていくと思っています。でもそれが社会のニーズなら、それはそれでいいじゃないですか」

近藤はしっかりと私の目を見据えながら、そう語った。それでいい——、本当に、それでいいのか、私は答えの出ない永遠の問いを突き付けられたような気がした。

「かつての大きな葬儀にしがみついている葬儀社はまだ多いんです。僕みたいな考えは今は少ないと思う。だけど、だんだん増えていくでしょう。こんな世の中の流れに乗ろうとする人たちは必ず出てくる。それに逆らおうという人もいるし、それをおかしいという人もいる。おかしいと言っても、津波だから流されると僕は思ってます。いくら踏ん張っても、きっと流されるから」

そう、近藤が言う通り津波はもはや日本全土に押し寄せ、私たちをすでに飲み込んでいるのかもしれない。確かに津波には抗《あらが》うことはできない。津波が去った後に何が残るのか。ユートピアなのか、それともディストピアなのか。しかし、どちらにせよ津波はもう起こっていて、時は元には戻せない。それは抗いがたい事実として、私たちの目の前に、ただあるのだ。

行き場のないお骨と向き合う心優しき行政マン

引き取り手のないお骨が増えている。

２０１７年7月16日付の毎日新聞によると、国の政令市で２０１５年度に亡くなった人の約30人に１人が、引き取り手のない無縁仏として自治体に税金で弔われていたことが、調査でわかったという。全政令市で計約７４００柱に上り、10年でほぼ倍増。大阪市では9人に１人が無縁仏だった。同紙では、死者の引き取りを拒む家族の増加や葬儀費を工面できない貧困層の拡大が背景にあり、都市部で高齢者の無縁化が進む実態が浮き彫りになったとしている。

まさに家族遺棄社会の成れの果てが漂流遺骨というわけだ。火葬を行う人が見つからない場合は、市区町村が火葬する。その後、自治体はそのお骨を引き取ってくれる遺族を探すのだが、その引き取りを拒否する遺族が増えている。

それでは、引き取り手のないお骨はどこにいくのか。意外なことに、それは通常業務をしている市役所の奥の倉庫にもあった。

横須賀市福祉専門官の北見《きたみ》万幸《かずゆき》がその場所を案内してくれた。

通常業務を行っているカウンターの奥にある、ロッカーの鍵を開けると、七段ほどある棚の足元から頭のてっぺんまで密閉状態で、骨箱がつめ置かれていた。ここが、行き場のないお骨の仮保管場所だ。漂流する遺骨の行き場のラストエンドは、意外なことに市役所のロッカーなのである。ここには、家族遺棄社会の行き着く先があった。注目すべき点がある。ここでは、行旅死亡人と書かれている名前のない骨壺は、1割に満たず、ほとんどの遺骨に名前があるという点だ。

北見は、骨たちに視線を落としながらつぶやく。

「行旅死亡人の人が増えているとメディアは書いているけど、実際は、そんなことはない

横須賀市役所の仮置き場に隙間なく置かれる引き取り手のない遺骨。

の。みんな名前があるんですよ。身元がわかっている人ばかり」

骨壺にはそれぞれ付表がついている。昔、そこには身元不明のため割り振られた番号ばかり書いてあった。いわゆる行旅死亡人といい、氏名や本籍が判明せず、さらに引き取り手がない遺体のことである。つまり、簡単にいうと行き倒れた人たちだ。しかし、今の骨壺の付表には、どれも人間の名前ばかりが並んでいる。

ここは、行き場のないお骨のいわば仮保管場所だ。お骨はここで3年間保管され、その間に市役所が懸命に親族を探す。しかし、その期間に引き取り手が現れるのは、年間に一人か二人。

最終的に引き取り手がないお骨は、市内某所にある無縁納骨堂へと移される。

北見は、市有地にある無縁納骨堂も案内してくれた。そこは、入り口近くに、等身大のお地蔵さんが鎮座している静かな墓地の一角だった。シトシトと雨に濡れたお地蔵さんの前で、北見は目をつむり、固く手を合わせて、一礼する。そして懐中電灯を片手に、納骨堂の中にゆっくりと入っていく。私もそれに続いた。

真っ暗闇の中、北見の人懐っこい顔が浮かびあがる。

納骨堂のまん中には、銀色のパイプの棚が配置されていた。北見の懐中電灯に照らされ

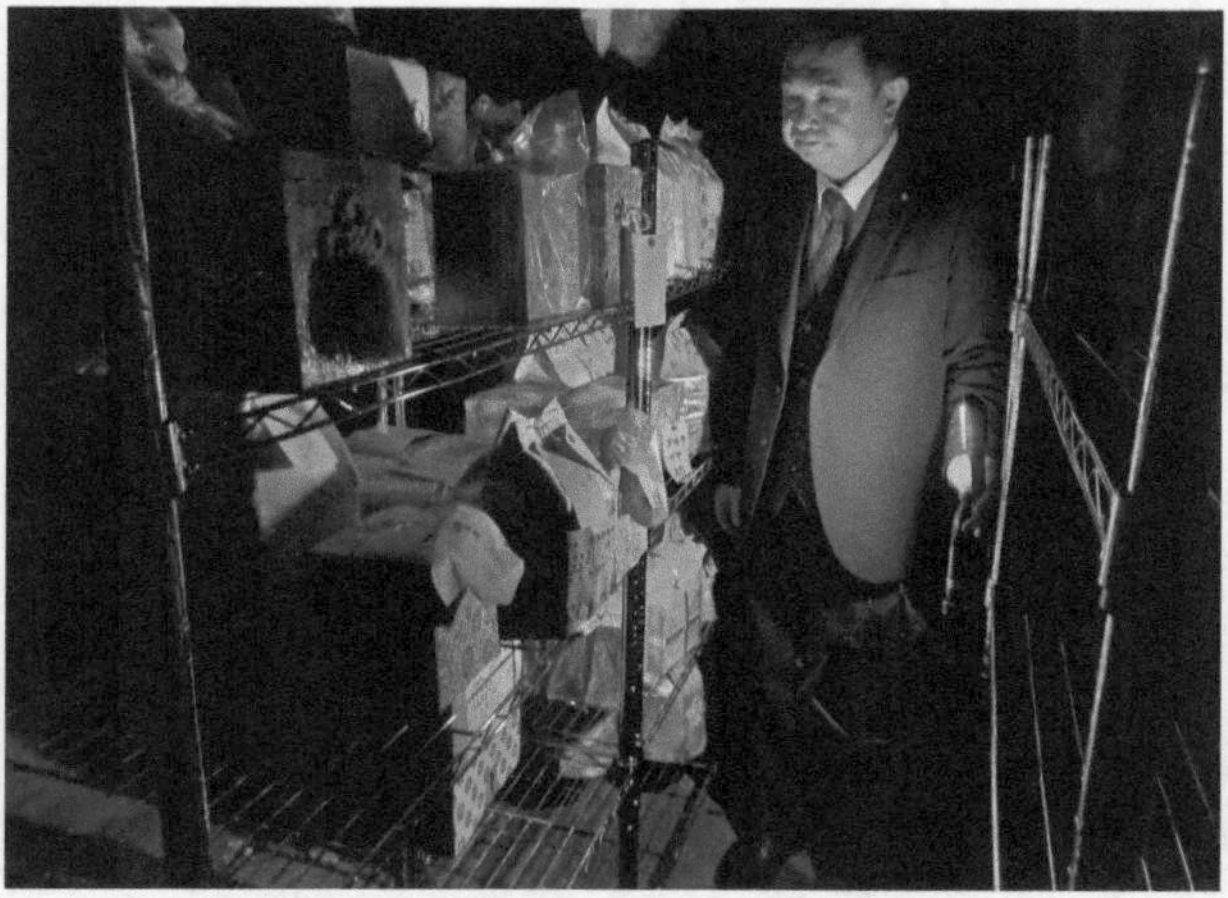

横須賀市の無縁納骨堂に佇む北見万幸福祉専門官。
どことなく寂し気なのが印象的だった。

て、怪しく光を帯びている。四段ほどの台の上には、所狭しと大小様々な骨壺が並んでいる。立方体の桐製骨箱のものが多い。

菊の刺繍《ししゅう》が施されたシルバーの骨箱カバーに挟まれたゴールドの骨箱カバーが懐中電灯に照らされて、怪しく光を帯びる。ここにあるのは、市役所で一定期間引き取り手を待っていたものの、結局、誰も引き取り手が現れなかった骨たちだ。

「役所からここに持ってくるのはやろうと思えば、職員たちみんなでやれば一瞬で終わるの。だけど、ここに持ってきちゃうと、もうここで終わりという感じがする。1月にやろうかとか、12月にやろうかとか思ってるけど、なかなか腰が上がらない。持ってきちゃうとさ、もうねーという感じでしょ。みんな着手したがらないんだよ」

北見は寂しそうにそう言ってうつむきながら、苦笑した。

北見が、「終わり」というのは、引き取り手が見つからず、本当の無縁になってしまったということを意味する。家族を探そうと奮闘したが、ついには最終地点まできてしまったというわけだ。

名前も身元も判明しているのに、無縁納骨堂が最後の行き場となってしまう。北見はとてつもなく優しい男で、そんな遺骨の状況を誰よりも憂えていた。

急増する一般市民の無縁仏が現す社会

なぜ、引き取り手のない遺骨が増え続けるのか。

横須賀市役所は平成30年度、53人の方の遺骨を預かっている。これらは、いわば無縁納骨堂に入れる仮の候補者たちだ。もちろん、市の職員は、身内を探す。そのうち10件は電話番号が不明で、住民票を調べて親族にお悔やみの手紙を送って知らせたが、いまだに連絡がつかない。他の43件は、遺族に連絡を取ったものの、引き取りを拒否されている。遺族が、亡くなった本人に強い遺恨があるので明確な拒否を示すケースもあるが、それは実は少数派だ。

多くが、「高齢で、遠いからいけない」「入れるお墓がない」など、元々親族間のつながりが薄かったのではと感じるケースなのである。

横須賀市は、実は、昔から無縁死した人たちを受け入れてきたという特殊な歴史がある。海に囲まれた横須賀市の浦賀《うらが》は、かつては漁業が盛んで、東西から無頼の船乗りたちがやってくる一大漁業地だった。そんな、漁師の相手をする遊郭も点在していたため、そこで亡くなり無縁遺骨となった遊女たちが入るお墓があったのだ。

浦賀の無縁墓地は、そんな女性たちのため1715年頃に生まれたようだ。そして300年以上にわたって、村落墓地として、無縁者の受け皿となっていた。昭和初期に現在の横須賀市がそこを引き継ぎ、無縁墓地として活用されるようになる。

横須賀市の無縁墓地は、北久里浜《きたくりはま》にある旧海軍墓地の山の上にあった。2017年、無縁遺骨を納めてきた無縁墓地は、崖地《がけち》が崩落の恐れがあるなどの理由で閉鎖され、市有地に「無縁納骨堂」として移設することとなった。

それが冒頭に北見と訪れて見せてもらった無縁納骨堂である。

北見が無縁仏と向き合うようになったのにはあるきっかけがある。

2017年以前は、無縁仏が出ると北見ら、市の職員は海軍墓地の山の上に持っていくのが習わしだった。骨壺から土嚢袋《どのう》に詰め替えた骨を持っていき、穴を掘って埋めていく。骨壺のままでは大きすぎて入らないためだ。

「それで気がついたんですよ。今、無縁の納骨堂に持っていかれちゃうのは、一般市民なんだということを。今までは葬儀もお骨の引き取りも、ご家族がやってくれていた。だけど、一人暮らしが増えちゃって、家族でできない人がたくさん出てきちゃった。親族も遠くに離れている。そういう状況なのに、我々が黙って見放していていいのか。それはまずいんじゃないか」

私死亡の時、15万円しかありません。

北見が無縁化を後押ししたと感じる二つの大きな時代の変化がある。

それは、一つは単身世帯の増加だ。日本中で一世帯当たりの平均世帯員数が三人を割り込んだのが、1992年。このころから、引き取り手のない遺骨が横須賀市でも徐々に増え始めた。

もう一つは、携帯電話の普及だ。携帯電話が固定電話の契約件数を抜いたのは2000年。電話をしても、連絡先がわからなくなったということが大きな壁となり、引き取り手のない遺骨は急増していく。そんな状況の中、さらに北見にとって、衝撃的な事件が2015年8月にあった。

それは横須賀市内在住で一人暮らしをしていたある男性の死がきっかけだった。ペンキ職人である佐藤幸作《さとうこうさく》（仮名・79歳）は、癌になる78歳まで働いて、79歳で前立腺《ぜんりつせん》癌で亡くなった。佐藤の住むアパートには、Tシャツのパッケージに使われる厚紙が置かれていて、その裏にはこう書いてあった。

「私死亡の時、15万円しかありません。火葬と無縁仏にしてもらえませんか。私を引き取る人がいません」――

佐藤には東北地方に住む妹がいたが、ほとんど交流がなかったため、連絡すると遺体の引き取りを拒否された。佐藤の通帳の中には25万円入っていたが、相続人は妹のため、そのお金を引き出すことはできない。北見は、まずいなと思った。

「僕らは他人だし、佐藤さんの場合、福島には妹がいるので、僕らは預金を下ろせないんです。遺書の発見される前に公費、つまり税金で彼のお骨は焼いてしまった。もちろん我々は税金で焼くときは、賛美歌も歌わないし、和尚さんにお経をあげてくれと頼むこともできない。つまり、我々が疑問に思ったのは、『仏』にしてくださいと書いてあるのに、『仏』にする手続きはやったのかと。15万円使ってくれと書いてあるのに、それを実行できたのか。

昔は、親族も近くにいるし、数もたくさんいた。だから誰かしらやってくれた時代があった。今は、親族の数が少なくなって、距離も離れたんです。だったら、そこの最後の部分を支えるのは誰がやるべきか。僕らは役所がやるべきだと考え始めたんです」

役所の職員たちは一様に、男性を無縁「仏」にすることすらできないという事実に泣いた。あまりに男性の境遇を哀れんだ北見は、知り合いの僧侶《そうりょ》に頼み込み、自腹を切って「仏」にすることにした。北見の尽力もあり、男性は、晴れて「無縁仏」になったのだ。

しかし、やはり生前に本人の希望を聞くこと、それを実行するために行政がある程度本人と話し合っておくこと、その重要性を感じた出来事だった。

北見は、その後エンディングプランサポート事業と、終活登録という事業を立ち上げた。終活登録は、何かあった時の緊急連絡先やかかりつけ医を登録してもらうことで、万が一の時、本人が指定した方に開示するというもの。エンディングプランサポート事業は、一人暮らしで身寄りがなく、一定収入以下の人が市の協力葬儀社と生前契約をして、費用を預けてもらうというプランだ。現在この事業は、北見のライフワークとなった。

「いずれにしても、日本は大きく変わったんだということです。日本人は冷たくなったから、引き取り手のない骨が増えたわけではない。

今横須賀市の平均世帯人数は、2・45。一人の家族の優しさを10だとする、3人いた時は30。今、家族の優しさは24なんです。一人暮らしの人の優しさは一人暮らしですから10しかないんですよ。親戚がいるじゃないか、一緒に住んでないけど家族がいるじゃないか、という。だけど、高度成長期で親族がみんなバラバラになった。その離れた親族もまた家族の数が減ってるんですよ。そして高齢化している。ですから、距離も離れて優しさを発揮しようとしても無理なんだと思う」

北見は、何度も「優しさ」という言葉をつぶやいた。北見は、人の優しさを心の底から信じていた。信じたかったのかもしれない。しかし、その優しさに最も満ちているのは、誰よりも北見自身であると私は感じていた。

北見は、この二つの事業を周知すべく、日本全国を講演や出前トークで、飛び回っている。実際に、横須賀市と同じ事業を立ち上げた地方自治体も多い。北見の功績は大きかった。

私は、北見が車を走らせながらつぶやいた言葉を反芻《はんすう》していた。ギスギスした社会について、何気なく私が話を振ると、北見はこう返してきた。

「家庭が、ガタついてるからさ。そもそも三世代同居の家庭がなくなって、じいちゃんばあちゃんという逃げ場もない。兄弟もいないから、かばい合いもなくて、人間づきあいが下手。会社が家族のように関わる時代でもない。葬式もやってくれるわけではない、みんな、放り出されてるんだよ」

みんな放り出されている——、この言葉が、やけに印象に残った。そうかもしれない。北見は物憂げな視線でハンドルを握り、窓の外を見つめていた。北見は、「放り出された者」たちと懸命に向き合い、抗おうとしていた。放り出された者たちは生ける者も、死者も、各々が様々な形で、どこか出口を求めてさ迷っている。家族遺棄社会とは、そんな社会なのかもしれなかった。

ふと、私は飼い犬が保健所に連れていかれるというテレビ番組を思い出していた。保健所では、飼い主が現れるのを待つために、一定期間犬たちを収容するが、結局はそのほとんどは、殺処分されてしまう。北見は、納骨堂に骨を納める前に、役所で骨を預かることで、それまでの期間を少しでも引き延ばそうとしているのかもしれない。北見の行為は、人間愛、慈悲に溢れている。北見の優しさが、私の心に突き刺さる。北見が役所のロッカーに、ため込んだ行き場のないお骨たち。そこにはその最後を引き受ける生者の苦悩があった。

しかし、根本的には捨てる人、捨てられる人を作り出した孤立と分断によって成り立っている日本社会の問題が根深く横たわっている。そこが解決しない限り、引き取り手のないお骨は増え続ける。無縁納骨堂で見た北見の寂し気な後ろ姿がふと、脳裏によみがえった。その姿は、私たち一人一人に、日本が向かう未来はこれでいいのかという問いを突きつけている。

おわりに

本書を書いていた2月中旬、新型コロナウイルスが世界中で猛威をふるい始めた。そして、日本では緊急事態宣言が発令され、その後、具体的な解決策もないまま、今も先の見えない真っ暗闇の中に、私たちはいる。

私は相も変わらず、コロナ禍中の現在も孤独死現場の取材に当たっている。先日、70代の女性が孤独死した物件を訪れた。女性は、2メートル以上もあるゴミの中で、転倒して頭を打ちつけて亡くなり、一カ月以上放置されていた。

凄《すさ》まじい量のゴミの山を文字通り匍匐《ほふく》前進で進むと、廊下に不自然なくぼみを見つけた。どうやら女性は、この狭いスペースで毎日寝食をしていたらしい。なぜ、廊下で寝ているのか不思議に思っていると、その先に答えがあった。ダイニングではタンスがなぎ倒され、食器は割れ、ハチャメチャに散らばっていた。

それは痛々しいほどの東日本大震災の爪痕《つめあと》であった。女性は、震災で倒れた家具や食器を元通りにすることができなかった。そして、地震におびえながら、廊下で一人、丸まるように寝て食べて、暮らしていたのだ。震災で部屋がとてつもない惨状になりながらも、女性は、誰にも助けを求めることができなかったし、そんな相手が周囲には一人として、いなかった。その女性の心のありようを思うと、私は胸が苦しくてたまらなくなった。

ソーシャルディスタンスが声高に叫ばれる中、孤独死現場では遺体の発見が遅れるという事態も起きている。そのため、特殊清掃業者は周辺住民から、「くせえよ！　早く何とかしろよ！」と罵倒《ばとう》されるなど、理不尽な怒りをぶつけられることが多くなったと聞く。コロナによって、社会にうずまく行き場のない負の感情が極限まで達し、醜く露呈する結果となったのも悲しいが現実だ。

しかし、これは私たちの抱える社会のリアルである。一見、陰りのないように見える日本が、本書の取材を重ねる度に、途方もなく巨大な穴倉の中にいるような気がしてならなくなった。コロナ禍で全てが停滞する中、孤立が加速する社会とどう向き合えばいいのか、答えの出ない問いを前に、迷宮入りしてしまう自分がいた。

ここで、コロナ禍における私の近況をお話ししたい。

新型コロナの影響で、決まっていた取材が次々と延期となったり、Zoom などを通じたオンライン取材に切り替わった。オンライン取材になると、自宅で全てが完結するため、取材相手に会いに行くことがなくなり、移動の時間がそっくりそのまま自分の時間となる。ある程度時間に余裕ができた私は一念発起して、部屋の片付けに手をつけることにした。

一番気になっていたのは、巨大なベッド下収納である。今の自宅に引っ越してきてから、忙しさにかまけて、出し入れする余裕は全くなく、そこに何が入っているかさえ把握していなかった。まず、ここから片付けたいと思い、茶色い収納をズルズルと引きずり出した。

ベッド下収納の一番奥にしまってあったのは、クルクル巻きになった数枚のポスターだった。開いてみると、それは、アニメのポスターだった。

私は中学時代にいじめに遭い、2年間にわたって不登校となった。私はその頃、人気アニメ、『新世紀エヴァンゲリオン』が好きで、キャラクターのポスターを部屋中に張り巡らしていた。人の視線が気になり、家から出ることができない生活の中、アニメのキャラクターだけが唯一の理解者で、自分を守ってくれると信じていた。

ポスターを見ていると、ずっと封印していた当時の暗い感情が、ざわざわとさざ波のように押し寄せてきた。14歳のひきこもりだった頃の自分が、心の中によみがえる。なぜ、親や教師は自分のことをわかってくれないのか——。そして、なぜ、自分は社会のレールから外れてしまったのかという自責の念。そして、これから自分の人生はどうなるのかという大きな不安。

ひきこもっているときは、これらの感情に代わる代わるに襲われ、苦しみと絶望に支配されていた。それが時たま自殺未遂や、母親への家庭内暴力という最も悲しい形で噴出することもあった。決して暴力を振るいたくて振るっているわけではないし、本当に心の底から死にたいわけではない。ただ、私の苦しみをわかってほしかった。当時の私は孤立していて、心を通わせる相手が誰もいなかった。

ポスターのキャラクターたちは、今にも崩れ落ちそうな、か弱い私の心を何とか守るために、どうしても存在しなくてはならなかったのだ。

その後、偶然にも心の底から寄り添ってくれる支援者に恵まれた私は、ひきこもりから脱することができた。そして人を信頼できるようになり、自分を守るための鎧《よろい》を身にまとうことはいつしかなくなっていた。

24年ぶりに再会したポスターは、かつての自分を揺り戻し、今一度、立ち返らせてくれた。私は、「これまで、私の命を守ってくれてありがとう。さようなら」という感謝の言葉をかけて、ポスターを手放した。

私にとって、ひきこもりの体験は決して無駄ではなかったし、今のノンフィクション作家という職業を志す原点にもなっている。そして、孤独死や孤立社会と向き合うきっかけともなった。

近年、80代の親が50代のひきこもりの子供を支える8050問題が、世間をにぎわせている。また、2019年には、元農林水産事務次官がひきこもりの長男を刺殺するという痛ましい事件も起こり、その背景には壮絶な家庭内暴力があったという。

しかし私と彼らは、どこまでいっても紙一重であったと思うのだ。

私ももしかしたら、家庭内暴力の末に親に殺されていたかもしれないし、その逆もありうる。または、ひきこもりが長期化したら、本書に登場した孤独死した人たちの部屋のように、ゴミ屋敷化して餓死していた可能性もある。

決して私の人生と生前の彼らの人生とは無関係ではない。私と彼らを隔てるものは、ほとんど何もないし、実は私がこうやって本を書いているのも、気まぐれに投げられた運命というコインの表と裏に過ぎない。だからこそ、私はこの現実に目をつむることなく、これからも世の中に伝えていきたいと思う。

今、私の心の支えとなっているのは、本書の登場人物たちだ。彼らは、孤立する人々と今も最前線で向き合っている。

遠藤英樹は、コロナの影響で介護施設や自宅から出られない高齢者たちから、薬や生活必需品の買い出しなどの依頼が殺到するようになった。彼らは文字通り遠藤しか頼る人がいない。元々疎遠だった家族はコロナが追い打ちをかけて、施設に寄りつくことさえしなくなった。彼らの中には、この非常時に益々孤立し、とてつもない孤独感を抱え、鬱《うつ》が急激に進行した者もいるという。

コロナはそんな家族の関係性のなさを、皮肉にもこれでもかとあぶり出す結果となった。遠藤は非常時だからこそ、代理家族として、彼らに頼まれた物を買い集めたり、マスクを届けたりするなど、関東中を駆け回っている。

上東丙唆祥は、新型コロナで孤独死したと疑われる人の清掃を手掛けることとなった。上東はそんな状況を何カ月も前から想定して、ウイルス対策のための清掃をシミュレーションしていた。そして、見えないウイルスという危険が襲い来る中、この瞬間も孤独死現場に立ち続けている。

特殊清掃士の塩田卓也も生活が一変することとなった。新型コロナの消毒作業の案件が殺到し始めたのだ。熟練した技を持つ塩田は、かねてインフルエンザの発生した学校の清掃にあたった経験があり、感染症に関する知識や経験も豊富だ。そのため大手企業からの依頼も多く、現在は孤独死だけでなく、新たな日本社会の脅威と戦うこととなった。

新型コロナがきっかけとなって、道が拓《ひら》けた者もいる。

横須賀市の北見がその一人だ。コロナ前、北見の手掛けた肝いり事業である終活登録は、個人情報保護のため、これまで市民が役所に足を運ばなければならなかった。そのため登録者数が伸び悩んでいるのが北見の頭痛の種だった。しかし、新型コロナの影響でその体制を見直すことになり、市民は電話一本で登録を完結することが可能となった。

その手軽さもあってか、地元紙もこの取り組みを取り上げるなどして、現時点ですでに今年は終活登録が過去最高の登録者数となった。奇《く》しくも新型コロナによって、事業は一歩前進した。北見は、これまでの人生で最も仕事のやりがいを感じていると興奮気味に語ってくれた。

コロナ後の世界は、孤立と分断がさらに深まっていくことは間違いない。コロナによって、地域の見守りが危ぶまれ、人と人との距離が遠くなれば、家族遺棄社会を加速させるトリガーになるかもしれない。特に孤独死は、今後、高齢者も含めて益々深刻になるだろう。

それでも光がないわけではない。

本書の取材では、生前、死後を含めて、家族から遺棄された者たちと真摯《しんし》に対峙《たいじ》する人たちの姿があった。家族や社会から遺棄された者、遺棄する者もいれば、それと向き合う者もいる——。そんな一人一人の姿が暗闇に向かう電車の中で、希望の道筋となることは間違いない。

結論として、私たちは死後も含めて、やはり一人で完結することはできないし、誰かに寄りかかって最期を迎える。そして、自らが心を開けば、血のつながりはなくてもそれに応《こた》えてくれる存在がどこかにいる。家族が息苦しいなら、あなたや私を支えてくれる存在は、決して血のつながりのある者である必要はないだろう。そして、いつか自分が他者を支えるほうに回るかもしれない。目には見えないが、私たちは網の目のように一人一人がお互いにもたれかかったり、支えたりしながら成り立っている。

私は、そんなかけがえのない他者たちによって存在するという原点に今一度立ち返り、コロナ後の世界をしっかりと足を踏みしめて生きていきたいと感じている。

菅野久美子（かんの・くみこ）
1982年、宮崎県生まれ。大阪芸術大学芸術学部映像学科卒。出版社の編集者を経てフリーライターに。著書に、『超孤独死社会　特殊清掃の現場をたどる』（毎日新聞出版）、『孤独死大国　予備軍1000万人時代のリアル』（双葉社）、『大島てるが案内人 事故物件めぐりをしてきました』（彩図社）などがある。また、東洋経済オンラインや現代ビジネスなどのweb媒体で、生きづらさや男女の性に関する記事を執筆。

家族《かぞく》遺棄《いき》社会《しゃかい》

孤立《こりつ》、無縁《むえん》、放置《ほうち》の果《は》てに。

菅野久美子《かんのくみこ》

2020 年 8 月 10 日　初版発行
2024 年 11 月 15 日　4 版発行

◆◇◇

発行者　山下直久
発　行　株式会社KADOKAWA
〒102-8177　東京都千代田区富士見 2-13-3
電話　0570-002-301（ナビダイヤル）

装 丁 者　緒方修一（ラーフイン・ワークショップ）
ロゴデザイン　good design company
オビデザイン　Zapp!　白金正之
印 刷 所　株式会社KADOKAWA
製 本 所　株式会社KADOKAWA

角川新書

ISBN978-4-04-082349-2 C0236

KADOKAWAの新書 好評既刊

知らないと恥をかく東アジアの大問題

池上　彰　山里亮太　MBS報道局

山ちゃんの「目のつけどころ」に、「池上解説」がズバリ答える。MBSの人気深夜番組が待望の新書化。中国、朝鮮半島、太平洋を挟んでの米中対決……気になる東アジアの厄介な大問題を2人が斬る！

戦車将軍グデーリアン
「電撃戦」を演出した男

大木　毅

WWⅡの緒戦を華々しく飾ったドイツ装甲集団を率いた将軍にして、「電撃戦」の生みの親とされた男。だが、「電撃戦」というドクトリンはなかったことが今では明らかになっている。欧州を征服した「戦車将軍《パンツァーゲネラル》」の仮面を剝ぐ一級の評伝！

花電車芸人
色街を彩った女たち

八木澤高明

花電車芸とは、女性器を使って芸をすることである。戦後、色街や花街の摘発によって職を失った芸妓たち。彼女たちはストリップ劇場に流れつき、芸を披露してきたのだ。表の歴史では全く触れられることのない、知られざる裏芸能史!!

時代劇入門

春日太一

「勧善懲悪は一部に過ぎない」「異世界ファンタジーのように楽しむ」「専門用語は調べなくてよい」……知識ゼロから時代劇を楽しむための入門書。歴史、名優、監督、ヒーローほか、一冊で重要なキーワードとジャンルの全体像がわかる！

睡眠障害
現代の国民病を科学の力で克服する

西野精治

日本人の5人に1人が睡眠にトラブルを抱えている今日。スタンフォード大教授が、現代人の身体を蝕む睡眠障害の種類や恐ろしさを分かりやすく伝える。正しい知識を身につけ、快適な眠りを手に入れるための手がかりが満載の1冊。